NADDION

NADDION

DETHOLION O RYDDIAITH

gan

ISLWYN FFOWC ELIS

GWASG GEE

DINBYCH

ISBN 0 7074 0318 9

Dymuna'r cyhoeddwyr gydnabod cymorth Adrannau Cyngor Llyfrau Cymru.

Argraffwyr, Rhwymwyr a Chyhoeddwyr:
GWASG GEE, DINBYCH

Er cof am fy Nai
ALED CENRIC ELLIS
a gollodd ei fywyd mewn damwain
yn 26 mlwydd oed

GAIR O DDIOLCH

Testun llawenydd mawr i mi oedd cydsyniad awdur y gyfrol hudolus a chyfoethog hon â'r awgrym o gasglu ynghyd a chyhoeddi detholion o'i ryddiaith – rhyddiaith nad oes, ym marn llaweroedd, mo'i rhagorach yn ein hiaith. Ac ni allaf feddwl am ollwng y llyfr i'r cyhoedd ei fwynhau, fel y gweir wrth gwrs gan bob Cymro a Chymraes a werthfawroga lenyddiaeth geinaf eu cenedl, heb ddiolch o galon lawn i'm cyfaill am ymddiried y cyhoeddi i mi, a thrwy hynny – o'm rhan i – goroni cyfnod o gyfeillgarwch rhyngom yn ymestyn dros bum mlynedd a deugain. Bu'r gwaith o gasglu a threfnu a chynhyrchu'r gyfrol yn hyfrydwch pur, ac yn fraint yn wir.

EMLYN EVANS
Tachwedd 1998

CYDNABOD

Diolch i'r canlynol am ganiatâd i gynnwys y darnau hyn:

Barn am yr 'Ysgrifau Amrywiol'; Undeb Annibynwyr Cymru am 'Lludw'r Weinidogaeth' (*Y Dysgedydd*); Eglwys Bresbyteraidd Cymru am 'Y Grisial Ofnadwy' (*Y Drysorfa*); Llys yr Eisteddfod Genedlaethol am y rhannau o'r *Cyfansoddiadau a Beirniadaethau*; Gwasg Prifysgol Cymru am 'Y Golau Estron' (*Y Gwyddonydd*); Adran Gymraeg yr Academi Gymreig am y detholion o *Taliesin*; Cyngor Llyfrau Cymru am y detholion o *Llais Llyfrau*; BBC Cymru am y 'Sgyrsiau Radio'.

Cynnwys

Rhagarweiniad

'O, traed moch!' llefodd yr athro gwaith coed mewn anobaith pan oeddwn wedi gwneud rhyw 'smonaeth waeth nag arfer â'r pisyn pren ar y fainc o'm blaen. Roedd y 'traed moch' hwnnw – un o'r ychydig ymadroddion Cymraeg a fedrai'r Mr Gittins hyfwyn yn Ysgol Llangollen erstalwm – yn ddyfarniad terfynol ar f'ymdrechion i i fod yn saer. Hyd y cofiaf, ar ôl gadael yr ysgol ni chydiais byth wedyn mewn na phlaen na chŷn na lli'. Ac ar yr achlysuron prin pan fyddai'n *rhaid* cydio mewn morthwyl, byddai'r morthwyl yn gwneud mwy o lanast nag o les. Dyna pam y mae f'edmygedd mor fawr o'r cyfeillion sy mor fedrus ar drin coed a pham yr ydw i mor genfigennus o'u medr.

Y darlun parhaol sydd gen i o'r ystafell waith coed yn yr ysgol, fodd bynnag, yw'r pentwr naddion o gwmpas fy nhraed ar ddiwedd y prynhawn. Byddai'n rhaid cymryd brws at y rheini cyn gadael yr ystafell, ond 'roedden nhw'n dyst fy mod wedi ymdrechu, o leiaf, i lunio rhywbeth cain.

Mae unrhyw ysgrifennwr o ddifri yn siŵr o sgrifennu llawer o bethau na ellir eu cynnwys mewn nofel neu ddrama neu unrhyw waith hir arall, rhyw feddyliau 'wrth fynd heibio' neu bwt 'ar gais golygydd'. Ond yn hytrach na sgubo'r rhain i'r fasged, mae'n eu rhoi heibio mewn drôr neu gwpwrdd, rhag ofn y gellir gwneud rhywbeth ohonyn nhw rywbryd eto, neu i'w hanghofio nes daw'n amser clirio'r tŷ at fudo neu ddigwyddiad mwy terfynol.

'Naddion' y byddaf fi'n galw'r pytiau 'gyda llaw' yma: rhyw bethau a ddisgynnodd o'r sgrifbin ar awr segur, neu ar gais rhyw olygydd a'i ddeunydd yn brin at y rhifyn nesaf o'i gylchgrawn, neu pan oedd fy meddwl yn gogor-droi gyda rhyw greadigaeth fwy sylweddol a minnau'n rhy ddiog i ddechrau ar hwnnw o ddifri. Ond ni feddyliais erioed am gasglu'r 'naddion' hyn yn llyfr.

Mr Emlyn Evans, rheolwr-gyfarwyddwr Gwasg Gee, bendith arno, a gafodd y syniad hwnnw. Diolch iddo am syniad mor garedig, ac am beri imi o'r diwedd agor y droriau a'r cypyrddau gorlawn yn y tŷ yma, ac am ddod o hyd i bethau yr oeddwn i wedi eu colli neu eu llwyr anghofio. Diolch hefyd i'w staff diwyd yng Ngwasg Gee am eu gwaith trylwyr a glân, a'u hamynedd rhyfeddol pan fyddwn i'n cloffi yn y gwaith. Ac mae'n rhaid imi gael diolch yn llaes i'r golygyddion a'r cyhoeddwyr a roddodd eu caniatâd mor barod i ailgyhoeddi'r pethau a gyhoeddwyd gyntaf yn eu cyhoeddiadau hwy.

Fel y gwelwch, cymysgedd go ryfedd yw'r pethau sydd yn y llyfr hwn. Gelwais hwy'n erthyglau ac yn ysgrifau ac yn sgyrsiau am na wyddwn beth arall i'w galw. Tipyn o boen i mi fyddai ceisio diffinio 'erthygl' ac 'ysgrif', am fod ystyr y pethau hynny yn newid rhyw gymaint o gyfnod i gyfnod. Gwell gadael y dryswch hwnnw i feirniaid. Ac yng nghanol y gymysgedd hon y mae, yn chwithig, un stori. Ond mi wrthodais gynnwys cerddi. Mi fynnais gadw at ryddiaith y tro yma eto. Fe ddylai hynny roi rhyw undod i'r gymysgedd, o leiaf.

Beth bynnag arall a wnaf o hyn hyd ddiwedd f'oes, mae'n debyg y byddaf yn parhau i 'naddu' o dro i dro, os bydd hwyl a chyhyd ag y pery egni. Mae'n siŵr y bydd y naddion hynny hefyd yn mynd i ryw ddrôr neu'i gilydd, i wneud mwy o waith clirio i rywun ryw ddydd. Ni fedraf addo dim, wrth reswm. 'Temtio rhagluniaeth', chwedl fy mam, fyddai cynllunio'r dyfodol yn rhy fanwl.

Ond dyma rai o naddion doe, am eu gwerth. Efallai mai pylu a wnân nhw yn wyneb haul a llygad goleuni, yn hytrach na disgleirio. Fe gawn weld. Prun bynnag, gobeithio y rhôn nhw rywfaint bach o bleser i rywun.

Llanbedr Pont Steffan   ISLWYN FFOWC ELIS
1998

I

Ysgrifau Amrywiol

Siopa

Dro'n ôl mi welais dri siopwr ar y teledu yn adrodd eu profiad ac yn mynegi'u barn yn Gymraeg ar gelfyddyd cadw siop. Dyma'r tro cyntaf imi sylweddoli bod cadw siop yn gelfyddyd. Cyn hynny yr oeddwn wedi credu nad oedd yn ddim ond 'mater o fusnes.'

Yr oedd y tri siopwr rhadlon hyn yn gytûn fod dyn yn cael ei eni'n siopwr. Oherwydd pan gwynodd yr holwr fod dwy ferch weini mewn siop neilltuol wedi'i gadw ef i ddisgwyl am ei neges tra buont hwy'n gorffen eu sgwrs, a merch weini arall wedi cwyno mai gwaith diflas oedd ganddi, ar ei thraed y tu ôl i gownter drwy'r dydd, fe ddatganodd y tri siopwr ar ei ben na ddylai pobl felly fod yn gweithio mewn siop. Nid oeddent wedi'u 'torri allan' ar gyfer y gwaith.

Os felly, y mae siopau Cymru (a Lloegr yn enwedig) yn berwi o bobol nad ydynt wedi'u 'torri allan' ar gyfer y gwaith. 'Rwy'n dod i gredu fwyfwy fod hyn yn wir am bob gwaith, ond mae'n arbennig o wir am siopau. Ac am bob math o leoedd y mae dyn yn mynd iddynt yn barod i dalu'n llawn am dipyn o wasanaeth.

Mi fedraf gyfri bron ar fysedd un llaw y siopau y mae'n bleser gen i fynd iddynt yn y dre 'ma[1]. Siop lyfrau Gymraeg neilltuol, dwy siop fferyllydd, llythyrdy bach sy hefyd yn siop groser, un siop faco ac un siop ddillad. A'm banc. Er fy mod ymhell o fod yn gefnog, a'm hadroddiad banc wedi bod droeon mewn llythrennau cochion, mae pob banc hyd yn hyn wedi fy nhrin fel cwsmer ac nid fel ysgorpion.

Y math enbytaf o siop, yn fy mhrofiad i, yw'r siop-gadwyn fawr – y siop sydd i lyncu pob siop, meddan nhw, yn y man. Duw a'n gwaredo. Bwrier fy mod yn chwilio am finiaduron pensil. Neges ddigon pitw, rhaid cyfaddef. Wedi cerdded unwaith o gylch y siop a methu gweld dim o'r cyfryw er craffu, gofynnaf i ferch y tu ôl i un cownter sy'n ddwfn mewn sgwrs â'r ferch y tu ôl i'r cownter nesaf b'le y mae'r miniaduron 'ma. Mae'n edrych arnaf i ddechrau fel pe bawn wedi disgyn o'r blaned Mawrth. Yna cyfyd fraich.

[1] Bangor.

13

'*Stationery over there.*'

Dilynaf ei bys yn unionsyth a'm cael fy hun yng nghanol sosbenni, hoelion, llestri te a hadau gerddi. 'Does dim amdani ond holi drachefn. Edrychiad arall, ateb arall sy'n fferru'r gwaed. O'r diwedd, dod o hyd i'r gwir gownter. Mae'r ferch y tu ôl i hwn yn astudiaeth. Tuag un ar bymtheg oed, newydd adael yr ysgol fodern a newydd liwio'i gwallt. Os nad yw hithau mewn sgwrs ddofn am ddynion â'r nesaf ati, mae'n pwyso ar gefn ei chownter gan syllu dros fy mhen, yn cnoi da-da ac yn tapio'i throed neu'n siglo'i chluniau i fydr record bop o ben arall yr adeilad.

Rhaid imi gasglu'r nwyddau fy hun a'u dal o dan ei thrwyn, ynghyd â'r arian – y newid cywir os nad wyf am wastraffu deng munud arall. O'r diwedd fe ddaw allan o'i sgwrs neu'i thrans, a chymryd yr arian heb edrych arnaf, petai hynny'n ofid imi hefyd, a mynd ymlaen â'i sgwrs neu ddychwelyd i'w hecstasi bop.

Oherwydd y profiad mynych hwn yn ystod nifer o flynyddoedd yr wyf yn osgoi siopau-cadwyn fel y pla hyd y gallaf. Oni bai ein bod yn genedl mor wirion, yn mwynhau cael ein trin fel hyn, buasai'r cyfryw siopau wedi cau ers talwm.

Y siop lle y caf y gwasanaeth mwyaf parod a chwrtais, fel arfer, yw honno lle y mae'r perchennog ei hun neu un o'i deulu y tu ôl i'r cownter. 'Does dim angen ymhelaethu. Er bod eithriadau i hyn hefyd. Byddaf yn mynd i un siop yn y ddinas hon unwaith neu ddwy bob wythnos ers chwe blynedd, a'r perchennog ei hun sy'n gweini gan amlaf. Yn ystod y chwe blynedd y mae wedi fy nghyfarch yn glywadwy ryw ddwsin o weithiau, a hyd yn oed wedi ymollwng unwaith i sgwrs – pan oedd ganddo nwydd gwerth dau gini a allai fod o ddiddordeb imi. Yn rhyfedd iawn, mae'n gwneud busnes da.

Byddaf yn ymweld yn achlysurol â'r llythyrdy mawr. Yno y mae tri neu bedwar y tu ôl i'r cownter. Pob tro yr af i mewn 'rwy'n teimlo fy mod yn niwsans iddynt. A bod yn deg 'rwy'n credu bod un ohonynt wedi dweud "Diolch" unwaith neu ddwy mewn chwe blynedd wrth dderbyn fy arian. Bu merch ganol oed yn gweithio yno am gyfnod byr. Yr oedd hi'n digwydd gwybod fy enw a byddai'n fy nghyfarch wrtho, a byddai'n bur hynaws wrthyf. Ond pam y mae'n rhaid i rywun fod yn adnabyddus wrth gownter cyn cael cwrteisi?

Lleoedd tebyg yw'r swyddfa docynnau yn yr orsaf reilffordd a swyddfa'r bysus. Mae'r olaf yn ddryswch i mi. Nid oes neb yno

14

byth yn gwybod a oes bws neilltuol wedi mynd neu wedi dod, ac mae mynd yno i gasglu parsel yn artaith. Mae'n amheus iawn ganddynt a ydyw'r parsel wedi dod, ac yn amlach na pheidio bydd yn rhaid i rywun weld y parsel â'i lygaid ei hun a'i ddangos iddynt a'u hargyhoeddi mai hwnnw ydyw cyn ei gael.

Ac am y ddynes honno yn y Swyddfa Lafur sy'n ffromi drwyddi wrth glywed gair o Gymraeg . . . gwell peidio â sôn amdani.

Yn awr, mae'n bosibl iawn fy mod yn hyll ac yn ddrycsawrus ac yn ddibersonoliaeth. Mae'n bosibl hefyd fod y bobol dda hyn yn medru ffroeni f'argyhoeddiadau gwleidyddol a chrefyddol ac yn otomatig wrthwynebus iddynt. Ond hyd y sylwais i, y mae pawb ond y cynghorwyr dinesig yn cael yr un driniaeth. Yr wyf wedi gwylio a gwrando'n bur fanwl er mwyn bod yn siŵr o hynny.

Yr wyf am fod yn deg. Mae'n siŵr bod sefyll y tu ôl i gownter drwy'r dydd i werthu nwyddau rhywun arall yn waith digon anniddorol, yn enwedig os yw'r rhywun arall hwnnw mor haniaethol â'r Postfeistr Cyffredinol neu'r Rheilffyrdd Prydeinig neu F. W. Woolworth. Ac 'rwy'n barod iawn i faddau gwasanaeth go swta yn ystod y pythefnos cyn y Nadolig neu'r hanner awr cyn i'r siop neu'r sefydliad gau ar ddiwrnod prysur, poeth. Ond nid ymddengys fod y gwasanaeth fawr parotach na siriolach pan yw'r siop neu'r sefydliad yn wag.

Fe ddywedodd y tri siopwr ar y teledu na ddylai neb sy'n anghwrtais neu'n dueddol i flino fod yn gweithio mewn siop. Os felly, mae'n ymddangos i mi mai dau ddewis sydd gennym: siopau bach lle nad oes ond y siopwr neu'i wraig yn gweini, neu siopau mawr otomatig lle mae pawb yn ei helpu'i hun ac yn talu i beiriant cyfri wrth fynd allan.

Ond wedyn fe fyddai cannoedd o filoedd o weithwyr siop heb waith, a'r rhai cyntaf i wrthwynebu sefyllfa felly fyddai gweithwyr siop. Wrth gwrs – ac yr wyf am italeiddio hyn er mwyn i bawb sylwi fy mod yn ei ddweud – *y mae llawer o fechgyn a merched mewn siopau sy'n annwyl iawn y tu ôl i gownter ac yn trin rhywun fel bod rhesymol.* Ond pe chwynnid pawb ond hwy o'r siopau fe fyddai olwynion masnach wedi sefyll. A ph'un bynnag, pwy sy'n mynd i fentro chwynnu?

Y mae agwedd arall ar siopa sy'n dipyn o boen i mi. Ac i laweroedd, mi wn. Yn yr oes dechnegol hon mae rhywun yn prynu llawer o fân beiriannau. Fe fyddai bywyd yn llawer symlach heb beiriannau golchi a rhewi ac eillio a sychu gwallt, heb setiau radio

15

a theledu a moduron. Ond os nad yw dyn yn pentyrru'r taclau hyn yn ei gegin a'i barlwr a'i gwt modur y mae'n magu cymhleth taeog. Mae'r pris am wrthod mecaneiddio'r tŷ yn rhy uchel.

O'r gorau. Wrth brynu un o'r pethau hyn fe all dyn gael gwasanaeth digon serchog. Wedi'r cyfan, y mae'r bil efallai'n hanner canpunt neu fwy. Y mae gwên yn y siop a boddhad yn y coluddion. Tegan newydd yn y tŷ a chyfraniad newydd wedi'i wneud tuag at hybu'r fasnach leol.

Yna, un diwrnod, y mae'r teclyn yn torri. Y mae rhyw ran gyfrin o'i gyfansoddiad wedi pallu, ac ni ellir mo'i gychwyn drwy deg na thrwy drais. Mynd i'r siop yn awr i ofyn am help.

'Pryd y cawsoch chi o?'

'Yr adeg a'r adeg.'

'Yma?'

'Ie.'

'Hmm . . .'

Chwilio llyfrau. Llawer o fwmial a chnoi gwefus a siglo pen. O'r diwedd, rhyw gynnig gwan-galon, croes-i'r-graen, i 'gymryd golwg' ar y peth.

Disgwyl dridiau neu bedwar. Y dyn yn cyrraedd. Proses y 'cymryd golwg' yn dechrau. Gan amlaf, fe ddaw i ben mewn cynnig i anfon y peth yn ôl i'r wyrcs. Y mae, wrth gwrs, bosibilrwydd arall.

'Diw sî, ma'r model yma'n obsolit rŵan. Mae o wedi mynd owt of prodycshon. Ma'r ffyrm wedi dŵad ag un newydd allan. Lyfli job.'

Rhaid imi ddweud bod y siop lle byddaf i'n prynu pethau trydan yn eithriad. Pan â rhywbeth o'i le fe ddaw rhywun yma ar godiad 'ffôn ac fe drwsir y teclyn bron bob tro. Ond 'rwy'n ofni mai eithriad ydyw. Gwahanol iawn yw fy mhrofiad gyda setiau radio a theledu, beth bynnag. Y mae'n anhygoel i mi gynifer sy wedi agor siop radio newydd heb fedru trwsio set radio sy wedi pallu. Bûm am fisoedd yn methu cael trwsio gramoffon. Cyfaill o weinidog a'i trwsiodd imi yn y diwedd.

Yng ngwledydd Sgandinafia y mae ganddynt ŵr mewn awdurdod i wrando cwynion fel hyn a chwilio i mewn i'r diffygion. *Ombudsman* y'i gelwir. Y mae Llywodraeth Loegr wedi gwrthod penodi *Ombudsman* i Brydain. Y rheswm? Bod Prydain yn rhy fawr i un gŵr felly gadw golwg arni. Hyd y gwn i, ni ofynnodd neb iddi benodi Ombudsman dros Gymru – gwlad ddigon tebyg o ran poblogaeth i wledydd Sgandinafia ac a fyddai'n ddelfrydol i'r arbraw. Ond o ran hynny, fe wyddom bellach mor ofer yw *gofyn* i'r Llywodraeth am ddim i Gymru.

Fe wneir gwaith rhagorol gan y *Consumers Association*, ac yn awr mae'r Llywodraeth ar fin penodi Cyngor er Amddiffyn Prynwyr. Ond ymdrin ag ansawdd nwyddau am eu pris, yn bennaf, y mae cyrff fel hyn. Problem fwy yw cynhyrchu sirioldeb a medrusrwydd parod mewn gwasanaeth cyhoeddus.

Rhyw bedair blynedd yn ôl fe ddifethwyd rhai o'n dodrefn gan ddŵr wedi gorlifo o'r tanc uwchben. Fe ddaeth dyn yma i roi bras-gyfri o'r gost am eu hail-gwyro ac i addo gwneud y gwaith. Ni welsom mohono byth. Ond stori arall yw honno . . .

'Barn', Tachwedd, 1962

17

Siarad

Mi fydda i'n ofni'n amal y dyddiau hyn fod siarad wedi mynd yn beth go ddi-groen. 'Dydw i ddim yn siaradwr mawr fy hun, os na fydda i gyda chyfaill mynwesol iawn, neu'n teimlo'n anarferol o iach, neu wedi bwyta swper anarferol o dda. Yn wir, mae rhai pobol na fedra i ddim siarad â nhw; nid am fod gen i ddim yn eu herbyn nhw, ond am eu bod nhw mor ddi-sgwrs â minnau.

Ond os ca i fod yn hunan-gyfiawn am funud, mae gen i un rhinwedd. 'Rydw i'n wrandawr iawn. A 'does dim yn well gen i na gwrando ar siaradwr diddorol, amrywiol, graenus. Ac achlysurol. Oherwydd, pob parch i'm cyfeillion gorau, fydd arna i byth awydd gwrando ar neb yn amlach nag unwaith mewn wythnos. Mae unwaith mewn tri mis yn well fyth.

Ond mae siarad wedi dirywio. 'Rwy'n sicir o hynny. Siarad ar aelwyd a siarad cyhoeddus. Ychydig ryfeddol yw'r bobol hynny bellach sy'n medru dweud eu meddwl yn glir ac un ai'n effeithiol gryno neu'n ddiddorol gwmpasog.

Pob parch i'r Dr. Peate a'r 'unieithegwyr,' nid yn Gymraeg yn unig y bu'r dirywiad hwn. Mae'n ddigon gwir fod y Cymry uniaith neu agos uniaith dros eu deg a thrigain yn siarad gwell Cymraeg ac yn siarad yn well yn Gymraeg na'm cenhedlaeth i. Ond nid cywirdeb cystrawen a phurdeb geirfa a chyfoeth idiom yn unig yw siarad da.

Cymerwch y rhaglenni trafod Saesneg ar y radio a'r teledu. Fe ellir rhannu'r siaradwyr gloywaf, at ei gilydd, yn dri dosbarth: y gohebwyr proffesiynol, sy'n byw ar y gwaith ac yn cael eu talu'n dda amdano; yr athrawon coleg niferus, sydd wrth gwrs yn siarad Saesneg cyhoeddus am oriau bob dydd; a 'chymeriadau' dros eu trigain oed.

Mae siarad y dosbarth cyntaf yn llawn o gic a sglein ac ystrydebau, siarad yr ail ddosbarth yn boendod o Fiahiroth a Balseffon, ofn bod yn rhy academaidd i'r werin ac yn rhy werinol i'w swydd. Gan y trydydd dosbarth bychan, gan amlaf, y ceir y siarad sy'n dod o'r perfedd lawn cymaint ag o'r pen.

Wrth gwrs, mae siarad y rhain yn gywir ei gystrawen – pwy bynnag a fedr benderfynu beth sy'n Saesneg cywir ar unrhyw flwyddyn neilltuol – ac yn bur ei eirfa – mor bur ag y gall geirfa Saesneg fod. Ac at ei gilydd y mae'n llithrig. Ond wrth gwrs, iaith lithrig yw'r Saesneg: llysywen o iaith ddiesgyrn.

Ond gwrandewch ar y mwyafrif o'r rhai sy'n siarad yn Saesneg ar y radio a'r teledu. Yn amlach na pheidio, y peth a glywch chi yw rhywbeth tebyg i hyn:

> 'What I mean, of course, is . . . there's a sort of . . . if I could put it this way . . . and actually this is awfully important . . . I mean a sort of **rapprochement** . . . which sort of **does** something . . . I suppose one really **could** say . . . I mean . . .'

Ac felly yn y blaen. Y rwdl mwyaf diffurf a digynnwys a glywodd clustiau gwareiddiedig, mae'n siŵr gen i, erioed. Er imi ganmol athrawon coleg gynnau, rhaid dweud bod llawer ohonynt hwythau'n ddwfn yn y camwedd.

A'r trychineb yw bod Saeson yn credu bod siarad fel hyn yn glyfar, mai hyn *ydyw* siarad, Y gwir yw mai iaith sâl i'w siarad ydyw'r Saesneg. Nid oes ganddi lawnder soniarus yr Almaeneg, na melodedd ystwyth yr Eidaleg, nac ysgafnder miniog y Ffrangeg. 'Does dim siâp i'w geiriau rywsut, dim pwysau, dim trwm-ac-ysgafn naturiol. Mae'n iaith blentynnaidd o hawdd, wrth gwrs, ar wahân i'w sbelio a'i seiniau, sy'n hunllef i bob tramorwr. Ond am ei bod mor hawdd y mae'n porthi diogi yn ei siaradwyr. Nid yn unig y mae'i chystrawennau llithrig yn rhwystr iddynt feddwl yn egnïol; mae'i seiniau annaturiol yn ei gwneud hi'n anodd iddynt ddysgu ieithoedd eraill.

Ond os yw'r Saesneg yn gofyn rhy ychydig gan ei siaradwyr, mae'r Gymraeg yn gofyn gormod. Dyma'r rhwystr pennaf i Gymraeg cyhoeddus da. Mae gan siaradwyr cyhoeddus, ar lwyfan ac ar y radio, dasg anodd.

Mae pawb sy'n arfer y Gymraeg yn gyhoeddus wedi dysgu Cymraeg llenyddol yn weddol dda; ar y llaw arall, mae ganddo Gymraeg tafodiaith i'w arfer ar yr aelwyd. Ond pan yw'n siarad â chynulleidfa ni wna'r naill na'r llall mo'r tro.

Mae amryw gyrff yng Nghymru ar hyn o bryd yn ceisio llunio 'Cymraeg llafar safonol.' Mae'u hargymhellion yn cytuno'n dda, a chyn bo hir fe fydd gennym Gymraeg llafar safonol – ar bapur, o leiaf.

19

Ond cyn y daw'n gyffredin, bydd yn rhaid i bawb sy'n siarad Cymraeg yn gyhoeddus, yn enwedig ar y radio a'r teledu, ddysgu'r iaith lafar safonol hon. 'Fydd hynny ddim yn anodd. Mae pob pregethwr deallus yn ei ddefnyddio eisoes, i bob pwrpas, heb yn wybod iddo'i hun. Nid yw'n ddim ond ffurfiau berfol llafar – rydw i, rwyt ti, mae e, mae hi, rydyn ni, rydych chi, maen nhw – a phethau felly.

Ond mae problem Cymraeg cyhoeddus da yn ddyfnach. Mae a wnelo â'r pethau sy'n gywir neu'n anghywir mewn Cymraeg llenyddol, Cymraeg llafar safonol a Chymraeg tafodiaith fel ei gilydd. Mae 'llong' yn fenywaidd a 'cwch' yn wrywaidd ym mhob math o Gymraeg. Nid yw 'rydw' i ofn' neu 'am bod fi isio' yn iawn mewn unrhyw Gymraeg. Ac nid yw 'Dyna Mel Charles yn mynd â'r bel drwyddo' (drwy bwy, tybed?) neu 'y peth yn 'i hun' yn Gymraeg yn y byd.

Os gwneir y camgymeriadau hyn yn awr heb Gymraeg llafar safonol, fe'u gwneir pan ddaw'r Cymraeg hwnnw hefyd. Yr anhawster yw cymhlethdod cystrawennol y Gymraeg, ac ni fedr neb fagu rhwyddineb glân mewn iaith mor gymhleth heb ei siarad a'i darllen a meddwl ynddi'n gyson. Ni all neb siarad Saesneg â'i gyd-Gymry drwy'r dydd ac yna obeithio siarad Cymraeg gloyw am ugain munud o flaen y meic.

Dyma'r math o Gymraeg radio a glywir yn fynych:

'Cyn bo ni'n dod at y mater arall, fasech chi'n deud na'r peth fasech chi'n hoffi gweld ydi mwy o ymchwil i sefyllfa fel hwn, yn lle fod yr holl filiyne o bunne'n cael 'i wario ar un o'r cynllunie 'ma sy â dim gwerth ynddi o gwbwl?'

Fe all paragraff fel hwnyna, o'i lefaru'n hyderus ac yn gyflym, dwyllo clustiau llawer o wrandawyr. Ac eto, mae ynddo saith neu wyth o wallau cystrawen sy'n wallau mewn unrhyw fath o Gymraeg, boed lenyddol neu dafodiaith. Ac er mai paragraff gwneud ydyw, mae'i wallau'n rhai cyffredin iawn: yn bennaf, camdreiglo ac ansicrwydd ynghylch cenedl enwau a rhif arddodiaid personol. Gwallau y gallai tri mis cydwybodol uwchben unrhyw ramadeg Cymraeg eu dileu. Heb loywi dim ar y paragraff, fe ellid ei gywiro a'i rwyddhau fel hyn:

'Cyn inni ddod at y mater arall, fasech chi'n dweud mai'r peth y carech chi'i weld ydi mwy o ymchwil i sefyllfa fel hon, yn lle bod

20

yr holl filiyne o bunne'n cael 'u gwario ar un o'r cynllunie 'ma nad oes dim gwerth ynddyn nhw o gwbwl?'

Rhaid cofio, wrth gwrs, fod pawb sy'n siarad yn ddifyfyr a than beth straen yn bur debyg o faglu weithiau. Ymhellach, mae'n hawdd iawn gen' i faddau i wyddonydd, dyweder, neu economegydd neu unrhyw arbenigwr nad yw'n arfer y Gymraeg yn ei waith bob dydd am siarad Cymraeg carpiog ar y radio. Wedi'r cyfan, mae'n dda bod gwŷr fel hyn yn medru trafod eu pwnc yn Gymraeg o gwbwl. Nid wyf yn disgwyl iaith o'r un safon ganddynt hwy â chan bregethwr neu athro neu lenor.

Ar yr un pryd, y mae gwyddonwyr ac arbenigwyr eraill sy'n siarad Cymraeg graenus iawn. Gallwn enwi'r Dr. R. Alun Roberts, Mr. I. C. Jones, Dr. Glyn Penrhyn Jones ac eraill nad ydynt byth braidd yn rhoi cam gwag mewn na threiglad na chystrawen.

Y cwestiwn ydyw: a ddylid esgusodi Cymraeg cyhoeddus diffygiol (1) am fod y Gymraeg yn anos ei siarad yn raenus na'r Saesneg? (2) am nad yw'r mwyafrif o arbenigwyr yn ei harfer yn eu gwaith bob dydd?

Fy nheimlad i yw bod siarad mwy cyhyrog a diwastraff at ei gilydd mewn rhaglenni Cymraeg difyfyr nag mewn rhaglenni Saesneg cyffelyb, ond bod iaith y rhaglenni Saesneg yn llawer gloywach. Efallai bod yn rhaid inni fodloni ar hynny. Yn gyffredinol.

Ond yn sicir, fe ddylem ddisgwyl Cymraeg didramgwydd gan rai sy'n defnyddio'r Gymraeg beunydd yn eu gwaith ac yn ennill eu bara a chaws ynddi. Mae'n rhaid esgusodi Cymraeg ansicir arbenigwyr mewn pynciau eraill sy'n darlledu'n achlysurol. Ond fe ddylem ddisgwyl Cymraeg glân gan gyhoeddwyr, cyflwynyddion a gohebwyr radio a theledu. Fe glywir eu lleisiau hwy'n fynych gan blant a phobol ifainc, a heblaw hynny y maent wedi dewis siarad Cymraeg yn gyhoeddus naill ai fel galwedigaeth neu i chwanegu at eu hincwm.

O'r cyhoeddwyr a glywir yn awr, fe ellir gwrando ar Morfudd Mason Lewis ac Aled Rhys Wiliam y B.B.C. ac Eirwen Davies T.W.W. heb dorri i wylo. Y mae ambell gyhoeddwr achlysurol hefyd sy'n darllen yn bur lân. Fe ellir amddiffyn darllen newyddion gwallus drwy roi'r bai ar y sgript a dweud na chafodd y cyhoeddwr amser i fwrw golwg drosti. Os felly, mae gofyn i gyhoeddwr da fod yn fwy na darllenwr peiriannol gywir. Mae gofyn iddo fedru cywiro camdreigladau a mân wallau cystrawen dan ddarllen. Ac mae'n amlwg i mi fod y cyhoeddwyr a enwais yn medru gwneud hynny.

Mae un neu ddau ohonynt yn medru troi iaith lenyddol y sgript yn iaith lafar, hyd yn oed, heb ragbaratoi. Mae hon yn fwy o gamp nag a ŵyr gwrandawyr. Ond y mae'n un peth y dylai pob darlledwr cyson ei ddysgu.

Iaith lafar safonol neu beidio, fe ddaeth yn bryd hyfforddi pobol i siarad Cymraeg cyhoeddus yn gywir. Nid yn llenyddol ramadegol gywir – gwareder ni rhag hynny bellach – ond yn gywir mewn treiglad a chenedl enwau a chystrawen – y pethau sy'r un fath ym mhob Cymraeg.

'Rwy'n siŵr ei bod hi'n bosibl cynnal cwrs i ddysgu siarad y Gymraeg – fel y siaredir hi mewn rhaglenni ar chwaraeon gan Eic Davies a Gwynedd Pierce ac mewn rhaglenni ar arddio a ffarmio gan J. E. Jones a Llewelyn Phillips – yn groyw ac yn hanfodol, greiddiol gywir, pa un a ydyw'n tueddu at dafodiaith neu at iaith lên.

Gan mai o'r bocs clywed a'r bocs gweld y clywir bellach y rhan fwyaf o Gymraeg cyhoeddus er ei brinned, fe all Cymraeg gloywach drwy'r ddau gyfrwng hynny loywi Cymraeg pulpud a llwyfan ac aelwyd Cymru unwaith eto.

'Barn', Rhagfyr, 1962

Bwyta

Mae'n haws siarad â phobol am fwyd ar ôl y Nadolig. Mae rhamantu cibddall dechrau Rhagfyr wedi mynd: neb yn awr yn glafoerio wrth glywed bloedd twrci nac yn llesmeirio yn aroglau mins peis. Y blas sy ar y genau blysig bellach yw blas asbrin, llaeth magnesia a hylif paraffîn.

Mae hyn yn drueni. Mae'r gorlwytho anghelfydd bob Nadolig wedi camystumio'n holl agwedd at fwyd. Y mae bwyd, o'i ystyried yn gall, yn un o bethau da bywyd. Fel y gŵyr pawb cyfoethog. Ond yr ydym ni, werin dlawd, wedi'i gamddeall. I ni, rhywbeth yw bwyd i'w lyncu fel y daw, i'n cadw ar fynd, i ennill pres, i brynu rhagor o fwyd. Ac i ymlenwi'n anghysurus ag ef bob pumed ar hugain o Ragfyr, yn nefod flynyddol andwyol y duw Bol.

Mae 'na reswm am hyn. Fe fagwyd y rheini ohonom sy dros bump ar hugain oed mewn cyfnod pan na ellid fforddio bwyta yng ngwir ystyr y gair, dim ond ymgynnal. Ac fe fagwyd y rheini ohonom sy dros drigain oed pan na ellid fforddio cynhaliaeth iawn, hyn yn oed. Yn awr, mae pob un sy wedi'i fagu ar datws a bara, fel y mwyafrif llethol o Gymry, yn ei chael hi'n anodd iawn amgyffred yr amrywiaeth lesmeiriol o fwyd sydd yn y ddaear ac arni, ac yn ei chael hi'n anos fyth dirnad fod yr amrywiaeth yna at wasanaeth pob dyn byw.

Pe bawn i'n dweud wrth rywun cymedrol gall fod asparagus ac olifiaid a gercinod yn bethau blasus a da, fe edrychai'r sawl arnaf, mae'n fwy na thebyg, fel pe bawn i'n gofyn iddo am fôt i Syr Oswald Moseley. Ac fe ddwedai wrth ei gâr a'i gyfaill, 'Snob ydi'r boi yna, wyddost.' Ond 'dydw i ddim yn snob, er gwaetha'r hyn a ddywed rhai o'm cyfeillion mynwesol. I mi, rhoddion Rhagluniaeth yw asparagus ac olifiaid a gercinod, ac os ydyn nhw'n dda i Sais dwy-fil-y-flwyddyn maen nhw'n dda hefyd i Gymro. Yn bendifaddau, yn well na thatws a bara.

Yr wyf wedi darganfod fod *hors d'oeuvre* yn air budr i rai o'm cyfeillion. Iddynt hwy, mae dyn sy'n bwyta gercin neu ddau ac olif a hanner wy a hanner tomato a sardîn gyda fforc oddi ar blât bach cyn ei ginio yn dechrau colli yn ei ben. Rhydd iddynt eu barn. Mewn lleiafrif y byddant ryw ddydd, hyd yn oed yng Nghymru. Y mae gennyf gyfeillion eraill sydd fel finnau'n ymarfer yn achlysurol yr *hors d'oeuvre*. Ystyr yr enw Ffrangeg annhangnefeddus braidd yw nid 'ceffyl gwedd' – 'does dim peryg' cael cig dieithr felly yn y gymysgedd – ond 'oddi allan i'r gwaith'. Hynny yw, rhyw flasusyn i godi archwaeth cyn ymosod ar y gwir ginio. *Anti-pasto* yw gair yr Eidalwyr amdano, sy'n awgrymu mai'r gair Cymraeg fyddai 'cynbryd' neu 'gynfwyd.'

'Does dim yn fwy anwerinol – defnyddiaf y gair o barch i'r fuwch gysegredig Gymreig, y Werin – mewn bwyta cynbryd nag mewn bwyta cawl ar ddechrau cinio. I'n hynafiaid, cawl yn fynych *oedd* y cinio. Peth benthyg – a snobyddlyd felltigedig, gan ein bod wedi dechrau taflu tywyrch – yw sipian dŵr y cawl cyn cinio (â rhyw lwy gron wirion, ran fynychaf) ac wedyn bwyta priod gynnwys y cawl â chyllell a fforc. Os cawl, cawl. Neu'n fwy gogleddol, os cawl, potes.

Mae agwedd pobol at gig hefyd yn ddryswch i mi, er ei bod beth yn gallach nag at lysiau. Nid sôn am y bwydlysieuwyr yr wyf, y bobol dda sy o gydwybod yn ymwrthod â chig; mae gennyf barch mawr o bell tuag atynt hwy, a synnwn i ddim yn y pen draw nad hwy sy'n iawn. Nage, sôn yr wyf i am yr ymlyniad hir-barchus wrth gig eidion, cig oen (i'r Gogleddwyr, bîff a lam) a phorc. Dyma'r drindod gerfiedig y mae'n beryglus dweud dim yn ei herbyn. Mae i ddyn sôn am gig llo yn ei wneud, unwaith eto, yn snob. Ac mae'r cyhoedd yn amal yn anghofio bod gan greaduriaid elwlod a pherfedd, ac y gellir gwneud pethau o'r olaf heblaw sosej.

I mi, 'roedd cig cwningen mor flasus â dim, yn y dyddiau heulog hynny pan oedden ni'n cael bwyta cwningod. Cwningen ffres o'r maes, a'r gwlith yn pefrio ar ei blew. Ond pwnc go ddolurus yw hwn o hyd, tueddol i godi gwrychynnod lawer, a gwell ei adael yn y fan yna.

Cyn gorffen â chigoedd, ystyriwch y môr, a'r hyn oll sydd ynddynt, chwedl yr Ysgrythur. A meddwl bod Cymru'n wlad yn y môr mae agwedd ei phobl at gynnyrch y môr yn un o'r pethau odiaf. 'Dydw i ddim yn rhyw cîn iawn ar ffish.' Dyna, i doreth y genedl, yw cynnyrch gogoneddus amrywiol y môr: ffish. Dyna yw lledod, mecryll, penwaig, hadog, y penfras, y torbwt, y gegddu: ffish. Mae'n wir fod brithyll a samon yn eithriadau: brithyll am fod Dewyrth yn eu dal â genwair unwaith yn y flwyddyn ar li

Awst, samon am ei fod mewn tun. Ond beth am weddill y cyfoeth: crancod, cimychiaid, perdys, corgimychiaid, llymeirch, cocos, gwichiaid? Y cig tyneraf, mwyaf dewinol ei amrywiol flasau a fu ar fwrdd. 'Rhy debyg i ffish.'

Heblaw'r tir a'r môr y mae'r awyr. Mae'n wir y gallai'r Werin fwynhau ffesant neu betrisen neu rugiar, ond y mae rheswm penodol am hynny. Fe fu'r rhain am genedlaethau yn fara cudd yng Nghymru, yn gêm byddigions, yn y golwg ac eto o'r gafael, ac felly mae'r Werin wedi dysgu cael blas achlysurol arnynt drwy lafur dirgel rhai o bobol yr ymylon. Pe bai'r Gyfraith yn gallach nag ydyw, a'r adar hyn yn rhydd i bawb, mae'n debyg y byddent wedi'u diraddio i'r un dosbarth â ffish.

Dyna, hyd y gwelaf i, sy wedi digwydd i'r ysguthan neu'r 'glomen wyllt.' 'Does dim byd mwy deintiol na chwpwl o sguthanod ar blât neu mewn pastai, ond 'dyw'r adar hyn ddim yn gêm, ddim yn waharddedig, ac felly ni thynnir dŵr o ddannedd y Werin gan yr edn glas.

Y mae, wrth gwrs, adar ac adar. Mae'r adar hynny sy wedi mynd yn rhy dew a rhy ddiog i hedfan yn deilwng i'w bwyta. Yn wir, mae'r 'ffowlyn bach neis' wedi mynd yn ddiwydiant mawr. A barnu wrth y magu a'r pesgi ar filiynau o ddofednod, y pluo a'r rhewi a'r pacio a'r postio gorffwyll, mae'r 'tshicin' bellach yn bur uchel ar y rhestr. Er hynny, os nad ydych yn gwella ar ôl y ffliw, neu wedi gwa'dd Yncl ac Anti am wythnos, go brin y prynwch chi ffowlyn yn lle leg-o-lam neu best-end-o-bîff. Moethyn, hyd yma, ar y cyfan, yw crafwyr y domen.

Ac am y twrci a'r ŵydd a'r hwyaden . . . ond efallai'i bod hi braidd yn fuan wedi'r Nadolig. Nid yw'r surni eto wedi gadael y stumog, na'r cur y pen.

Eto, tra bo'r surni neu'r atgof amdano'n aros y mae imi draddodi 'mhregeth. Yn awr, tra bo'r flwyddyn yn newydd a'r awyrgylch addunedol yn ffres. Beth am ddechrau ymddiddori mewn bwyd? Ystyried bwyd fel yr ystyriwn lenyddiaeth dda neu gerddoriaeth nobl neu olygfeydd y ddaear o'n cwmpas. Gadael rhigol y cig-a-thatws-a-grefi-a-phwdin-ar-ôl ac ystyried y golud sydd yn y ddaear a'r môr a'r awyr at gynnal dyn.

'Does dim rhaid i'r diddordeb hwn fod yn gostus. Yn wir, fe all bocsaid o falwod neu goesau llyffaint o Ffrainc neu adar to ac egin bambŵ o Tseina fod yn rhatach o dipyn at ginio dydd Sul na darn o bîff.

Ac yn sgîl y myrdd Saeson gwybodus a ddaeth i Gymru fe ddaeth hefyd siopau sy'n gwerthu'r blasusion hyn.

Bid siŵr, nid wyf am i neb droi cefn ar yr oen Cymreig a'r eidion Cymreig a'r datysen a'r foronen a'r fresychen sy mor Gymreig bellach â dim. Yn nannedd y farchnad gyffredin – os awn iddi byth – safwn yn gadarn wrth gefn ein hamaethwr o Gymro. Ond profwch bob peth. Ac yna, wedi blasu a bwyta'n ddeallus ar hyd y flwyddyn nes magu tafod beirniadol a chylla dadansoddol, ni wnewch chi byth eto fochyn ohonoch eich hun ar ddydd Nadolig. Y twrci a gyll ei hud a'r ŵydd ei chyfaredd, a byddant megis adar y to. Y stwffin hefyd a gyll ei flas, a'r fins pei ei deintioldeb, a'r Brysel sbrowt a'r pŷs ni wnânt alanas. Ac yn y dydd hwnnw ni chynhelir dyn gan asbrin, ac nis cysurir gan laeth magnesia. Canys pob anghysur a aeth heibio, a chwyddedigaeth ni bydd mwy.

'Barn', Ionawr, 1963

Tramora

Dyma'r dyddiau y mae pobol yn cynllunio'u gwyliau haf, neu'n breuddwydio am y gwyliau na allan nhw mo'u fforddio.

Cyn gynted ag y diffoddodd goleuadau siriol y Nadolig, a chalonnau'r miloedd yn suddo wrth wynebu tri mis arall o farrug ac eirlaw ac annwyd a phibellau wedi rhewi a llosg eira, dyma'r golau arall yn gwawrio. Yn wir, haul mawr melyn yn codi. Nid yma, ysywaeth, ond ar y Costa Brava a'r Côte d'Azur ac o donnau glas yr Adriatig.

Ar bapurau a chylchgronau cynta'r flwyddyn newydd fe ddisgynnodd cenlli sydyn o hysbysebion, ac un gair yn anferth ynddyn nhw: HAUL! A llun haul crwn pelydrog mewn sgwâr ar ôl sgwâr yn gwneud i oerni Ionawr deimlo'n oerach a'i awyr lwyd edrych yn llwytach.

Cyfrinach hysbysebu effeithiol, mae'n ymddangos i mi, yw dal dyn yn ei wendid. Cyfnod y Nadolig yw'r gorau i werthu powdrau a thabledi stumog, yn ogystal â phob math o geriach na fyddai neb yn meddwl eu prynu ar adeg gall, ond sy'n datrys problem anrhegion yn hwylus ddigon. Yr ysglyfaeth decaf i'r gwŷr sy'n gwerthu gwyddoniaduron yw rhieni sy'n poeni am yr 11+. A'r adeg i werthu pentwr o ffisig anifeiliaid i ffarmwr yw pan fo'r ffarmwr newydd gael colled drom ac yn barod i wario'n anarferol o ffri rhag cael colled arall debyg.

Does dim cymaint o angen hysbysebu'r pethau uchod, gan fod natur neu'r tymor yn creu'r angen a'r cyfle. Ond gwerthu peiriant golchi i wraig a chanddi beiriant golchi eisoes, neu bowdwr golchi newydd pan fo nifer o bowdrau go foddhaol ar y farchnad yn barod – dyna fater gwahanol. Rhaid argyhoeddi Mrs. Jones *bod* y peiriant yma'n golchi'n llwyrach na phob peiriant arall, a hynny *heb* gonstro'r dillad, a *bod* y powdwr yma nid yn unig yn golchi'n wynnach, ond yn ychanegu gloywder at wynder.

Dydi'r anhawster yma ddim yn wynebu'r cwmnïau gwyliau tramor. Maen nhw'n perthyn i ddosbarth y gwerthwyr tabledi stumog ac enseiclopidias a ffisig anifeiliaid. Y cyfan sy'n eisiau iddyn nhw yw disgwyl eu hawr, a tharo. Disgwyl am y dyddiau fflat ar ôl y Nadolig, a barrug Ionawr, ac yna – llun clamp o haul yn y papur ac enw hudolus fel y Costa Brava neu'r Adriatig neu'r Côte d'Azur. Dal y miloedd yn eu cryndod pesychlyd o flaen eu tanau drud, eu taro ym mhwll eu gwendid. Ac mae'r ceisiadau'n llifo i mewn. Os gwir y sôn. Ac mae'r sôn yn wir.

Mae gen i'n awr bapur newydd clodwiw o 'mlaen. Atodiad gwyliau. Dim llai na chwe thudalen o erthyglau a hysbysebion heulog. Fel a ganlyn:

'Gydag ——— i'r haul; pythefnos o socian dioglyd mewn heulwen'; 'Ynys hardd is-drofannol Madeira; heulwen ac ymdrochi cynnes wedi dim ond ychydig oriau o hedfan'; 'Llecyn yn yr haul; un o'n bythynnod yn Sbaen, Ffrainc, yr Eidal neu Awstria'; 'Mordeithio neu Ddiogi yn yr haul, yr un a fynnoch; unrhyw fordaith: i Ynysoedd Groeg, er enghraifft, am ddim ond 65 gini . . .'; 'Tŷ gwyliau i chi eich hun . . . 15 niwrnod yn yr haul ar lannau'r Môr Canoldir . . .'

Ac felly 'mlaen mewn colofn ar ôl colofn gynhesol. Haul ar ben haul. Ac nid yr haul cyffredin, cyfarwydd, yn unig. Clywch: 'Trowch i Sgandinafia am Wyliau Gwahanol. A wyddech chi mai'r hafau y tu ucha' i Gylch yr Arctig yw'r poethaf yn Ewrop, am nad yw'r *haul byth yn machlud?*' (Nid myfi biau'r italeiddio).

Ond edrychwch, does dim rhaid aros tan yr haf. 'Gaeaf yn yr haul . . . Majorca! Tenerife!' 'Mae Cwmni ——— Cyf. yn cynnig ichi *ail* haf: (Pwy gafodd y cyntaf, tybed?) Madeira, Las Palmas, Casablanca, Tangier, Cadiz, Lisbon . . .' O! yr enwau sy'n win ac yn olew i gyd.

Mae'n hawdd iawn priodoli snobyddiaeth i bobol sy'n mynd dros y môr ar eu gwyliau, hyd yn oed heddiw. Ac mae'n hawdd iawn edrych yn sarrug ar Gymry sy'n tramora a dweud, 'Gwelwch Gymru'n gyntaf.' Ond os buoch chi'n llechu o'r glaw am wythnos mewn carafán ar Draeth Popyd neu'n sbïo ar y gawod daranau feunyddiol o ffenest bording-hows yn Llandudno neu'r Rhyl, fe welwch ryw synnwyr mewn mynd dros y môr *ambell* haf, does bosib.

Wrth reswm, does dim sicrwydd y cewch chi haul bob dydd ar y Costa Brava, na môr glas bob dydd ar y Rifiera. Yn wir, yr unig dro i mi weld y Môr Canoldir,[1] roedd o y peth tebyca welsoch chi i lyn golchi defaid – ar ôl golchi defaid. Ac mi fûm i am dridiau ar

---

[1] Ym 1949 yr oedd hynny. Fe'i gwelais droeon wedyn, ac yn lasach.

lan un o lynnoedd y Swistir cyn gweld ochor bella'r llyn gan dewed y tarth. Ond mae'ch siawns chi o *weld* yr haul gryn dipyn yn uwch ar y Cyfandir nag yng Nghymru.

Mi ddwedwn i y dylai pob Cymro a Chymraes aros gartre bob yn ail flwyddyn, pan yw'r Eisteddfod Genedlaethol yn y Gogledd – os ydych chi'n 'y neall i. Cofiwch hafau 1947 (Eisteddfod Bae Colwyn), 1951 (Eisteddfod Llanrwst), 1955 (Eisteddfod Pwllheli), 1959 (Eisteddfod Caernarfon). Hafau digon da i undyn. Ac yn ôl y cyfri pedair-blynyddol yna, mae 1963 (Eisteddfod Llandudno) i fod yn gyffelyb.[2] Yr hafau i ddianc dros y môr, yn bendifaddau, yw'r rheini pan yw'r Eisteddfod yn y De (ond ichi beidio â mynd yn ystod wythnos yr Eisteddfod ei hun; mae'r Eisteddfod yn werth ei gweld ar y teledu).

Gair o brofiad. I gael budd o wyliau tramor fe ddylai rhywun adael ei ragfarnau a'i argoeddiadau gartre. Does dim diben mewn mynd i Sbaen neu'r Eidal (er na fûm i ddim)[3] a chwyno ar ôl dod adre fod y bwyd i gyd wedi'i goginio mewn olew. A does dim pwynt mewn mynd i Ffrainc a chwyno wedyn fod y te yno'n ddrud ac yn dila ac nad oes dim modd cael cig moch ac wy i frecwast. Os mynd o gwbl, mynd i fwynhau, ac i ddysgu, ac i dderbyn pethau fel y maen nhw yno. Onid e, aros gartre.

Ar ddau o'r troeon y bûm i ar y Cyfandir, roeddwn i'n digwydd bod mewn cwmni croch o Saeson Sir Gaerhirfryn. (Maen nhw, fel yr Americanwyr, yn hollbresennol). Ac roedd eu cwyno parhaus a'u hiraeth llafar am gyrraedd adre i Loegr a chael cwpanaid o de a bath a sigarét Seisnig a glasaid o stowt yn ferwindod i glust a chalon. O'r ddau, mae'r Iancis yn well cyd-deithwyr na'r Lancis, os ydyn nhw'n dyrfa.

Arna i'r oedd y bai am y cyd-deithio hwn: y tro diwetha, beth bynnag. Doedd ar fy ngwraig a minnau ddim eisiau'r drafferth o gadw seddau mewn trên a stafelloedd mewn gwestyau, ac felly fe benderfynson ni ymuno ag un o'r teithiau bws yma am unwaith. Digon da. Yn enwedig ar y ffordd allan. Bws llydan, golau, gwych, a gwestyau hyfryd. Ond dod yn ôl mewn bws tipyn salach, ac aros mewn gwestyau tywyllach a llai cysurus. Y cwmni bysus yn cynilo, wrth gwrs, ar y ffordd adref.

Tipyn yn flinedig hefyd yw'r daith ar draws cyfandir mewn bws. Mae'n iawn wrth fynd: popeth yn newydd i lygad a chlust, a'r

[2] Doedd hi ddim. Oer iawn oedd hi.
[3] Mi fûm yn ddiweddarach.

corff heb flino. Ond mae meddwl am eistedd yn y bws am dridiau neu bedwar ar yr un ffyrdd (neu ffyrdd tebyg) yn ôl yn faich go fawr. Ond os am bythefnos ddibryder, popeth wedi'i drefnu hyd at y manylyn lleiaf, taith fws amdani. Ac mae cwmnïau Cymreig erbyn hyn yn rhedeg bysus i'r Cyfandir; fe ddylid eu cefnogi.

Mi ddwedais y dylai dyn adael ei argoeddiadau gartre hefyd. Er enghraifft, fwynheais i mo 'nghinio yn Luxembourg. Roedd y cinio'i hun yn burion, er y gallasai fod yn well. Ond roedd fy meddwl i'n gwnyno. Dyna fi yn un o'r gwledydd lleiaf yn Ewrop, fawr mwy na Sir Gaerfyrddin, a'i phoblogaeth hi fawr mwy na phoblogaeth Caerdydd. Ond roedd hi'n wlad rydd, dan ei llywodraeth annibynnol ei hun. At hynny, ym 1955, gan y wlad fechan fach yna yr oedd yr incwm uchaf y pen ar Gyfandir Ewrop, ac ym 1953 dim ond dau o'i holl bobol oedd yn ddi-waith. Wrth fwyta 'nghinio, meddwl yr oeddwn i am ddychwelyd i Gymru gaeth, a dilewych.

Ymlaen wedyn i'r Swistir. Yno, pedair iaith swyddogol (nid tair, fel y clywais i ar *Taro Deg* TWW pa ddiwrnod: tair iaith a siaredir yn y Senedd); dwy ar hugain o seneddau lleol yn y wlad (fe gewch eich crogi am lofruddio mewn un rhanbarth, ond nid yn y rhanbarth nesaf; un rheswm am yr amrywiaeth od yw bod llofruddiaeth yn beth mor anghyffredin yno). Sgwâr y pentre'n orlawn o bobol ifanc yn dod o'r eglwys fore Sul. Y rheswm am hynny oedd bod chwech o ddiwydiannau yn yr ardal fach wledig honno: amaethyddiaeth, coedwigaeth, melin lifio, golchfa (londri felly), gwasg argraffu a'r diwydiant ymwelwyr, heblaw fod pob math o waith i'w gael yn y dre gyfagos. A minnau'n gorfod dychwelyd i Gymru, i wlad y diweithdra a'r diboblogi, i siarad a sgrifennu fy iaith answyddogol fy hun.

Mi garwn i ymweld rywbryd â gwledydd bach rhydd Sgandinafia. Ond cyn mynd, fe fydd yn rhaid imi geisio anghofio 'mod i'n Gymro. Y peth doetha, rwy'n meddwl, yw cadw draw o bob gwlad fach lewyrchus am dipyn.

Rhywbeth fel yna, am wn i, yw tramora. Siawns go dda am dipyn o haul; newid bwyd, newid awyr, newid pobol, newid iaith. Ond mae pob newid felly'n ddi-les os nad yw rhywun yn barod hefyd – dros dro – i beidio â meddwl.

'Barn', Chwefror, 1963

30

Canu

Pe bawn i wedi cael dewis dawn, rwy'n credu y byddwn i wedi dewis bod yn ganwr. Fe fyddai'n well gen i fedru canu'n seinber nag odid ddim yn y byd. Ar yr un pryd, does dim yn fy ngyrru i'n gynt i falu ewin ac arfer iaith amhulpudaidd na chanu – o rai mathau.

Rŵan, rhag bod dim camddeall, rydw i'n medru codi tôn. Un o'r pethau cynta ddysgais i, a hynny gan fodryb oedd yn gweld ymhellach na llawer o fodrybedd, oedd darllen sol-ffa. Ond pan ddes i at y traed brain, sef yr Hen Nodiant (y Staff, a siarad yn wybodus), mi ddes at un o lenni haearn bywyd. P'un ai am fod y sol-ffa wedi cael gormod gafael, ai am fy mod i'n alergus (air pert) i hen nodiant, wn i ddim. Ond er mawr fustachu a mynych fytheirio, lwyddais i erioed i droi'r llinellau telegraff a'u smotiau a'u dotiau afresymol yn gân. Fe ellir canu do mi so; ni ellir canu A B C; ac i mi, dyna ben.

Rwy'n meddwl bod hyn yn biti. Fel y dywed y cyfarwydd, mae'r hen nodiant yn dangos hyd nodau a siâp a chyflymder alaw, tra nad yw sol-ffa yn ddim ond bloc o brint difynegiant. Bid a fo am hynny, unwaith y bo sol-ffa'n troi'n ganu ym mhen dyn, mae'n anodd iawn iddo wedyn gysylltu'r un seiniau â'r hen nodiant.

Ond un peth yw medru codi tôn; peth arall yw medru'i chanu hi'n esmwyth i glust pwy bynnag sy'n gwrando. Yn y fan yma y mae fy niffyg i. Fe ddwedir 'mod i'n dueddol i ganu allan o diwn, ac mae hyn yn fy hitio i mewn man tyner odiaeth. Achos mae gen i feddwl go fawr o 'nghlust. Yn wir, mi glywa i rywun arall yn canu'n fflat neu'n siarp cyn gynted â neb. Pam, felly, na all rhywun ganfod yr un nam ynddo ef ei hun?

Ond rhagom. I wneud canwr mae'n rhaid wrth rywbeth heblaw dawn darllen a chlust. Mae'n rhaid wrth lais. Yn wir, mae llawer canwr tra enwog (os gwir y sôn) wedi llwyddo gyda llais yn unig heb y doniau da eraill. Mae rhywbeth annheg ryfeddol yn hyn. Pe bai gen i fôr o lais mi allwn heddiw fod yn ei morio hi yn La Scala, er imi fethu darllen nodyn. Mae hyn yn gyfystyr â dweud y medr

31

dyn fod yn fardd mawr heb fedru sbelio. Hwyrach y gall hynny hefyd fod yn wir.

Prun bynnag, y gosb a osodwyd ar greaduriaid fel ni, sy'n hoff o gerddoriaeth ond sy'n methu canu'n felys eu hunain, yw gorfod gwrando ar bobol eraill yn gwneud hynny yn eu lle. Fe all beidio â bod yn gosb, wrth gwrs. Fe all fod yn bleser. Mi fedra i wrando ar Geraint Evans a Richard Rees a Richie Thomas ac amryw eraill â mwynhad mawr iawn. Mi fedra i wrando ar ambell gôr a pharti penillion heb awydd symud o 'nghadair.

Eto i gyd, fe fydd yn well gen i glywed pob canwr na'i weld. Un peth sy'n ddirgelwch i mi yw ystumiau rhai cantorion. Fe ddwedir bod yn angenrheidiol i ganwr dynnu 'stumiau: nad yw'r anadl yn dod yn iawn o'r bol na'r llais yn taro'n iawn yn erbyn y dannedd a'r gwefusau a thop y geg os nad yw'r canwr yn sefyll fel Cicero mewn poen, ei fol allan ac un llaw o leia' yn crafangu'r awyr o'i flaen, a chyhyrau'i wyneb wedi'u dirdynnu fel petai newydd lyncu lemon. Ond fedra i byth benderfynu prun a ydi'r ystumiau hyn yn hanfodol, ai ynte rhoi'r argraff y mae'r cantwr mai canu yw'r peth anhawsaf mewn bod, mai dim ond drwy ddioddef y ceir melyster.

Mae datgeiniaid penillion yn weddol rydd oddi wrth yr ingoedd llwyfannol hyn. Ond mae ganddyn hwythau hefyd eu mosiwns, sy'n cynyddu gyda phrofiad ac enwogrwydd y datgeiniaid. Er enghraifft, dyna'r rheini sy'n siglo ar eu sodlau, a'u hysgwyddau (a'u haeliau weithiau) yn codi ac yn gostwng i dymp y dôn, a'u dwylo 'mhleth mewn ystum weddigar. Yn lle turs arteithiol yr unawdydd operatig, gwên, ran fynychaf, sy gan y gŵr neu'r wraig gerdd dant, ond bod y wên honno'n awgrymu dymi ddillad yn hytrach na phleser a mwynhad.

Bid siŵr, mae eithriadau gloywon yn y ddau ddosbarth. Sôn y bûm i am y rhai sy'n gyrru cryndod drwy fy ngwaed. Ac fe ddichon mai tipyn o rawnwin surion sy'n gwneud imi ymateb fel hyn.

Mae'n drueni na ellid gadael i bawb fwynhau'r canu a fynno. Ond fy mhrofiad i yw bod mwy o ragrith ynglŷn â hoffi cerddoriaeth nag mewn odid unrhyw ddifyrrwch arall, a mwy o euogrwydd cudd.

Mae'n amheus gen i a oes unrhyw Sgotyn yn ei iawn bwyll yn mwynhau gwrando ar fagbibau'i wlad – y *pibroch*, os ydw i'n cofio'r enw'n iawn. Fy namcaniaeth i yw bod y bagbib wedi'i ddyfeisio gan Sgotyn wedi torri'i galon ar ôl brwydr Culloden, Sgotyn a oedd nid yn unig yn wan ei feddwl ond hefyd yn fyddar bost. Er hyn, mae pob Sgotyn gwlatgar yn honni bod y pibau amhersain hyn yn peri i'w waed garlamu ac i'w wadnau ddawnsio.

Yn yr un modd, fe ddisgwylir i bob Cymro fwynhau canu emynau ar unrhyw awr o'r dydd neu'r nos, beth bynnag fo stad ei iechyd. Rŵan, rydw i'n mynd i gapel deirgwaith ar y Sul, ac felly'n clywed canu rhyw ddwsin o emynau yn eu priod gynefin. Ond fe ddisgwylir i ddyn, ar ben hynny, wrando ar ganu emynau yn *Heart and Voice, Oedfa'r Bore, Caniadaeth y Cysegr* ac *Wedi'r Oedfa*. Rhaid i mi fod yn onest: os gwna i hyn rydw i'n teimlo erbyn gwely nos Sul fel y ci diarhebol a dagwyd gan bwdin.

Mae gen i gyffes waeth na honna. Pan drewais i ar ddarn o fywyd go anodd rai blynyddoedd yn ôl, nid emynau oedd yr help mwyaf a gefais i, ond caneuon pop. Fe fu dwy gân ysgafn Saesneg yn feddyginiaeth i mi: '*Que sera, sera, Whatever will be will be*', a '*There's a rainbow in every teardrop you're crying.*' Profiad hollol anghymreig ac anghrefyddol: math o frad, yn wir. Ond be 'newch chi? Fel'na y bu hi, am ryw reswm od. Roedd emynau Pantycelyn yn rhy lethol, gyda'u hanialwch maith a dyrys a'u cynddeiriog donnau a'u bryniau tywyll niwlog. Roedd emynau Elfed gryn dipyn yn esmwythach i'r dolur. Ond y caneuon pop dwy-a-dimai yna, a luniwyd ar frys difeddwl a dihidio gan rywrai, mae'n siŵr – roedd eu cyffyrddiad ysgafn, siriol, a'u ffydd syml yn hanfod caredig bywyd yn gwneud y tro i'r dim.

Wrth gwrs, mi fedra i ddweud heb ragrith fod angen emynau arna innau, na all unrhyw ddyn cyfan ddim byw'n iawn heb emynau. Ond heddiw, mae angen emynau llai hunan-dosturiol a hunan-ganolog, emynau sy'n obaith cynulleidfaol croyw mewn oes mor fflat. I mi, mae Pantycelyn yn fardd i bob oes, ond yn emynydd i'w oes ei hun, ac eithrio mewn ambell emyn fel y gogoneddus 'Iesu, nid oes terfyn arnat' ac 'O nefol addfwyn Oen,' sy'n addoliad dyrchafol pur ac nid yn foddfa o niwrosis.

A cherddoriaeth glasurol? Yma eto, rydw i'n gryn bechadur. I mi, mae gwrando Beethoven fel darllen Kant ar ôl swper, a gwrando Bach fel ceisio dysgu Rwsieg ar ben polyn lamp. Disgyblaeth feddyliol odidog pan fo dyn mewn hwyl a gormod o amser ar ei ddwylo. Rhywbeth i'w wneud o ddifri ryw ddiwrnod, pan fydd dyn wedi aeddfedu'n iawn.[1]

---

[1] Rwy'n gobeithio mai cellwair yr oeddwn uchod. Sut bynnag, cerddoriaeth glasurol yw fy niddanwch heddiw, nid y canu pop diweddar.

33

Fy nghyffes olaf, betrus, felly. Mi glywais Syr Ifor Williams yn dweud mai'i orffwys meddyliol ef ar ôl diwrnod caled o ysgolheica oedd darllen nofelau ditectif. Wel, fy ngollyngdod i, waeth imi gyfadde na pheidio, yw gwrando ar ganu pop. Troi dwrn y set radio – rhag cael gormod o Americaneg – i Rufain a Hamburg a Pharis, a gadael i'r alawon a'r rhithmau a'r cynganeddion merfaidd fy ngherdded i fel cwsg. A theimlo'n euog, wrth gwrs. Ac os clywa i gân bop Gymraeg go afaelgar, rydw i'n llawen reit.

Does neb ohonon ni'n hollol syml, nac yn hollol gyson, nac oes?

'Barn', Mawrth, 1963

Beirniadu

Gwlad amatur yw Cymru. Does dim angen gwastraffu inc, yn wir, i ddweud peth mor amlwg. Ar wahân i ychydig chwaraewyr pêl droed y mae bron bob artist yma'n amatur. Mae'n rhaid i gerddor ac arlunydd hyfforddi eraill er mwyn ennill ei damaid, ac mae'n rhaid i fardd a llenor wneud hynny neu bregethu neu gadw swyddfa bost. (Dyna syniad go lew, erbyn meddwl.)

Cofiwch, dydi hyn ddim yn ddrwg i gyd. Rydw i'n dod i gredu nad ydi byw ar gelfyddyd ddim yn bopeth. Ond na hidiwch am hynny rŵan. At hyn roeddwn i'n dod. Fel bron bawb arall, amaturiaid ydi beirniaid Cymru hefyd. Does gennon ni'r un Kenneth Tynan yn rhowlio o theatr i theatr na'r un Dilys Powell yn smocio'i ffordd drwy chwech neu saith o ffilmiau bob wythnos na'r un Maurice hyn neu arall yn gwylio teledu neu'n darllen nofelau am ei fara jam. Da? Ynteu drwg?

Da, cyn belled â bod beirniadu rhan-amser yn cadw llygad y beirniad yn glir a'i feddwl yn ddi-fwsog. Drwg, lle bo'r beirniad amatur yn mynd i feirniadu'n amaturaidd. Ac mae arna i ofn bod hyn yn fygythiad go-iawn.

Cymerwch feirniadu adrodd. Fy hun, dydw i erioed wedi gweld llawer o synnwyr mewn adrodd. Darllen barddoniaeth, actio, llefaru mewn rhaglen gyfansawdd, ie. Ond adrodd? Un darn digysylltiadau mewn pafiliwn murmurus aflonydd? Wel, dyna fo. Mae'n debyg mod i'n methu. Pan glywa i nghroen yn cerdded gan adroddiad meistraidd rydw i'n reit siŵr mod i'n methu. Ond . . . beirniadu adrodd.

Rŵan, rydw i wedi clywed W. H. Roberts yn adrodd. Rydw i hefyd wedi clywed W. H. Roberts yn dysgu côr o ferched i gyd-adrodd. Yn egluro iddyn nhw fesul llinell ddarn o *Llywelyn Fawr* neu *Lladd wrth yr Allor* nes bod eu llygaid nhw'n soseru, ac wedyn yn eu harwain nhw drwy rithmau a phwysleisiau'r darn yn union fel petaen nhw'n canu. Ar ôl gweld a chlywed peth felly mi wn fod W. H. Roberts yn ffit i feirniadu adrodd; os na ŵyr o beth ydi adrodd, ŵyr neb.

Mi greda i fod hyn yn wir hefyd am ychydig o Gymry da eraill, heb fentro enwi. A chwarae teg, mae'r Eisteddfod Genedlaethol bob blwyddyn – bellach – yn gosod ei hadroddwyr yn nwylo'r ychydig diogel hyn.

Reit. Popeth yn dda hyd yma. Ond dowch i lawr o'r Genedlaethol i eisteddfodau llai, ac yn enwedig i fân eisteddfodau'r wlad, a beth gewch chi? 'Annwyl Mr. Jones: mewn pwyllgor o'r uchod neithiwr pasiwyd yn unfrydol i estyn gwahoddiad cynnes i chwi feirniadu'r Adrodd a'r Llenyddiaeth yn ein Heisteddfod Flynyddol eleni . . .' (Am y nesaf peth i ddim, mae'n fwy na thebyg).

A phwy, meddwch chwi, yw Mr. Jones yn y cyswllt yma? Unrhyw weinidog neu ysgolfeistr sy'n ddigon diniwed i fynd. Fe ystyrir bod unrhyw weinidog neu ysgolfeistr, am ei fod yn defnyddio'i lais yn amlach na'r rhelyw ohonom, yn gymwys i feirniadu adrodd. Gwir, petai gweinidogion ac ysgolfeistri'n rhoi'r gorau i feirniadu adrodd mewn eisteddfodau bychain, fe fyddai'n fain ar yr eisteddfodau bychain am feirniaid. Ond mater arall ydi hwnnw.

Rydw i wedi ymdrechu i fod yn gyson ac onest yn hyn o beth, Rydw i ers blynyddoedd wedi gwrthod beirniadu adrodd mewn unrhyw fath o eisteddfod. Dalied ysgrifenyddion eisteddfodau sylw, os gwelant yn dda, ac arbedant stamp. Fûm i erioed yn adroddwr fy hun, dydw i erioed wedi ceisio astudio adrodd, a dydi'r ffaith mod i'n dipyn o lenor a phregethwr ac wedi cynhyrchu dwy neu dair o ddramâu radio ddim yn rhoi unrhyw fath o hawl imi roi llinyn mesur ar y bobol ddawnus sy'n cerdded eisteddfodau i hel cwpanau a giniïau.

A thra ydym ar y testun yma, meddyliwch am yr 'Adrodd-a-Llenyddiaeth' bondigrybwyll. Tric ydi hwn i gael beirniadaeth lenyddol am ddim. Oherwydd yr Adrodd sy bwysicaf, ac am hwnnw y byddir yn talu, os talu hefyd. Mae hyn yn galw i 'nghof i un profiad pur ddiflas.

Pan oeddwn i'n llanc o weinidog, mewn trafferth yn cael deupen y llinyn ynghyd, fe ofynnwyd imi feirniadu'r llenyddiaeth mewn eisteddfod leol go lewyrchus. Llenyddiaeth yn unig y tro hwnnw. Fe ddaeth pentwr o gynhyrchion. Mi fûm wrthi am dridiau o fore gwyn tan berfeddion nos yn eu beirniadu nhw'n gydwybodol. (Yn esgeuluso 'nyletswyddau bugeiliol er mwyn mynd drwyddyn nhw mewn pryd.) Rhywbryd ar ôl yr eisteddfod fe alwodd yr ysgrifennydd i ddiolch imi, a gofyn a oedd arnyn nhw rywbeth imi am y gwaith. Wedi'r fath laddfa mi awgrymais innau chweugain. Fe ollyngodd gysgod o ochenaid, a dweud y soniai wrth y trysorydd. Ymhen rhyw wythnos wele'r ysgrifennydd drachefn. Fe estynnodd imi bedwar hanner coron. Dim ond am bum awr noson yr eisteddfod y gweithiodd y beirniad canu. Fe gafodd ef bum gini, a'i gostau. Wrth gwrs, roedd ef yn broffesiynwr; amatur oeddwn i. Ond hyd yn oed yn nameg y winllan, 'chafodd y rhai a ddaeth i weithio ar yr unfed awr ar ddeg ddim *mwy* na'r rhai a weithiodd drwy'r dydd.

Does gen i ddim ar y ddaear yn erbyn gwneud pethau am ddim er mwyn y diwylliant Cymreig. Mi wnes fy siâr o hynny, fel llu o 'nghyd-Gymry. Ond pan ystyrir cerddor hirwallt yn werth dengwaith cymaint o dâl â llenor, mae'r rhagolygon ar gyfer y diwylliant Cymreig yn duo.

Ond mae'n debyg fod natur y diwylliant Cymreig yn ei gwneud hi'n anochel fod llu o amaturiaid yn rhoi cynnig ar feirniadu rhywbeth. Diwylliant gwerin, *do-it-yourself*, ydi'n diwylliant ni, a rhywbeth sy'n arbennig i ni, mor arbennig nes haeddu'i gadw felly. Ond mae'n rhaid wynebu ffeithiau. Os beirniadaeth amaturaidd gawn ni ar ein holl gelfyddyd, allwn ni ddim disgwyl safonau proffesiynol.

Ond y mae meysydd lle mae diffyg beirniadu proffesiynol yn costio'n ddrud inni. Radio a theledu, er enghraifft: galwedigaeth broffesiynol helaeth yng Nghymru bellach, a'i dylanwad ar fywyd ein cenedl yn enfawr. Ac eto, chawson ni erioed feirniadaeth radio yng Nghymru. Mae'n wir fod gan rai o'n newyddiaduron golofn radio, ond at ei gilydd sylwadau go arwynebol, a mympwyol yn amal, yw cynnwys y colofnau hyn. Mae yna broblem ymarferol, wrth gwrs: mae pob un sydd â digon o brofiad o ddarlledu a theledu ac sy'n ddigon cydnabyddus â'u techneg yn darlledu a theledu'n rhy amal ei hunan i ymgymryd â cholofn radio. Er nad yw'n *rhaid* i hynny chwaith fod yn rhwystr.

Mae hyn yn drueni. Fe fyddai dwy farn broffesiynol wythnosol, er iddyn nhw anghytuno â'i gilydd yn amal, yn fwy o gymwynas â'r meic a'r camera yng Nghymru na dim y medra i feddwl amdano.

Ond mae un feirniadaeth yng Nghymru sy wedi ymloywi'n ddirfawr er diwedd y rhyfel, a honno yw beirniadaeth ar lyfrau. Gwir, wrth droi'n ôl i'r *Llenor* fe welwn rai adolygiadau gan wŷr fel y diweddar W. J. Gruffydd a'r Dr. R. T. Jenkins a'r Dr. T. J. Morgan – pethau na welwn ni fyth mo'u gwell. Ond roedd toreth adolygiadau'r cyfnod yn druenus.

Heddiw, mae adolygu – ar ryddiaith greadigol, yn enwedig – yn bur ddeallus at ei gilydd. A lle y mae pastynu go hegar, nid rhagfarn bleidiol nac enwadol sy'n peri hynny, ond barn (neu ragfarn) lenyddol weddol onest. Mae rhai o'm llyfrau i wedi'u rhoi drwy'r mangl yn bur filain, ond wedi i'r doluriau cyntaf gilio rydw i wedi dysgu diolch am y driniaeth, nid er fy mwyn fy hun yn unig ond er mwyn iechyd y grefft lenyddol yng Nghymru. Mae gobaith bellach y bydd llenorion Cymraeg y dyfodol yn llai croendenau na'r llenorion mawr a fu.

Gair wrth derfynu. Mi fûm am ryw ddau aeaf yn beirniadu'r gystadleuaeth radio gymhleth honno, *Sêr y Siroedd*. Fe aeth beirniadu canu, cerdd dant, adrodd digri (fel eitem *radio*), deialog, partïon a barddoni braidd yn drech na mi. Beth petai'n rhaid imi'n ogystal – fel Emrys Cleaver ac Enid Roberts druain – feirniadu celfyddyd a chrefft, harddwch gwasg-a-gwep, cydadrodd, a dawnsio gwerin, *ballet* neu ymarfer corff? Rwy'n chwysu wrth feddwl. Dyma'r traddodiad beirniadu Cymreig wedi mynd yn rhemp. Ond chwarae teg i'r ddau, maen nhw'n llwyddo i wenu er gwaetha pawb a phopeth.

'Barn', Ebrill, 1963

Breuddwydio

Ambell noson mi fydda i'n mynd am dro i Annwfn. Mae'n ffasiwn ers rhai canrifoedd bellach alw'r lle'n Annwn, ond mae'n rhaid i mi gael defnyddio'r hen sillebu, o achos, er gwaetha'i enw, mae Annwfn yn ddwfn.

Wel, dyna ddechrau ysgrifol reit neis. Tipyn o'r mêl-a'r-mwsg y tro yma, heb asgwrn i'w grafu â neb. O, oes, mae gen i un asgwrn i'w grafu hefyd – â'r seicolegwyr. Mae'n bryd i rai o'r bobl brysur yma benderfynu rhai pethau y naill ffordd neu'r llall.

Mi wn i mai gwyddor draed babis ydi seicoleg o hyd: yr hyn o'i gyfieithu yw, gwyddor sy'n dal i ddysgu cerdded. (Pa mor bell y mae unrhyw wyddor wedi cerdded, o ran hynny, *sub specie aeternitatis*, neu o safbwynt y flwyddyn 10,000 Oed Crist?) Anhawster seicoleg, meddai'r seicolegwyr, yw na ellir torri *meddwl* dyn â chyllell na'i roi dan feicrosgop neu belydr-Ecs; rhaid dal i ddibynnu ar yr hyn a ddywed y dyn am ei feddyliau a'i deimladau'i hun, ac mae pob dyn yn ddiarwybod gelwyddog. (Y gwaed mwnci ynon ni, mae'n debyg.)

Ond os ydi hyn yn wir, pam y mae'n rhaid i seicolegwyr – fel llawer o wyddonwyr, athronwyr a diwinyddion, o ran hynny – fod mor bedantig o ddogmatig? (Esgusodwch yr eirfa gydwladol, plis). Er enghraifft, gan mai sôn yr ydyn ni am freuddwydio, ystyriwch y datganiadau a wnaed.

Hyd ryw flwyddyn neu ddwy yn ôl roedd y seicolegwyr yn tystio mai pan fyddwn ni'n cysgu'n *ysgafn* y byddwn ni'n breuddwydio, ac mai rhyw ddau eiliad ydi hyd y breuddwyd hwya. Yrŵan maen nhw'n tystio, yr un mor bendant, mai pan fyddwn ni'n cysgu'n *drwm* y byddwn ni'n breuddwydio, a bod y breuddwyd yn para cyhyd ag yr ymddengys. Hynny yw, os ydych chi'n breuddwydio bod llew yn cymryd deng munud i'ch bwyta chi, rydych chi wedi breuddwydio am ddeng munud. (Ac yn lwcus ych bod chi'n fyw.)

Mae damcaniaeth B, felly, yn ddiametrig groes i ddamcaniaeth A. (Hyn o ganlyniad i arbrofion a wnaed ar gysgwyr mewn labordy yn Sgotland, gan gysylltu cnwd o wifrau trydan â phennau'r cysgwyr ffyddiog, a chofnodi symudiadau'u llygaid caëedig, etc. etc.) Ond does dim i rwystro seicolegwyr ar ôl rhai arbrofion pellach rhag symud yn ôl at ddamcaniaeth A, neu symud ymlaen at ddamcaniaeth C, neu Ch, neu D. Yn wir, wedi symud yn ôl y maen nhw eisoes, oherwydd B oedd cred pawb erioed. Felly, A, mewn gwirionedd, ydi B, a B ydi A.

Ond dwfn yw'r dyfroedd hyn. Awn rhagom. Gydag un apêl at y seicolegwyr sy'n ymhél â breuddwydion. 'Wnewch chi, os gwelwch yn dda ac os ydych chi'n deall Cymraeg, beidio â phontifficeiddio mor feiblaidd derfynol nes ichi gael yr holl wybodaeth, a'r holl dystiolaeth, rywbryd tua'r flwyddyn 10,000?

O un peth yr ydyn ni'n sicr. Rydyn ni i gyd yn breuddwydio. Wel, na, nid i gyd. Mae *rhai* yn breuddwydio, 'te – nes cyfyd rhyw seicolegydd sbon sbesial i ddweud nad oes neb yn breuddwydio, mai breuddwydio'n bod ni'n breuddwydio neu ryw lol ryfeddol felly yr ydyn ni oll.

Wel, wedi cael y seicolegwyr breuddwydion allan o nghyfansoddiad dros dro, mi ga i sôn am Annwfn. Mae Annwfn yn dir amhosibl ei ddisgrifio. Hades y Groegwyr, Limbo'r seicolegwyr. Tybed? chwedl un ysgrifwr amlwg. Bro'r cysgodion, bid sicir, ond bod y cysgodion yn fwy real tra byddwch chi yno – ac fe fyddwch yno, rai ohonoch chi, cyn amled â minnau – â'r byd lle'r ydyn ni'n byw liw dydd.

Fe ddwedir ein bod ni i gyd yn gweld y byd yn wahanol. Hyn ni ellir ei brofi, gan nad fi ydych chi ac nad chi ydw i. Ond fe wyddon ein bod ni i gyd yn gweld Annwfn yn wahanol. Ac er ei fod (ei bod?) yn amhosibl ei ddisgrifio, mi ro i ryw fath o gynnig arni.

Mae'r Annwfn y bydda i'n suddo iddo neu iddi rywbryd ar ôl hanner nos yn wlad. Hyn o leia sydd sicr. Gwlad led dywyll, er y gellir gweld popeth, weithiau'n anghysurus o glir. Does yno byth danbeidrwydd haul, na hyd yn oed eglurder lleuad. Mae'r golau'n debyg i olau prynhawn pŵl yn Awst rhwng cawodydd trymion. Ond nid yr un fath. Dydi o ddim yr un fath â dim.

Mae'r llechweddau yno'n serth, y bryniau'n uchel, y ceunentydd yn ddyfnion, yr afonydd yn gyflym, y ffyrdd yn droellog, yr awyr yn blwm. Y mae rhyw leoedd tebyg yng ngheseiliau'r Berwyn lle magwyd fi, gyda'r gwahaniaeth fod ceseiliau'r Berwyn yn glasu pan ddêl Mai ac yn euro pan ddêl Medi. Yng ngheseiliau Annwfn does mo'r fath beth â lliw.

Yn Annwfn mi fydda i gan amla'n colli fy ffordd. Nid yn Annwfn yn unig, ond yn Annwfn bron bob tro. Mae'r bobol y bydda i'n eu holi yno yn weddol garedig, ond mae'u cyfarwyddiadau naill ai'n annealladwy neu'n gwbwl gamarweiniol. Mae'r Gymraeg yn fyw yno; yn wir, fydda i byth braidd yn clywed dim yno ond Cymraeg. Do, mi gwrddais â Mr. Crwstshioff yno unwaith, ac mi ddwedais wrtho, 'Do sfedania' – sy'n fath o Rwsieg, o leia. Chofia i mo'i ateb o. Mae'n debyg mod i wedi'i ddychryn o, oherwydd fe ddiflannodd ar hynny. Ond hwyrach nad yn Annwfn yr oeddwn i y noson honno.

Mae gan Dr. Beeching fys hyd yn oed yn llywodraeth dywell Annwfn. Hyd ryw ddwy neu dair blynedd yn ôl mi fyddwn i'n gyson yn colli trenau yn Annwfn, neu'n mynd ar y trên anghywir. Fel y byddwn i ar y ddaear lawr. Ond yn ddiweddar does dim golwg o drên yn Annwfn o gwbwl.

Ond mi fydda i'n moduro yno. Ac mae moduro'n waeth yno nag yng Nghymru. Nid am fod y traffig yn drwm; prin y mae traffig yno o gwbwl. Ond am fod y ffyrdd mor nadreddog, ac yn dod allan yn sydyn uwchben dyfnderoedd ofnadwy. Yn rhyfedd iawn, fydd y car arallfydol byth yn torri i lawr, na'i olwynion yn colli'u gwynt. Diolch am fân fendithion.

Yn Annwfn mae llawer o eisteddfodau ac oedfaon ac amryfal gasgliadau o bobl. Hyn sydd loes. Oherwydd pethau trymion a chymysglyd a blinderus yw'r digwyddiadau torfol hyn. Dim ond y noson o'r blaen roeddwn i yno mewn ysgol Sul. Roeddwn i yn y capel anghywir, wrth gwrs; roedd y capel y dylswn i fod ynddo mewn stryd gyfagos, yn ymyl rhyw fwth teleffon neu beiriant-slot sigarets neu ryw landmarc ynfyd tebyg. Prun bynnag, wedi mynd i chwilio, a hynny'n ddiddiwedd, doedd y cyfryw landmarc ddim yno. Dyna resymeg Annwfn.

Pwy ydi'r bobol sydd yn Annwfn? Wel, mi fydda i weithiau'n gweld rhai ohonoch chithau yno. Rhai o nghyfeillion a nheulu. A rhai sy wedi marw. Fydd hynny byth yn ddychryn. Yno, maen nhw'n fyw ac yn naturiol, a dydi angau ddim yn ysgarwr.

Llawer o bethau eraill y medrwn i'u dweud am Annwfn. Ond i ba ddiben? Fe wnaeth Kafka ddefnydd ohoni – beth bynnag oedd ei enw ef arni – yn ei nofelau. Y byd lle mae popeth yn drafferthus ac yn ddiesboniad ac yn ddi-ben-draw. Mae un Cymro tra galluog

41

yn ysgrifennu nofel Gaffcaésg,[1] ac fe fyddai'n dda gen i weld ei chyhoeddi. Yr awgrym yn y math yma o nofel yw bod bywyd pob-dydd yma ar y ddaear lawr yn debyg, ac yn mynd yn debycach, i'r brith-fywyd sydd yn Annwfn. Gwae ni ein byw mewn oes mor ddreng.

Amdana fy hun, mae'n dda gen i gael credu mai yn Annwfn yn unig y mae bywyd yn ddiystyr. Ond na, meddai'r seicolegwyr, mae Annwfn yn llawn ystyr. Yno y mae'n holl ofnau ni, a'n hatalnwydau, a'n gobeithion rhwystredig. Neu, o leia, dyna *oedd* y farn seicolegol unwaith.

Wel, gan mod i wedi mentro traethu mreuddwydion fel hyn, rydw i wedi rhoi cyfle da i ryw seicolegydd draethu arna innau. A bwrw mod i'n werth y drafferth. Mae rhywfaint o anfarwoldeb, cofiwch, mewn bod yn nodyn ar waelod dalen mewn traethawd Ph.D.

'Barn', Mai, 1963

---

[1] Y diweddar D. Tecwyn Lloyd. Ysywaeth, ni orffennwyd y nofel, ac ni chyhoeddwyd mohoni.

Ieithmona

Hwyrach y ca i fod mor bowld â rhoi'r bai ar Syr Thomas Parry-Williams am y teitl uchod. Efô soniodd am Dic Aberdaron fel 'ieithmon.' Ac mae'n eitha gair am ddyn sy'n ymhél ag ieithoedd, heb sicrwydd ei fod o'n eu medru nhw'n drwyadl. Dim amarch i Dic, wrth gwrs.

A rhyw ymhél y bûm ac y bydda innau. Mae gan ieithoedd ryw gyfaredd anodd ei esbonio i mi. Wel, mae gen i esboniad hefyd. Ar wahân i ddiddordeb esgus o lenor mewn geiriau, rydw i'n credu bod a wnelo'r picil Cymreig rywbeth â'r peth. A beth ydi hwnnw rŵan, yn y cyswllt yma? Wel, hyn. Dyn ydi'r Cymro Cymraeg sy'n byw ar glwt o dir. O gwmpas y clwt mae 'na anferth o wal Ferlinaidd, a honno ydi'r iaith Saesneg. Rhaid i bopeth o'r byd oddi allan ddod drwy'r wal. Pob syniadaeth, pob llenyddiaeth, popeth.

Ac mae dyn yn mynd i deimlo bod y clwt Cymraeg a'r wal Saesneg yn gaethiwed. A newid y ffigur, nad ydi dwy sbectol ddim yn ddigon. Drwy'r sbectol Gymraeg mae popeth yn hen. Drwy'r sbectol Saesneg mae popeth yn Seisnig. Ac mae 'na hiraeth am drydedd sbectol, sy'n dangos y byd o newydd.

Hwyrach mai rhan o'r esboniad ydi hwnna. Ta waeth, mae 'na un peth arall i'w ddweud. Ofer ydi i neb wthio iaith i lawr 'y nghorn gwddw i, neu drwy gŵyr 'y nghlustiau i. Er enghraifft, mi 'wnes' i Ladin yn yr ysgol am chwe blynedd. Fedra i ddim darllen Lladin eto. Mi 'wnes' i Roeg yn y coleg am tua chwe blynedd. Mae 'Ngroeg i'n denau ac yn dila i'w ryfeddu. Ysgwn i pam?

Efallai nad oedd manylion mewn Lladin am amddiffynfeydd Cesar yng Ngâl ddim yn ddiddorol iawn i lefnyn pymtheg oed. Ond mae arna i gywilydd na fyddwn i, yn stiwdant ugain oed, wedi cael mwy o flas ar *Alcestis* Ewripides a *Hanes* Thwsisides, hyd yn oed mewn Groeg. Ac yn siŵr, mae arna i gywilydd mod i wedi llwyr anghofio'r Hebraeg y bûm i'n ei dysgu am flwyddyn.

Ond os ydi iaith wedi marw, mae'n anodd iawn ennyn diddordeb ynddi mewn plentyn byw. Dyna pam, mae'n debyg, y mae hi mor anodd dysgu Cymraeg i blant ysgol Dwyrain Cymru. Iaith farw ydi hithau iddyn nhw.[1] Ond efallai fod rheswm arall am fy methiant i i sgrifennu Lladin fel Iwfenal neu Roeg fel Soffocles neu Hebraeg fel Baruch. Efallai fod yr athrawon yn anfedrus ac yn anniddorol. Neu efallai fod esboniad arall eto y dylwn i'i wynebu'n onest. Efallai mod i'n dwp.

Ond ieithoedd byw – dyma fater gwahanol. Mae 'na bobol ychydig gannoedd o filltiroedd i ffwrdd sy'n *siarad* Ffrangeg. Y funud yma. Yn ffraeo ynddi, yn caru ynddi, yn canu popganeuon ac yn sgrifennu nofelau ynddi. Blwyddyn o Ffrangeg ges i yn yr ysgol. Gorfod dewis ar ôl fy mlwyddyn gynta rhwng Ffrensh a Welsh. Y mae degau o ysgolion yng Nghymru o hyd sy'n gorfodi'r dewis cythreulig yma, a dydi'r ansoddair yna ddim hanner digon cryf. Sut, meddwch chi, y mae plentyn yn teimlo wrth orfod dewis rhwng iaith ei fam ac iaith estron? Os ydi e'n gwneud y peth naturiol, ac yn dewis iaith ei fam, faint mae e'n ei golli? Ac os ydi e'n gwneud y peth annaturiol ac yn dewis yr iaith arall, beth fydd ei agwedd e wedyn at iaith ei fam?

Yn anffodus, nid y plentyn gan amlaf sy'n dewis, ond ei rieni neu'i brifathro. Ac i lawer o'r creaduriaid hynny, 'dod ymlaen yn y byd' ydi unig ddiben addysg, ac nid praffhau gwreiddiau nac ymddiwyllio na dim byd call o'r fath. Ond faint o help i blant Cymru ddod ymlaen yn y byd fu'u Ffrangeg nhw? Feder naw o bob deg ohonyn nhw sy wedi'i dewis hi yn yr ysgol yn lle'u mamiaith ddarllen *Madame Bovary* yn y gwreiddiol neu holi'r ffordd i'r toilet yn Ffrangeg pan fyddan nhw yn Ffrainc? Ar yr un pryd, mae'n nhw wedi llwyr golli Dafydd ap Gwilym ac Ellis Wynne a Daniel Owen, a'u hunig ddiddordeb nhw ar nos o haf, debyg, ydi *Laramie* neu *Coronation Street*. O leia, mae'u Saesneg nhw'n saff; fe ofalodd yr ysgol am hynny. Ac am hynny'n unig, o bosib.

Ond mi ges i rieni call. Mi ges i wneud Cymraeg yn yr ysgol. A cholli gwneud Ffrangeg, wrth gwrs. Dydw i ddim yn achwyn, yn wyneb y fath ddewis. Ond ar ôl gadael ysgol mi ges i'r clwy Ffrangeg yn drwm. Yn wir, pan ddylwn i fod yn gweithio ar fy Ngroeg a'm Hebraeg roeddwn i'n ffidlan efo Ffrangeg a Rwsieg ac Almaeneg. Mae'r ffidlan hwnnw wedi talu imi erbyn hyn, gan iddo roi golwg imi ar berfeddion iaith. Ond roedd hi'n anodd cyfiawnhau'r fath nonsens ar y pryd.

---

[1] Fel yna'r ymddangosai i mi yn 1963.

Dydw i ddim eto'n medru siarad yr un o'r ieithoedd hyn. Ac mae'n siŵr na fedra i ddim bellach. Ond mae gen i bethau y carwn i'u ddweud am bob un ohonyn nhw.

Pe cawswn i ddewis unrhyw iaith yn famiaith ar wahân i'r Gymraeg, yr Almaeneg fyddai honno. Dyna gefnfor o iaith! Nid yn ei maint ond yn ei sŵn. Mae hi'n llifo ac yn llenwi fel môr, y llafariaid a'r deuseiniaid goludog yn cyrlio am y tafod fel jam mefus cartre da, a'r cytseiniaid yn ffrwydro'n ddymunol nes gwneud i ddyn deimlo'n werth miliwn. Pe cawn i ddewis un profiad am awr, cael pregethu mewn Almaeneg yn eglwys Niemöller yn Berlin fyddai hwnnw.

Am y Ffrangeg wedyn, rhyw iaith rownd corneli fydda i'n cael honno. Mae hi'n frith o ryw eiriau bach gwirion na wyddoch chi ddim ymhle i'w gosod nhw. Ac fel y Saesneg, dydi'i sillafu a'i seiniau hi'n perthyn dim i'w gilydd. Mae hi rywfaint yn well na'r Saesneg yn hynny o beth, ond wrth wrando arni mae'i geiriau hi'n diflannu i'w gilydd fel taffi poeth nes bod ceisio'i deall hi'n boen.

Mae'r Eidaleg yn llawer callach. Er bod yr Eidalwyr yn carlamu siarad fel petai diwedd y byd i ddod ymhen pum munud a bod yn rhaid dweud popeth cyn hynny, maen nhw'n ynganu pob llythyren ond 'h', ac os gellwch chi ddal y sbîd mae gynnoch chi obaith i ddilyn. Yn wir, mae'r Eidaleg yn batrwm o iaith mewn llawer ffordd, gyda llu o'i enwau gwrywaidd yn diweddu mewn '-o' a'i henwau benywaidd mewn '-a', a'i hansoddeiriau'r un modd. Ac os oes gynnoch chi ddigon o amynedd i ddysgu lot fawr o eiriau dianghenraid rydych chi'n burion ddiogel.

Am y Saesneg – wel, rydw i wedi mentro fy marn yn *Barn* amdani hi o'r blaen. Iaith hawdd, ar wahân i'w seinio a'i sbelio. Ond beth wnewch chi o iaith sy'n seinio *wait, weight, grate* a *great* i gyd yn yr un ffordd, ac yn seinio *plough, cough, rough, through* a *though* i gyd yn wahanol? Dydi pobol sy'n cwyno ynghylch peth bach fel dyblu'r 'n' yn Gymraeg byth yn cwyno ynghylch peth ynfyd fel sbelio'r Saesneg. Pam? Am eu bod nhw wedi cael digon o Saesneg ysgol a llyfr a phapur newydd i ofalu bod eu Saesneg nhw'n symol gywir. Mae'n debyg y gallai dyn wneud rhaff o lobscows pe câi ddigon o bractis.

Mae'r Saeson wedi bod dan anfantais ddirfawr ynglŷn ag ieithoedd. Byw ar ynys, lle'r oedd dwy iaith wan, Cymraeg a Gaeleg, a dim gorfodaeth i ddysgu'r un o'r ddwy. Ac yna, braich o fôr rhyngddyn nhw ag unrhyw iaith gref arall. Tybio wedyn nad oedd angen dysgu unrhyw iaith arall, mai iselhad, yn wir, fyddai ceisio.

Cyffredinoli peryglus, wrth gwrs. Rydw i'n nabod Saeson sy'n ieithyddion da ac yn siarad Ffrangeg, Almaeneg, Eidaleg, Sbaeneg, Rwsieg a Chymraeg yn rhugl. Ond mae'r agwedd draddodiadol Seisnig ar gael o hyd: 'Siaraded y byd ein hiaith ni.'

Mae fy merch dair oed yn uniaith Gymraeg hyd yn hyn. Nid sefyllfa ddelfrydol, efallai, ond sefyllfa naturiol, o leia. Ond sefyllfa sy'n ddryswch arswydus i rai Saeson. Mewn gwesty'n ddiweddar fe alwodd Saesnes groch ar fy ngwraig, '*Could you tell your child not to touch my dog? She evidently doesn't understand English*!' Fel petai hynny'r diffyg pennaf posibl ar fod dynol.

Yn ddiweddar, roedd dwy wraig gweinidog yn teithio mewn trên ar hyd arfordir Gogledd Cymru. Fe ddaeth gŵr a gwraig o Saeson i mewn. Yn naturiol, fe ddaliodd y ddwy Gymraes i siarad eu hiaith eu hunain. Dyma'r Saesnes yn troi arnyn nhw: '*Would you mind not talking Welsh when there are English people present?*' Ac meddai'r gŵr, '*That's what they've been used to. They're backward and uneducated.*' Daliodd y ddwy Gymraes i siarad Cymraeg. Aeth y Saesnes bron yn lloerig. Chwifiodd ei llaw o flaen genau un o'r ddwy Gymraes dan weiddi, '*Shut up, shut up, shut up!*'

Mi allwn bentyrru enghreifftiau. Hwyrach mai eithriadau ydyn nhw, ond eithriadau llawer rhy niferus mewn oes fel hon. Mae bod yn uniaith yn gyflwr anffodus yn y byd sydd ohoni. Ond mae bod yn uniaith Saesneg yn gyflwr gwir drist. Oherwydd mae'r unieithedd hwnnw'n gallu magu cenedlaetholdeb rhy gul i'n byd ni heddiw ei fforddio.

'Barn', Gorffennaf, 1963

Eisteddfota

'Duwcs! Hylô? Sut ma'i ers cantoedd?'

'O, hylô. Sut hwyl sy?'

'Reit dda, achan. Sut wyt ti'n cadw?'

'Iawn, wsti.'

'Wyst ti be? Wyt ti'n mynd yn dew.'

'Tybed?'

'Wyt, wir. Byta gormod tua'r De 'na. Hy! Hy! Hy! Sut ma petha'n mynd?'

'O, go lew wir . . . ie . . . go lew . . . a hefo tithe?'

'Reit dda, achan. Dim achos cwyno . . . Ia . . .'

'Ie, ie . . .'

'Ia, ia . . . Mynd i mewn?'

'Ydw. Meddwl mynd i'r Babell Lên.'

'O, ia. Be sy 'mlaen?'

'Seiat Llenorion.'

'O. Wel . . . hwyl rŵan. Gwela i di eto, mae'n siŵr.'

'Mae'n siŵr.'

Cyrraedd y fynedfa ar ôl dim ond un sgwrs, drwy ryw wyrth. Ticed? Diolch fawr. 'Nciw. Bore braf. Ydi, wir. 'Beithio deil hi'n braf. Ia, wir. Ta-ta.

Dechrau llenwi'n barod. Ond canol y cae'n weddol glir. Reit. I mewn.

'Ia, wir. Indipendant iawn bora 'ma.'

'O, hylô!'

'Ar frys go wyllt i rwla?'

'Trio mynd i'r Babell Lên . . .'

'O, ia? Llenydda tipyn rŵan? Rhwbath ar y gweill?'

'Na . . . dim byd arbennig . . .'

'Ddim yn hitio cymaint am y nofal ddwytha 'na gen ti, achan.'

'O, ie?'

'Na. Alla i ddim deud pam chwaith . . . ddarllenist ti *Un Nos Ola Leuad* . . .? Be ti'n feddwl o . . .? Dy weld ti'n sgwennu'n o

47

brysur i *Barn* . . . Ydi, mae o'n eitha ar y cyfan . . . Ddim at dâst pawb . . . Ia . . . Ia . . .'

'Wel, rhaid i mi fynd . . .'

'Ia, dyna chdi. Hwyl rŵan.'

Chwarter awr wedi mynd yn fan'na. Y cae'n dal i lenwi. Y seiat lenorion wedi dechrau ers deng munud. Tybed fedra i sleifio i'r dent lemonêd 'na . . .?

'Helo. Misdar Elis?'

'Y . . . O, sut ydech chi?'

'Dech chi'n 'y nghofio i?'

'Y . . . rhoswch chi . . .'

'Triwch feddwl.'

Crafu cof yn orffwyll. Anobeithiol. Mi fyddwn yn tyngu na welais i 'rioed mo'i wyneb o'r blaen.

'Annie, ty'd yma gael iti gyfarfod Misdar Elis.'

Gwraig yn nesáu. A phlentyn, ac un arall, ac un arall. 'Rargien, mae rhai yn epilgar.

'Helô, sut ydech chi? Dda gen i'ch cyfarfod chi . . .' (Hynna'n gwbwl onest; maen nhw'n bobol neis). 'Wedi bod yn siarad yr yden ni, Misdar Elis.'

'O, ie?'

'Ie, siŵr.'

'Y . . . am be, felly?'

'Sidro tybed fasech chi'n dŵad i roi rhyw noson fach inni.'

'Noson?'

'Ie, y gaea nesa 'ma.'

'O . . . be . . .?'

'Rhyw ddarlith fach, falle. Capel bach yden ni, fel y gwyddoch chi.'

'Wel wir, rydw i'n byw'n o bell . . .'

'Ie 'ntê. Ond meddwl, gan fod gennoch chi gar . . .'

'Mm. Wel na, wir, mae'n ddrwg iawn gen i . . .'

'Tewch.'

'Ie, wir.'

'Biti. Ie, wir. Rhywbryd eto, falle . . .'

'Dyna chi . . .'

Chwarter awr arall wedi mynd. Y seiat lenorion yn ei hanterth. *Rhaid* imi roi ras rŵan.

'Wel, wel, shwd ŷch chi 'te?'

'Y . . . O, sut ydech chi?' etc., etc.

48

'A shwd ŷch chi'n lico'r De? Mae e'n well na'r Gogledd, on'd yw e? (Tshycl direidus). Pryd daethoch chi 'ma? Lle ŷch chi'n aros? Pryd ŷch chi'n mynd nôl? Mae'n dywydd ffein, on'd yw hi? Odi, wir . . . Shw ma pethe'n mynd 'da chi? O, *good*. Ma lot o bobol 'ma, on'd oes e? Os wir. *Good*. Steddfod dda, medden nhw . . . Mae'n neis i chael hi'n ffein, ta beth. Odi, wir. Ma glaw yn difetha Steddfod. On'd yw e 'te? O, wi'n falch fod pethe'n mynd yn *good* 'da chi. Wela i chi 'to, falle. *Good*.'

Wel, rydw i wedi colli'r agorwr. Ga i dipyn o'r drafodaeth, plis? Rydw i wedi treiddio canllath i mewn i'r maes. Camp syfrdanol. Rŵan, os câ i ddim ond . . .

'A sut ma Islwyn Ffowc heddiw?'

'Wel . . . ar i ffordd i'r Babell Lên ar y funud –'

'Ar fora braf fel hwn? Duwcs, ista lawr yn fanma am funud . . . isio gair hefo chdi . . . Sut wyt ti, inni gal dechra'n barchus? Dim ond yn Steddfod ma dyn yn gweld rhywun . . .'

'Wel, os gnei di f'esgusodi i –'

'Cymdeithas y Maes, achan. Dyna *ydi*'r Steddfod, wsti. Ty'd, ista, achan . . .'

Gwrthod eistedd am bum munud, a sefyll am hanner awr. Toc, eraill yn crynhoi. Cwmni glaswelltog o bedwar, pump, chwech. Hwn-a-hwn yn cyrraedd.

'Hylô, hogia? Duwcs, mi gollsoch drafodaeth dda yn y Babell Lên.'

'Be? Ydi hi drosodd?'

'Newydd orffen. Anfarwol. Un o'r petha gora –'

'Be sy 'mlaen rŵan?'

'Beirniadaeth y Nofel.'

'O, wel, esgusodwch fi, ma raid imi gael honno . . .'

Dianc. Y maes *wedi* llenwi. Gorfod ymwthio wysg fy ochor rŵan . . .

'Mr. Elis?'

O, na!

'Dydach chi ddim yn 'y nabod i mae'n siŵr . . .' 'Nag ydw.' (Pigog braidd, mwya'r cywilydd imi). 'Maddeuwch imi am ddŵad atoch chi fel hyn . . . Sidro tybed fasech chi'n gwneud cymwynas fach â fi . . . Wedi sgwennu nofel . . . Sidro tybed fasach chi'n bwrw golwg drosti?' 'Wel —' 'Chymith hi ddim llawer o amser ichi.' 'Wel —'. 'Deud y gwir, rydw i wedi dŵad â hi efo mi . . . ma hi gin i yn fanma . . .' 'Ie, wel —'. 'Mi dduda ichi be ydi'r plot yn fras . . . dim ond yr ymgais gynta, cofiwch . . .'

49

Pam y des i yma —? Mi faswn wedi sgwennu pennod o nofel fy hun yn yr amser . . .

'. . . mi fydda i'n ddiolchgar iawn. Mi ro i 'nghyfeiriad ichi rŵan . . . cael gafael ar y bensal 'ma . . .'

Oes golwg ddiniwed arna i?

'Dŵad am damad o ginio, boi?'

'O, hylô, S —? Wel, na, mynd am y Babell Lên roeddwn i, i glywed beirniadaeth y –'

'Wedi gorffen, wasi. Mi'i cei hi yn y *Cyfansoddiada*.'

Ydw, mae'n siŵr 'mod i wedi treiddio *ddau* ganllath i mewn i'r maes erbyn hyn. Wedi sefyll yn y ciw eisteddfodol a chnoi tipyn o'r salad eisteddfodol, mi a'i rŵan i dreulio pnawn eisteddfodol. O ddifri. Mi gyrhaedda i'r Babell Lên 'na, petae o'r peth ola wna i . . .

'*Excuse me.*'

Pwy g — ydi'r sbectol yma eto? A het ddigon i ddau.

'Ecsgiwsiwch fi'n intriwdio fel hyn. Goon Jones o'r *States*. Faswn i'n licio ysgwyd llaw efo chi.'

Faint mae hwn yn 'i gyfrannu at y Steddfod, tybed?

'Reit, wel . . . pnawn da, Mr. Goon . . .'

'Hylô, sut rydach chi?'

Rydw i'n nabod hon.

'Yn o dda, Mrs. Jones. A chithe?'

'Go symol, deud y gwir. Wedi cal yr hen gricmala 'ma ers tair blynadd, ylwch, ac mae o'n cau'n deg â 'ngadal i. A tydi'r ferch 'cw ddim hannar da. Glywsoch am 'y nghefndar wedi cal damwain, debyg? Ia, symol ydi o o hyd, wchi, a cheith o ddim dima o gompenseshion. Mae'n gwilydd iddyn nhw, cofiwch. Y gŵr? Na, wir, tydi ynta ddim hannar da, ne mi fasa yma heddiw . . .'

Does dim eisiau dweud o ba ran o Gymru mae *hi*'n dŵad.

'Tad annwyl, drychwch pwy sy fanma! Wel, wel, sut ydech chi? Pryd daethoch chi? Pryd 'dech chi'n mynd yn ôl?'

'O, a shwd ŷch chi 'te? Odych chi'n enjoio 'ma? Mae'n neis i chael hi'n ffein, on'd yw hi?'

'Hylô.' 'Sut mae'n dŵad?' 'Sut hwyl?' 'Sut ma petha'n mynd?' 'Shwd ŷch chi 'te?' 'Gwela i chi eto!' 'Reit-o!' 'Feri wel!' 'Da boch di!' 'Hwyl fawr!' 'Ta-ta!' 'Twdl-ŵ!'

O'r diwedd! Drws annwyl y Babell Lên. Y lle'n llawn. Curo dwylo gwresog. Diwylliant o'r diwedd. Y cadeirydd ar ei draed.

50

'Wel, dyna ni, gyfeillion. Mae hi bron yn bump o'r gloch, ac yn bryd inni dynnu gweithrediada'r dydd i ben. Diolch ichi i gyd am ych presenoldeb.'

A sut, meddwch chi, y cyrhaeddodd y *rhain* i gyd y Babell Lên?'

'Barn', Awst, 1963

Ofer-goelio

Ydych chi'n ofergoelus? Nac ydw i, neno'r tad annwyl. Waeth gen i gerdded dan ysgol na pheidio, neu edrych ar leuad newydd drwy'r ffenest, neu yrru car gwyrdd. Ofergoelus? Un frân ddu a rhyw lol felly? Hy!

O'r gorau. Does dim eisiau i neb boethi a chodi'i lais. Ond dyna sy'n digwydd yn fynych pan ofynnwch chi'r cwestiwn. Mae 'na ryw *awgrym* anghynnes yn y cwestiwn. Cwestiwn felly ydi o. 'Ydych chi'n ofergoelus?' Dydw i ddim wedi cwrdd â neb eto a all ei ateb o'n hollol oer.

Wrth gwrs, fe gewch chi'r bobol onest hynny hefyd. 'Ofergoelus? Wel, ydw, mae arna i ofn 'y mod i, dipyn bach.' Ac yna, fe gewch chi gatalog o'u hofergoelion nhw. Rhai bychain bach, wrth gwrs. Gwirion o ddiniwed. Pobol gyfrwys yw'r rhain, wedi'u paratoi'u hunain yn ofalus ers blynyddoedd ar gyfer y cwestiwn cas, ac yn hoffi ichi feddwl amdanyn nhw fel teipiau gonest, strêt.

Welwch chi, pa ffordd bynnag yr atebwch chi'r cwestiwn, rydych chi'n siŵr o'i chael hi. Fe elwir eich gwadu'n gelwydd; fe elwir eich cyfadde'n ffug. Sut bynnag yr atebwch ac yr ymatebwch chi, rydych chi mewn trap.

Fe ddywedir pethau clyfar am ofergoeledd a gwrth-ofergoeledd. Fe ddywedir am y sawl sy bob amser yn mynnu cerdded dan ysgol, ei fod lawn mor ofergoelus â'r rhai sy'n ei hosgoi hi. Dydw i erioed wedi deall y dyfarniad yna. Ydych chi? Rhyw ofergoeledd o chwith, mae'n debyg. Gwneud pwynt o herio'r ofergoel, cydnabod ei chryfder hi, ei phosibilrwydd hi . . . Hmm.

Ond mae'n rhaid cydnabod bod rhai ofergoelion difrifol iawn. Dyna ichi'r llongwyr sy'n gas ganddyn nhw fynd allan mewn suddlong ar ddydd Gwener y 13eg o'r mis. Wel, dwedwch chi a fynnoch chi, os ydych chi'n *credu* bod angau'n stelcian yn y dwfn ar ddydd Gwener y 13eg o'r mis, peth go annifyr yw gorfod *mynd* i'r dwfn ar ddiwrnod felly. Mewn suddlong o bopeth.

Onid yw'n ffaith na wnaiff un o Gymry amlycaf heddiw ddim

cysgu mewn llofft sy wedi'i phapuro'n wyrdd? Ac mi wn i am amryw o bobol na wnân nhw ddim mudo ar ddydd Gwener. A dweud y gwir, mi wnes i hynny fy hun unwaith, a fûm i ddim yn y lle newydd yn hir. Ond cyd-ddigwyddiad, wrth gwrs, oedd hynny.

Bid siŵr, mae 'na bobol sy'n gwneud y pethau ofergoelus am resymau an-ofergoelus. 'Na, fydda i byth yn cerdded dan ysgol. Nid am 'mod i'n ofergoelus, cofiwch – dydw i ddim – ond am fod arna i ofn cael bwcedaid o baent ar 'y mhen.' Hyd yn oed pan nad oes paentiwr ar yr ysgol? Peidiwch byth â cherdded o dan aderyn, am yr un rheswm.

'Na, fydda i byth yn pasio neb ar risiau. Am y rheswm syml y gallwn i daro yn ei erbyn o a chael codwm.' Oes rhaid cerdded mor drwsgwl ar risiau? 'Wel, bydda, mi fydda i bob amser yn mynd allan o dŷ rhywun drwy'r un drws ag y des i i mewn. Nid ofergoeledd, cofiwch; dyna'r peth poleit i'w neud.' Felly'n wir.

A siarad amdanaf fy hun, mi alla i ddweud yn onest nad ydw i ddim yn ofergoelus. Rydw i yn erbyn ofergoeledd, mae'n gas gen i ofergoeledd, a fedra i ddim gweld sut y gall Cristion proffesedig roi lle i ofergoeledd. Os Duw sy'n llywodraethu, sut y gallwn ni gydnabod bodolaeth pwerau paganaidd fel Lwc ac Anlwc?

Rydw i wedi pregethu'n gyson yn erbyn ofergoeledd. Mi fyddwn i'n cael mwy o flas yn y pulpud ar ridyllio ofergoelion nag ar odid unrhyw bwnc. Mi fyddwn yn ei rhoi hi'n enwedig i'r merched, am roi mwy o bwys ar horosgopau'r cylchgronau a'r papurau Sul nag ar Efengyl y Gwirionedd. Sut y gall cyfosodiad sêr a phlanedau, nad ydyn nhw ddim wedi'u cyfosod ond i'n golwg ddaearol ni, effeithio ar eich bywyd chi, fenyw – un person o blith rhyw 2,000,000,000 o drigolion y ddaearen ddisylw hon?

Mi fyddwn i'n dyrnu ar daflu halen a gollwyd dros ysgwydd, yr osgoi cerdded dan ysgol tragywydd, yr arswyd rhag y lliw gwyrdd a'r rhif 13. Beth oedd y rhain oll ond gweddillion ysbrydion drwg o'r cynfyd paganaidd, pwerau sinistr yr oedd yn rhaid cymryd gofal rhag eu tarfu, ac os terfid nhw, i'w plesio?

Ydw, rydw i wedi bod yn llawdrwm ar y mawrddrwg hwn yn ein plith, y baganiaeth gyntefig sy'n priodoli gallu a dialgarwch i bethau a lliwiau a rhifau ac amserau.

Amserau, meddwn i . . . Mae 'na anhawster bach yma, wrth gwrs. Mae'n rhaid cyfadde bod y fath beth ag amserau drwg. Amserau drygionus, hyd yn oed. Mi welais i lawer diwrnod pan na allai dim byd fynd yn iawn. Baglu, troi cwpan de, llythyr annifyr, colli rhywbeth anhepgor, diffyg ar y car, ffrae mewn siop . . . *The fault . . . is not in our stars, but in ourselves.* Ysgwn i?

Petai popeth digysur mewn diwrnod yn digwydd oherwydd ansicrwydd llaw neu ddryswch pen, fe ellid dadlau bod rhyw anghydbwysedd y diwrnod hwnnw yng nghemegau'r corff, nad yw'r person ddim yn gallu rheoli'i amgylchedd a bod ei amgylchedd felly'n ei reoli ef. Ond pan fo'r car, y teleffon, y teipiadur a'r set deledu i gyd yn mynd ar streic yr un dydd — neu o leiaf, yr un wythnos – a ellir priodoli hynny i anghydbwysedd cemegol yng nghorff eu perchennog?

Fe ellir ei briodoli, efallai, i esgeulustod eu perchennog. Does gen i ddim syniad am du-mewn peiriannau, a dydw i byth yn edrych ar eu hôl nhw fel y dylwn i. Ond wedyn, pobol eraill sy'n edrych ar ôl (neu'n cael eu talu am edrych ar ôl) y car, y teleffon, y set deledu, y peiriant golchi a'r glanhawr gwynt. Pam y mae taclau fel hyn yn cymryd yn eu pennau fod yn stiwpid ar adegau neilltuol?

Diwrnodau drwg, a chyfnodau drwg. Blynyddoedd drwg hefyd. Roedd yn dda calon gen i weld cynffon 1963. Mi ffarweliais â hi â llawenydd mawr dros ben. Er gwaetha ambell brofiad hyfryd, hen flwyddyn anodd, drafferthus, groes. Mi glywais un o'm cydweithwyr yn dweud yr un peth amdani: bron bopeth drwg posibl wedi digwydd iddo ef a'i deulu yn ei hystod hi. A gafodd rhywrai eraill brofiad cyffelyb?

Ond. Tybed nad oedd y faeden 1963 y gyntaf o saith mlynedd debyg? Syniad arswydlon. A dyma fi'n dechrau meddwl. I mi, roedd 1956-63 yn saith mlynedd o hawddfyd tirion – er gwaetha ambell broblem a phryder. Ond roedd y saith mlynedd blaenorol yn artaith. Er cael llawer o garedigrwydd personol, saith mlynedd o ing. Y saith mlynedd cyn hynny: gwynfyd.

A'r blynyddoedd cyn hynny? Anodd eu rhannu'n seithiau. Penyd oedd dyddiau ysgol ar eu hyd, o leiaf o ddechrau'r ysgol gynradd hyd y chweched dosbarth yn yr ysgol ramadeg. Fe loywodd bywyd dipyn wedyn.

Ond y seithiau yma . . . ' 'Rwy'n dechrau simsanu braidd' . . . Y saith mlynedd o lawnder a'r saith mlynedd o newyn yn yr Aifft. 'Ym mhen pob saith mlynedd gwna ollyngdod.' (Deut. 15.1). Saith mlynedd o newyn wedyn yn nyddiau Eliseus. Mae'r Beibl yn llawn o seithiau. Ond oni fu saith gaeaf caled yng nghanol y ganrif ddiwethaf a'r ganrif o'i blaen, ac onid yw corff pawb yn newid drwyddo bob saith mlynedd?

Beth sy yn y rhif 7? Oes 'na rywbeth amgen na symbolaeth Iddewig hen, effaith seicolegol oesol y saith niwrnod mewn wythnos? Ydi bywyd yn wir yn ymbatrymu o newydd bob saith mlynedd? Ac os ydyw, a fydd y saith mlynedd 1963-70 . . .?

Na fyddan, wrth gwrs. Lol ydi peth fel hyn. Rydw i'n dweud eto: dydw i ddim yn ofergoelus. Rydw i'n gwrthod bod yn ofergoelus. Rydw i'n gwrthod yn bendant ystyried mewn unrhyw fodd y posibilrwydd lleiaf o fod yn ofergoelus.

'Barn', Ebrill, 1964

Talu Dyled

'**M**i fedri di'i neud o, wsti.'

'Na fedra.'

'Medri'n tad. Gwranda di arna i rŵan. Rydw i'n gwybod y medri di.'

Mi fyddwn i'n flin wrtho am siarad fel hyn. Sut y gwydde fo beth y medrwn i'i wneud a beth na fedrwn i? A pha hawl oedd ganddo i'm hordro i? Weithiau fe fyddai'n hollol afresymol.

Y 'ffôn yn canu.

'Hylô?'

'Islwyn?'

'Ie.'

'Gwranda. Ma gin i isio dwy gân gin ti erbyn dydd Sadwrn. Dwy ddeuawd. Iawn?'

'Bobol annwyl, nag ydi, ddim yn iawn o gwbwl. Does gen i ddim amser. Fedra i mo'u gneud nhw –'

'Medri'n tad. Dydw i ddim yn cymryd "Na." Erbyn dydd Sadwrn, cofia.'

A'r 'ffôn yn marw yn fy llaw.

Mi fyddwn yn gwylltio'n gacwn wedyn. Yn dweud pethau breision amhrintiadwy wrth yr awyr o'm cwmpas. Ond wedi oeri tipyn, mi fyddwn yn gadael popeth ac yn mynd i lawr at y piano. Fe fyddai'n cael ei ddwy gân. Erbyn dydd Sadwrn. Doedd dim gwrthod i fod.

Unwaith y gwrthodais i. Mi anfonais lythyr cas ato, yn dweud nad injan sosej oeddwn i, fod gen i bethau pwysicach i'w gwneud nag esgor ar 'bops' undydd – a phethau felly. Wnaeth o ddim digio – roedd o'n ormod o ddyn i ddigio – ond rydw i'n credu iddo gael ei siomi. Dyna un o'r llythyrau gwylltion y carai dyn eu galw'n ôl – heddiw.

Ond roedd Ifan O. yn disgwyl gwaith caled a chyflym gan bobol eraill am mai felly y byddai'n gweithio'i hun. Mewn hanner oes fe wnaeth waith dwyoes. Fe losgodd y gannwyll danbaid hon yn gyflym.

Yn anffodus, dydi cynhyrchydd radio a theledu ddim yn gadael llawer iawn ar ei ôl. Pe cedwid pob rhaglen a wnaed, ni chynhwysai'r wlad y rhaglenni hynny. Pe gellid rhoi'r holl raglenni a wnaeth Ifan ar dâp, fe ymestynnai'r tâp hwnnw rownd y byd, mae'n siŵr. Ond mae gwaith cynhyrchydd radio fel prydau bwyd gwraig tŷ: y ciniawau mwya gogoneddus, wedi'u paratoi â'r gofal a'r cariad mwya, wedi mynd, gan adael dim ond sôn amdanyn. Rhaid clirio a thaflu i ffwrdd, er mwyn gwneud lle o hyd i'r pryd nesa.

Llwybr y Mynydd, Pobol yr Ardal, Stryd Ni, Hwyl a Helynt, Camgymeriadau, Hen a Newydd: doedd y cyfresi hyn yn ddim ond diferyn yn y môr o sain ddiddorol a grynhodd Ifan O. Y blynyddoedd o raglenni *Awr y Plant* ym Mangor, y blynyddoedd wedyn o baratoi rhaglenni i bobol mewn oed, gan gynnwys cynorthwyo Sam Jones gyda'r *Noson Lawen, Pawb yn ei Dro, Ymryson y Beirdd* a danteithion eraill, a'r blynyddoedd wedyn o waith teledu yng Nghaerdydd.

Fe ddywedwyd cryn dipyn amdano eisoes, gan rai â hawl arbennig i sôn amdano: rhai sy'n ei gofio'n blentyn ac yn fyfyriwr ac yn weinidog ac yn gydweithiwr. Fe glywsom amdano'n canu'n swynol ac yn cyfansoddi'n ddeheuig gyda Hogiau'r Gogledd: coffa da am y munudau dawnus peraidd hynny o Fangor cyn chwalfa'r rhyfel. Fe soniwyd amdano – yn gywir, 'greda i – fel yr holwr gorau a fu ar radio sain yng Nghymru.

Ond fe roes Ifan y gorau i berfformio'i hunan, er cymaint ei ddawn, a chysegru'i oes i gael eraill i berfformio. Dyna'i gymwynas o. Dyna'r peth dihunan a oedd ynddo. A dyna y mae o wedi'i adael ar ei ôl: y crewyr a'r perfformwyr na fydden nhw ddim wedi meddwl dechrau oni bai am ei anogaeth dadol (ac awdurdodol weithiau) o.

Teyrnged bersonol i'r perwyl yna sydd gen i. Mae'r hanes ei hun a'm rhan i ynddo yn ddibwys, ond 'mod i'n teimlo bod gen i ddyled i'w thalu, ac mai dyma'r unig ffordd.

Ble y bydden ni, bawb, oni bai inni gael hwb gan rywrai neu'i gilydd dros ambell gamfa, hyd yn oed er inni beidio â gofyn am help? Felly y bu hi gyda mi, beth bynnag.

Dyddiau *Noson Lawen* Neuadd y Penrhyn. Triawd y Coleg: Meredydd Evans, Robin Williams a Cledwyn Jones. Trychineb:

Mered yn methu dod i ganu un gaeaf. Y digymar Sam Jones yn dweud, "Wel, dyna ben ar y triawd 'te,' neu 'Oes rhywun yn gwybod am denor yn rhywle?' neu rywbeth i'r perwyl. Fy nghyfaill Robin yn dweud, 'Mr. Jones, ma gin i ffrind sy'n medru canu tenor.' (Clamp o gelwydd). 'Dewch ag e lan.'

Mynd 'lan' i Fangor, felly, a chanu gyda Cled a Robin am aeaf. Wn i ddim sut y caniatawyd y peth, achos mae gen i lais fel dafad, ac roeddwn i'n canu allan o diwn yn ddifrifol. (Mi wn i hynny, oherwydd roeddwn i'n gwrando ar y recordiadau). Modd bynnag, dyna'r 'hwb' cyntaf. Fe ddaeth y nesa'n fuan.

'Mr. Jones' (Robin eto), 'mae Islwyn yn medru *gneud* caneuon hefyd.' Sam Jones yn edrych arna i'n amheus, cystal â dweud, 'Hwn?' Chwarae teg iddo, yr hyn a ddywedodd yn uchel oedd, 'Gwnewch un i fi, bach, ac fe gawn ni weld.'

Hyd hynny, y cyfansoddwyr oedd Mered a Robin. Roedd Mered, beth bynnag, yn eu corddi nhw allan fel slecs. Ac roedd eisiau tipyn o wyneb i fentro i'w tiriogaeth gysegredig nhw. Modd bynnag, fe ddarlledwyd y gân, ac eraill wedyn. A dyma lle y daeth yr hwb nesa: oddi wrth Ifan O. y tro hwn.

Er ei fod o'n cynorthwyo gyda'r *Noson Lawen*, ei briod faes oedd *Awr y Plant*. 'Clyw,' meddai un diwrnod. 'Wyddost ti'r gân 'na nest ti . . .?' (Dydw i ddim yn cofio rŵan prun). 'Beth am neud drama fach i blant, a hanner dwsin o ganeuon tebyg i honno ynddi?'

'Na, wir, fedra i ddim –'

'Medri'n tad.'

Fe wnaed y rhaglen, dan ryw deitl esoterig fel *Y Bws Pinc Newydd*. Cais arall wedyn.

'Clyw, be am ffantasi arall, reit wahanol y tro yma? Cowbois, os leci di; a chan y bydd hi'n mynd allan tua'r Dolig, trio cal Santa Clos i mewn iddi rywsut. A rhyw alawon go ffres . . . Lladin-Americanaidd . . . wyddost ti, y math yna o beth?'

'Na, dydw i ddim yn meddwl y medra i –'

'Medri'n tad.'

Yr oedd *Santa a'r Tri Chabalero* ar yr awyr tua'r Nadolig. Fe lwyddodd i gael hanner dwsin o'r dramâu-canu hyn o 'nghroen i. Ac yna, fe adawodd *Awr y Plant* i ofalu am raglenni pobol mewn oed. Yr oedd ei gais nesaf yn arswydus.

Roeddwn i newydd ddechrau'n weinidog, ac yng nghanol y bagad gofalon. Telegram: 'Ffonia Bangor 214 ar unwaith.'

'Ffonio. 'Clyw, rydw i'n dechra cyfres newydd. R.E. yn sgwennu'r sgript, ac isio i ti neud y caneuon. Rhaglen bob pythefnos, a saith o ganeuon ymhob rhaglen.'

'Saith!'

'Dyna ti. Iawn?'

'Ond Ifan, clyw, rydw i yn i chanol hi yn fan'ma, fedra i ddim –'

'Medri'n tad. Hwyl iti rŵan, boi.'

Adre i bensynnu. Eisiau dwy bregeth at y Sul, eisiau ymweld â'r praidd am y tro cynta – ac eisiau saith alaw newydd o fewn wythnos. A doedd gen i ddim piano, a dim set radio i glywed y caneuon ar ôl eu gwneud.

Ond fe wnaed y caneuon. Bedair lot ohonyn nhw. Yna fe ddaeth cyfres arall. 'Huw Llew yn gneud y sgript; isio i ti neud y caneuon. Run fath eto.'

Rydw i'n credu mai chweugain yr un oedd y tâl am y caneuon. Mi fydda i'n meddwl weithiau am filoedd Anthony Newley a miliynau'r Beatles. Ond mae'n siŵr fod eu caneuon nhw'n well.

Ond roedd Ifan yn drymp, wrth gwrs. Wedi imi slafio fel hyn am sbel ar ryw fân gansonach, fe ofalai 'mod i'n cael gwneud rhaglen iawn, â thâl iawn amdani. Wedi imi wneud rhyw dair drama-ganu ddigon tila i oedolion, fe ddaeth i aros i Faldwyn, i wneud *Pobol yr Ardal* yno. Mynd am dro i fyny i'r bryniau, a sgwrsio'n ddifrifddwys ac yn deimladwy – fel y medrai ef– am sylfeini a phatrwm bywyd.

'Clyw,' meddai, wrth giât Tŷ Isa, 'beth am sgwennu ffantasi ar fywyd sant?'

'Sant?'

'Ia. Wyddost ti, rhyw ddyn rhy dda i fyw, pawb yn i gamddeall o a'i gamddefnyddio –'

'Mewn rhaglen ysgafn, a chaneuon ac ati?'

'Pam lai? Pam mae'n rhaid inni drafod crefydd yn yr un hen rigola o hyd?'

Cyn iddo ymadael, roedden ni wedi bedyddio'r 'sant': *Salvator Jones*. O ymennydd bywiog Ifan y dôi'r syniadau yma i gyd. Fe wyddai'n iawn sut yr oedd meddwl rhywun yn gweithio; roedd ganddo ryw nác ryfedd o ddeall pobol; dim ond taflu syniad, fel rhoi ceiniog mewn slot, ac fe gâi raglen.

'Gwranda,' meddai un diwrnod, 'beth am sgwennu ffantasi ar Baris?' ('Ffantasi' y bydden ni'n galw'r pethau, am ryw reswm).

'Paris? Ond dim ond unwaith y bûm yno erioed –'

'Reit, mi awn ni yno 'ta.'

Mynd, wrth gwrs. Doedd wiw gwrthod. Ifan a Marian, a'u mab Brian, yn ddeg oed, ac Eirlys a minnau. Tua Phasg 1953 oedd hi, a Pharis yn dechrau gwella'i golwg wedi'r rhyfel. Yn ystod y pedwar diwrnod hynny y gwelais i egni brawychus Ifan O. Fel y dwedai fy ngwraig, 'Roedd arno isio gweld popeth ar unwaith.'

Nid cynt yr oedden ni'n ôl wedi treulio prynhawn yn y Place Contrescarpe neu ar lan yr afon, ac yn ceisio lladrata pum munud o orffwys ar y gwely, nag y dôi Ifan i mewn, wedi 'molchi a newid: 'Wel, dowch, lads bach! Dŵad i Baris i gysgu, wir!' Ac i ffwrdd â ni wedyn, i fyny ac i lawr escaladuron, drwy dynelau'r *Métro*, ar hyd strydoedd diderfyn, paned yma, cinio acw, amgueddfeydd, orielau, eglwysi – yn enwedig eglwysi – ac Ifan yn synnu a rhyfeddu at gymeriadau'r ddinas: arlunwyr palmant, hen wragedd gwerthu blodau, a dynoliaeth aflonydd, amryliw marchnad fawr Les Halles. Pobol, wedi'r cwbwl, oedd ei fywyd o.

Y noson olaf, wedi methu cael tocynnau i'r *Folies Bergère*, mynd i'r *Casino de Paris*. Cannoedd o gantorion a dawnswyr, a llwyfannu ysblennydd. 'Dyma fo. Rhwbath fel hyn sy arnon ni isio – ar raddfa lai, wrth gwrs!'

A phan ganwyd ar y llwyfan anferth hwnnw un o'i hoff ganeuon, *La Mer*, yn erbyn cefndir o fôr llwydwyn aflonydd:

'Fedri di sgwennu rhywbeth tebyg i hon?'

'Bobol bach, na fedra –'

'Medri'n tad.'

Pan ddarlledwyd ein rhaglen, *La Parisienne*, yr oedd un o'i chaneuon bron yn llên-ladrad (neu gerdd-ladrad) o *La Mer*. Ac wrth gwrs, roedd Ifan yn godro awduron eraill yn ddi-baid. Fe wyddai i'r dim beth yr oedd arno'i eisiau (neu yn ngeiriau twtiach gwŷr y De 'ma, 'beth oedd e am'), ac fe wyddai sut i'w gael. Dyn cwbwl ddi-nonsens oedd Ifan O.

Ond onid gwastraff ar amser ac egni oedd chwysu uwchben rhyw ddwsin o ddramâu-canu diflanedig a rhyw 250 o ganeuon ysgafn? Oni fyddai'n well i rywun fod wedi treulio'i amser yn gwneud traethawd M.A. ar ryw fardd annelwig o'r 15fed ganrif neu gystrawen gyfrin mewn Cymraeg Canol?

O ddewis, na fyddai. Dyn oedd Ifan O. yn credu yng Nghymraeg *heddiw*. Roedd yn rhaid gwneud popeth ynddi. Roedd yn rhaid profi y *gellid* gwneud popeth ynddi. Does dim ots bellach fod y dramâu-canu a'r caneuon yn ebargofiant. Arbraw afieithus oedd pob un, a braint oedd arbrofi ar gais Cymro oedd yn gwybod yn union i ble'r oedd o'n mynd, a pham.

Ac yr oedd Ifan yn Gymro – nid yn unig i'r carn, fel llawer na ŵyr neb ymh'le y mae'u 'carn' nhw – ond i'r bôn, i ddyfnder eithaf ei wraidd. Un o hogiau Caergybi, ond ei fam o bentre Niwbwrch. Roedd ganddo feddwl y byd o Niwbwrch. Roedd o'n falch pan es i yno'n weinidog, ac yn siomedig pan ddes i oddi yno mor fuan. 'Ond mae o'n lle *diddorol*, cofia! Ydi'n tad.'

Nid gormod yw dweud bod Ifan wedi cymreigio cryn dipyn ar y BBC ym Mangor, yn enwedig erbyn diwedd ei gyfnod yno. Chlywais i erioed mohono'n troi i'r Saesneg wrth gynhyrchu rhaglen Gymraeg, nac wrth ei waith yn y swyddfa. Ac rydw i'n credu bod hyn yn wir am fwy o gynhyrchwyr ifainc heddiw – diolch, mae'n ddiamau, i rai fel fo.

Fe fagodd ei blant yn Gymry, wrth gwrs, a hyd yn oed eu hanfon bellter ffordd i ysgol Gymraeg pan nad oedd un yn agos. Wedi byw am flynyddoedd yng Nghaerdydd, mae Brian a Sioned yn siarad Cymraeg glân, ac yn mynd i barhau i wneud hynny.

Roedd ei galon mor hael â'i boced, ac mae hynny'n dweud llawer. Roedd ei haelioni ysbryd yn rhyfeddol. Ni fyddai'n dweud gair bach am neb. Fe allai fod yn bigog, yn gas iawn weithiau, yn y stiwdio a thu allan iddi. Fe brofodd llawer ohonom fin rasal ei dafod. Fe welwyd actoresau'n colli dagrau, a choffa da am un o'n hactorion enwocaf yn taflu'i sgript ac yn cychwyn adre. Ond o dan y gair brathog yr oedd calon feddal iawn, a thriw. Os byddwn i'n dechrau rhedeg ar rywun, buan y torrai Ifan i mewn: 'Ia, ond cofia di . . .' a'm hatgoffa o rinweddau'r brawd dan sylw. Yn wyneb pobol y byddai Ifan O. yn dweud y drefn, nid byth yn eu cefnau. Yr oedd honno'n rheol euraid ganddo.

Roedd o'n storïwr gyda'r mwya diddan a glywais i erioed. Fe aeth yn bedwar a phump y bore lawer gwaith arno'n gorffen 'saga', chwedl yntau. Hanes y tro hwnnw, er enghraifft, yr aeth o a ffrind neu ddau, a dau 'gyfrwng' ysbrydegol, a dyn o'r *Institute of Psychical Research*, i godi – neu'n hytrach, i ostwng – ysbryd mewn tŷ yn Rhuthun. Hanes ei deithiau pan fu'n gaplan yn India, ei gyfarfod â Gandhi, y Roeges Maria Papadoulos a oedd yn gwerthu *hashish* ar stemar Afon Nîl, yr uchgapten lloerig yn y gwersyll trosglwyddo yn Ismailia, a llawer chwedl arall ddifyrrus, arswydus, a dirdynnol ddigri. Fe ddwedodd ei fod wedi dechrau sgrifennu llyfr ar hanes ei deithiau adeg y rhyfel. Chwith meddwl mai llyfr caeëdig fydd hwnnw mwy.

Mi fethais â mynd i'w gynhebrwng, ond wrth ymweld â'i gartref y dydd o'r blaen mi deimlais fod darn gwerthfawr arall o Gymru wedi mynd. Marian a Brian a Sioned sy'n gorfod diodde'r unigrwydd, ond fe allwn i gyd geisio sylweddoli'r golled a gaed. Fe fydd yn chwith i amryw ohonom, beth bynnag, am rywun i ddweud, pan fyddwn ni'n ystyfnigo'n anhyderus, 'Na, wir, fedra i ddim –'

'Medri'n tad.'

'Barn', Mai, 1964

Llenydda

Mae sôn am lenydda adeg yr Eisteddfod Genedlaethol fel bwyta hufen iâ ar wythnos boeth. Dyna'r peth i'w wneud. Wrth gwrs, mae miloedd o ddynion a merched wrthi'n cynhyrchu hufen iâ ar hyd y flwyddyn – a gwartheg yn llaetha a ieir yn dodwy a dŵr yn llifo, o ran hynny – ond ar wres y mae'r cyhoedd ffilistaidd yn gwerthfawrogi'u hymdrechion.

Credwch neu beidio, mae yna greaduriaid yn sgrifennu nofelau ac yn byrlymu gan delynegion ar noson niwlog, aneisteddfodol o Dachwedd. Ac nid ar gyfer Eisteddfod y flwyddyn ddilynol, o angenrheidrwydd. Mae'n beth od i'w ddweud, ond mae'r peth yng ngwaed ambell un.

Beth, ynte, ydi llenydda? Gawn ni ofyn i ddechrau: beth ydi llenor? Nawr, rydw i am ddodi fy nau droed yn y crochan. Mae 'na rai sy'n dweud nad ydi llenor neu arlunydd neu gerddor ddim yn wahanol i rywun arall, neu o leia fod pawb yn wahanol i'w gilydd, ac nad ydi gwahanolrwydd artist ddim yn wahanol i wahanolrwydd unrhyw fod dynol arall, os ydych chi'n fy nilyn i.

Mi garwn fedru credu hynny. Fe fyddai'n gysur mawr i mi feddwl bod llenor, yn wir, yr un fath â'i holl gyd-ddynion, neu'n ddigon tebyg iddyn nhw i fedru gwleidydda neu weinyddu neu ddiwinydda neu ystadegu neu wneud arian cystal â'r goreuon am wneud y pethau hynny.

Ond edrychwch o'ch cwmpas. Gwnewch restr o ddeg, nage, ugain o feirdd a llenorion amlyca Cymru heddiw – neu Loegr neu Ffrainc, os mynnwch chi. Faint ohonyn nhw sy'n wleidyddwyr llwyddiannus? Nid faint ohonyn nhw sy ag argoeddiadau gwleidyddol; cwestiwn arall ydi hwnnw; ac mae'n hawdd gweld beth yw argyhoeddiad gwleidyddol y mwyafrif o brif lenorion Cymru, am resymau da. Ond sawl un ohonyn nhw sy'n wleidydd diwyd, llithrig, ymroddedig, wrth ei fodd yn gwleidydda?

Sawl un ohonyn nhw sy'n athronydd neu'n ddiwinydd o bwys? O gofio am Sartre a Saunders Lewis rhaid cyfadde y gall llenor athronyddu'n firain a hynny'n wleidyddol weithiau, ac o gofio am

Tegla rhaid cyfadde y gall llenor ddiwinydda'n wefreiddiol. Ond wedi'r cwbwl, y mae rhagor rhwng athronyddu ac athronyddu mewn astrusrwydd, ac y mae'r fath beth â llenor na all o ddim goddef astrusrwydd.

Sawl un ohonyn nhw sy'n drefnydd meistrolgar? Mae'n bosib i lenor fod yn drefnus, a gwae fo os ydi o'n rhy anhrefnus. Ond y math o ddyn sydd yn fy meddwl i ydi hwnnw sy'n fos ar fudiad ffyniannus, yn llythyrwr a theleffoniwr brwd, yn cael pwyllgorau a chynadleddau i redeg ar olwynion a phawb i ddawnsio wrth ei alwad. Sawl un?

Sawl un sy'n dda am wneud arian? Rydyn ni ar rew go denau yma, ac fe ellwch chi ateb fod gan hwn-a-hwn, bardd amlwg, llenor o fri, hosan go hir. Ond mae cryn wahaniaeth rhwng hosan a barcloth gwlân, neu, os mynnwch chi, rhwng dwy neu dair mil yn y banc bach rownd y gornel a dau neu dri deg o filoedd mewn olew neu deledu neu gadwyn o siopau.

Yr ateb hawdd, wrth gwrs, yw bod pob un sy wedi gwneud marc wrth lenydda wedi *dewis* rhoi'r amser i lenydda yn hytrach nag i wleidydda neu fathemategu neu ymgyfoethogi, ac y medrai fod wedi gwneud unrhyw un o'r gorchwylion hynny lawn cystal petai wedi penderfynu felly. Wedi'r cyfan, mae ambell fardd a llenor o fri yn athro neu'n bregethwr da. Ac onid oedd Daniel Owen yn deiliwr da? Yn onest, wn i ddim.

Ateb hawdd arall yw bod llenor neu arlunydd neu gyfansoddwr yn cael cymaint hyfrydwch mewn synhwyro a mynegi, ac yn byw cymaint ym myd y meddwl a'r dychymyg, fel nad oes ganddo na'r amser na'r amynedd i ymboeni â phethau llai ffansïol. Mae peth gwir yn hynny, fel y mae peth gwyn mewn wy.

Modd bynnag – a dyma lle'r ydw i'n rhoi fy nhraed i'w berwi – mae'r dystiolaeth yn dangos, nid bod llenorion yn llai gwleidyddol a gweinyddol a masnachol am eu bod wedi dewis bod yn fwy llenyddol, ond i'r gwrthwyneb, eu bod wedi gorfod bod yn llenyddol am eu bod nhw, neu am y bydden nhw, yn chwerthinllyd o anfedrus yn y pethau eraill.

Mewn gair, math o ddyn ydi artist. Dyn aflwyddiannus, a siarad yn blaen. 'Yr ydych chi'n rhoi yn eich sgrifennu yr hyn yr ydych chi wedi methu ynddo yn eich bywyd,' meddai Saunders Lewis. Ys gwir. Bod yn frenin, neu o leia'n goronwr brenhinoedd, oedd breuddwyd isymwybodol Shakespeare. Fe garai Tolstoi fod wedi rheoli Rwsia. Bod yn Arthur dychweledig oedd dyhead gwasgedig

T. Gwynn Jones. Diwygiwr heb y ddawn na'r cyfle oedd Daniel Owen.

Dyna ydi nofel a drama, darlun a sumffoni: artist yn gosod ei drefn ei hun ar fywyd, yn peri i'r byd a'r bywyd hwn edrych – am foment – i bawb fel y maen nhw'n edrych iddo fe. Fe yw brenin ei gymeriadau, ei olygfa, ei nodau. Ym moment y creu, fe yw Duw. Duw papur, Duw paent, Duw chwisl dun. Wrth gwrs. Ond nid iddo fe'i hunan.

Nid dangos y byd fel y dylai fod y mae – os ydi o'n artist cydwybodol. Nid darlunio'r Iwtopia y byddai'n hoffi bod wedi'i llunio petae o wedi cael dawn llywodraethu. Mae'n barod i gyfaddawdu rhyw gymaint; mae'n parchu profiad ei gyhoedd yn ogystal â'i ddyheadau ef ei hun. Mae ganddo gasinebau i'w mynegi hefyd, siomiannau lawer, doluriau. Nid byd prydferth sy ganddo, felly; nid gwlad yn llifeirio o laeth a mêl. All e ddim paentio byd gwyrdd lle mae pob arwres yn dlws a phob dyn yn sant; rhaid iddo gael dial ar y byd am beidio â bod fel y carai ef iddo fod. Nid unioni'i fethiant ei hun yn unig, ond edliw methiant cymdeithas hefyd. Dyna pam y gall ei ddarlun fod yn gyfan.

Wel, wel, ydi pob llenydda mor arswydus â hyn? Nac ydi, bid siŵr. Fe ellwch chi ganu telyneg findlws neu lunio ysgrif lwys a chithau mor hapus â'r gog ar fore o Fai â gwerth tyddyn da o berlau yn y banc. Ond rydych chi'n debycach o fynd am gêm o golff.

Fe aeth awdures enwog iawn i weld ei meddyg, meddai hi wrtho 'i ryw dro. Ac fe ddwedodd ei meddyg wrthi nad oedd nerfau'i stumog hi yr un fath â nerfau stumog pobol eraill, mai stumog llenor oedd ganddi.[1] Wn i ddim beth yw ystyr meddygol hynny, ond mi wn i fod stumog llenor yn cerdded yn dra anghysurus wrth orfod wynebu profiadau y buasai mwyafrif y ddynol ryw yn eu bwyta'n ddigyffro gyda'u tatws a'u grefi.

Mae gan artist chwyddwydr yn ei stumog. (Mae stumog yn beth mwy diriaethol i sôn amdano yma na chalon, a mwy modern.) Drwy'r chwyddwydr hwn mae pob trychineb yn y byd yn fwy ac yn nes. Pan fo artist yn darllen am swyddog Gestapo'n rhoi cernod i Iddew, mae'n clywed y gernod ar ei gern ei hun. Mae gweld croen-am-asgwrn o blentyn ar hysbyseb Oxfam yn gwneud i'w stumog ef ei hun grebachu gan bangau newyn. Dydi hi ddim yn

---

[1] Kate Roberts oedd yr 'awdures enwog iawn'.

amhosib iddo deimlo'r hoelion yng nghledrau'i Waredwr. A dydi'i blentyndod ef ei hun byth ymhell; mae'n fawr ac yn agos fel heddiw, ac yn gymysg ag e.

Fe ddwedwch chi, efallai, 'mod i'n rhamantu. Dydw i ddim yn meddwl 'mod i. Fe ddwedwch chi fod digon o bobol anllenyddol yn cael y profiadau'r ydw i newydd eu henwi. Mi gyfaddefa i fod hynny'n debygol iawn. Does gan lenor ddim monopoli ar ddiodde drwy'r post. Ond llenor go fflat ydi hwnnw na all o ddiodde dim ond ei ddioddefiannau'i hun, er mor greadigol y rheini, na mwynhau dim ond ei ddiddanwch prin ei hunan.

Does arna i ddim awydd dweud dim ar hyn o bryd am grefft a gwynfyd llenydda. Mae'r grefft yn praffhau ac yn nychu, a'r gwynfyd yn mynd a dod. Fe ellir dysgu trin geiriau fel y gellir dysgu trin paent a sgrifennu hen nodiant. Nid prinder na gwelwder geiriau ydi poen dyn sy'n methu llenydda, ond trai yr hyrddiau mawr o awydd, y tonnau ysblennydd o dosturi a dig sy'n taflu geiriau'n gadwyni llwythog llachar ar y traeth gwyn. Chwythu'i blwc: dyna arswyd penna'r llenor, a'i groes.

'Barn', Awst, 1964

II

Am Grefydd

Lludw'r Weinidogaeth

'A'i weinidogion yn dân fflamllyd . . .' (Salm 104, 4).

Ar wahoddiad caredig ond mentrus golygydd y *Dysgedydd*,[1] gosodaf fy nghardiau ar y bwrdd.

Mae'r weinidogaeth fel y mae heddiw yn fethiant. Po amlaf y byddaf i'n meddwl am y peth, sicraf yn y byd yr wyf o hynny. Ac nid oes dim i'w ennill wrth osgoi'r gwir a mygu geiriau. Nid yw siarad plaen yn peryglu dyfodol Cristnogaeth; mae'n debycach o'i ddiogelu. Y cyfan y mae siarad plaen yn ei beryglu yw'n ffurfiau a'n sefydliadau presennol ni. Ac nid rhaid i'r Efengyl ofni na chrynu dim yn sŵn cwymp llawer ohonynt hwy.

Ein gwendid ni, y trawst sydd yn ein llygad, yw'n hanallu ystyfnig i wahaniaethu rhwng y pethau sydd o Dduw a'r pethau sydd o ddynion. Dichon na all neb wahaniaethu'n gwbl glir a difeth bob amser. Ond fe allwn wneud yn well nag a wnawn.

I'r Anglicaniaid, y mae'r weinidogaeth driphlyg o Dduw. Rhaid wrthi. Ni ellir dychmygu Eglwys hebddi. Yr un modd i'r Pabyddion, ond bod y Pab sy'n eistedd ar ben yr ysgol hefyd o Dduw. I'm henwad i, y mae'r sustem Bresbyteraidd o Dduw, hyd yn oed yn ei dirywiad biwrocrataidd presennol. Ni fyddai Presbyteriaid yn defnyddio'r geiriau cryfion 'o Dduw', ond y mae'n hymgadw cignoeth rhag gwyro tuag esgoboliaeth ar y dde a chwaceriaeth ar y chwith yn tystio i'n credo mud. Felly hefyd y mae ceidwadwyr pob enwad yn dirgel gredu mai ffurf eu gweinidogaeth hwy sydd o ddwyfol ordeiniad, ac nid yr un arall, nid am eu bod wedi manwl gribo'r Ysgrythur na hanes yr Eglwys am sail sicr iddi, ond am iddynt weld golau dydd gyntaf mewn cartref teyrngar iddi hi.

Mae un ffaith yn ein hwynebu, ac nid oes dianc rhagddi. Y mae rhagor rhwng cyfnod a chyfnod, ac i bob cyfnod y mae un ffurf ar

---

[1] *Y Parch. Iorwerth Jones.*

weinidogaeth yn fwy addas na'r lleill. Yn hytrach, felly, na sefyll yn ddi-gryn ar egwyddorion absoliwt fel olyniaeth apostolaidd ac offeiriadaeth pob credadun, a glynu wrth y weinidogaeth sy'n ffitio'n hoff egwyddor ni, pa un a yw'n ateb ei phwrpas ai peidio, y peth y dylem ni'i wneud yw dadansoddi'n cyfnod a gofyn: 'Pa weinidogaeth, os oes angen gweinidogaeth o gwbl, sy fwyaf addas i'r ardal hon yn y cyfnod hwn?'

A allwn ni gymryd ergyd? Y weinidogaeth fwyaf ei dylanwad yn yr oes hon yw'r offeiriadaeth babaidd. Tra bo aelodaeth ein heglwysi ni yn disgyn ac yn disgyn, mae eglwysi'r offeiriaid pabaidd yn llenwi ac yn llenwi.[2]

Na, na, meddai'r cedyrn ymneilltuol, nid nifer sy'n bwysig, ond ansawdd. Nid cwantiti, ond cwaliti. O'r gorau. A ydym ni'n cynhyrchu ymhlith ein haelodau ni yr un sêl, yr un teyrngarwch di-ildio, yr un parchedig ofn, yr un ufudd-dod, ag y mae'r offeiriaid yn eu cynnau yn eu preiddiau hwy?

Gwell inni baganiaeth na'r ofn a'r ufudd-dod a'r teyrngarwch dall yna, meddai'r cadarn eto. Ond ffolineb yw dweud hynyna. Fe ddichon teyrngarwch ac ufudd-dod amrwd i grefydd esgor ar rywbeth; ni ddichon paganiaeth ddim. Gallodd y Babyddiaeth fwyaf llygredig roi Luther i'r byd; ni roes paganiaeth Gristion erioed o'i chroth ei hun.

Dadlau yr wyf fi fod eglwysi llawn y Pabyddion fel y maent yn fwy o gyfraniad i deyrnas Dduw na'r seddau gweigion sydd yn ein capeli ni. Y mae gan Grist fwy o gyfle ar y Pabydd o Wyddel sy'n penlinio yn ei offeren ar fore Sul nag ar yr Ymneilltuwr o Gymro sydd yn ei wely'n darllen y *News of the World*. Rhagfarn gibddall yw gwadu hynny.

Bydd yn dda gan rai ddweud yn awr fy mod i'n cyfiawnhau Pabyddiaeth yn ei chyfanrwydd. Nid wyf yn cyfiawnhau dim yn ei gyfanrwydd ond yr Efengyl. Yr unig beth yr wyf i'n ei gyfiawnhau mewn Pabyddiaeth ar y foment yw ei gallu i lenwi'i heglwysi pan yw'n heglwysi ni'n gwacáu. Nid wyf yn cyfiawnhau popeth a wna pob offeiriad anllad diegwyddor, na'r ofergoeledd sy'n magu yn y diddiwylliant. Yr wyf yn cyfiawnhau, heddiw, yn y cyfnod hwn, yr awdurdod sydd gan yr offeiriad, y parchedig ofn a'r ufudd-dod y mae'n medru'i greu yn ei blwyfolion. Os oes ambell offeiriad yn camddefnyddio'i awdurdod, y mae amryw ohonom ninnau,

---

[2] *Mwy gwir ym 1952 nag ydyw heddiw.*

weinidogion ymneilltuol, hefyd, yn camddefnyddio'n swydd. Heb ei fai heb ei urddo.

I fynd yn ôl am funud at ein gosodiad cychwynnol. Y mae rhagor rhwng cyfnod a chyfnod – a rhwng ardal ac ardal – ac i bob cyfnod ac ardal y mae un ffurf o weinidogaeth yn fwy addas na'r lleill. Y mae'n rhaid inni wynebu hynny. Nid oes unrhyw ffurf ar eglwys nac ar weinidogaeth, fel y cyfryw, o ddwyfol ordeiniad. Yr unig beth sydd o ddwyfol ordeiniad yw gwaith iachawdwriaeth eneidiau, ac is-wasanaethgar i hynny yw pob ffurf a phob sefydliad. Nid yw cynyddu nifer eglwys yn bwysicach na'i chadw'n bur, ond y mae'n bwysig. Nid am fod ein pwyslais ni ar eglwysi pur yn hytrach nag ar eglwysi llawn y mae gennym eglwysi gwag, ond am y rheswm syml ein bod yn methu'u llenwi. Os eglwysi pur yw'n hunig amcan, yna mae gennym lawer eto o waith gwacáu.

Y mae gan yr offeiriad Pabaidd lawer mantais arnom ni, weinidogion ymneilltuol. O'i ôl y mae un eglwys gref, gytûn. Yr ydym ni, weinidogion ymneilltuol, fel cynrychiolwyr cynifer o gwmnïau insiwrin, cyf., pob un yn ymgiprys am y cwsmeriaid gorau, gan adael y rhai sâl lle y bônt.

Y mae'r offeiriad Pabaidd yn awdurdod ysbrydol diwrthdro ac yn feddyg enaid di-ffael – ym marn ei bobl. Yr ydym ni, unwaith eto, bob un yn dadlau manteision ei gwmni insiwrin ei hun, a'n hardaloedd yn ymddiddori yn y gystadleuaeth rhyngom. Y mae gan y Tad ei gyffesgell. Ac y mae gafael ar gyfrinachau enaid yn gyfystyr â gafael ar yr enaid i gyd. Eithriad yw i ymneilltuwr agor ei galon i'w weinidog; os digwydd iddo ymddiried cyfrinachau, cyfrinachau ariannol fydd llawer ohonynt. Nid oes mo'r ymddiried o boptu a ddylai fod rhwng bugail a'i ddefaid.

Yn olaf, a hwyrach yn bennaf, y mae cysondeb rhwng offeiriad ac offeiriad yn Eglwys Rufain. Nid cysondeb buchedd, ysywaeth. Gall un fod yn sant a'r llall yn feddwyn. Ond mae cysondeb mewn safle yng ngolwg plwyfolion. Y mae pob offeiriad yn debyg o weddïo wrth wely claf; ni cheir mo un yn gorweddïo a'r llall yn ymadael â'r ystafell heb weddi o gwbl. Y mae yma'r cysondeb rhwng offeiriad ac offeiriad sy'n gwneud urddas ac arweiniad y weinidogaeth yn sicr.

Mewn cyfnod gwahanol, ni fyddai gweinidogaeth yn y dull Pabaidd yn ddim ond oferedd noeth. Mewn cyfnod pan oedd eneidiau'n twymo dan y genadwri, pan oedd gan bob un brofiad a chan bob lleygwr dafod, yr oedd gweinidogaeth fel sy gennym ni'n ddigon. Bugeiliaid oedd yn eisiau, nid offeiriaid a chenhadon. Lleiafrif oedd y rhai nad oeddent yn mynychu, ac yr oedd cywilydd ac amhoblogrwydd yn ddigon o weinidogaeth iddynt hwy. Yr oedd lleygwyr neilltuedig – dyna ydym ni, weinidogion – yn medru gwneud popeth a oedd yn rhaid: pregethu'n orfoleddus; arwain cyrddau gweddi llawnion; cynnal defosiwn maith, yn naturiol a heb anghysur, wrth wely cystudd; a chadw credo pob un yn y mowld enwadol. Dyna ddigon. Ac yn y dydd hwnnw yr oedd yr offeiriad Pabaidd ar goll, gan nad oedd ganddo'r gwres na'r rhyddid i fod yn ystwyth dan fysedd yr Ysbryd.

Ond heddiw, nid felly y mae hi. Heddiw y mae'r calonnau dan farrug, a'r Ysbryd yn gaeafu. Mae'n debyg fod yn rhaid i'r tir ysbrydol wrth orffwys gaeaf, fel y ddaear y mae'n traed ni arni. A phan fôm yn oer oddi mewn, a'r mur yn dew rhyngom a'r dwyfol, y mae waliau moelion ein capeli, llwydni set ein gwasanaethau a chyffredinedd bach ofnus ein gweinidogion, yn methu ailgynnau'r tân.

Dyma ddydd yr offeiriad yn ei liw a'i awdurdod, gyda'i hawl ar ufudd-dod a'i fys ar guro pob calon. Y mae'r *Ave Maria* yn taro tant pan nad yw *Myfi'r Pechadur Pennaf* yn ddim ond gwegi i gyd. Mae'r Lladin oddi wrth yr allor ymron mor ddealladwy i'r gwrandawr â'r bregeth Gymraeg o'r pulpud. Ac mae mwg y thus a'r canhwyllau lawn mor onest ac yn fwy effeithiol na'r mwg y mae'r ymneilltuwr diddefosiwn yn ei chwythu o'i geg ymron cyn bod allan o'r capel.

Ni allwn, wrth gwrs, roi pethau'n agos i iawn nes bod gennym un Eglwys yng Nghymru, ac nid pump neu chwe lodj fasiwnaidd sy'n medru dylanwadu ar bob math o etholiadau ac apwyntiadau ond sy'n methu gwneud eu priod waith. Cyfeirio yr wyf, rhag bod dim camddeall, at ein henwadau.

Nid oes brinder gweinidogion. Y mae digon ar gyfer Eglwys Unedig. Ond oni chysonir eu statws a'u cyflog a'u dyletswyddau a'u hawdurdod, ni allant ymladd byth yn gytûn yn erbyn y don ddifaterwch sy'n chwyddo uwch ein hardaloedd i ddisgyn arnom a'n malu. Ac onid ystwythir y weinidogaeth i oes ac ardal, y mae'r Eglwys a chanddi'r weinidogaeth addas i'w hoes yn mynd i lyncu'r lleill y mae'u hoes aur heb ddod neu ynteu wedi mynd am byth.

'Y Dysgedydd', 1952

Y Grisial Ofnadwy

1. Y COLLEDIGION

Y Golygydd hynaws[1] biau'r cyfrifoldeb am ofyn imi sgrifennu ysgrif neu ddwy i'r *Drysorfa*. Ond myfi yn unig biau'r cyfrifoldeb am eu cynnwys. A dweud y gwir, buasai'n well gennyf beidio â'u sgrifennu, gan y byddant yn debyg o beri rhyw gymaint o boen. Poen i mi fy hun, yn bennaf. Ond bydd yn haws gennyf wynebu'r Farn wedi dweud nag wedi tewi.

Nid oes gan neb hawl i ddryllio delwau onid yw wedi'i ddryllio'i hun yn gyntaf ar greigiau digalondid a siom. A chyda phob parch i'm cyfaill o Groesor,[2] y mae mwy o fudd mewn dryllio ambell ddelw sy'n sefyll heddiw ar ffordd ein hiechyd ysbrydol nag mewn dryllio delwau a faluriwyd eisoes gan fysedd amser. Ond pawb at ei gomisiwn.

Bydd gennyf rai awgrymiadau na welaf un gobaith eu pasio mewn na Henaduriaeth na Chymdeithasfa. Ond y mae rheidrwydd arnaf eu gollwng i olau dydd. Cyn gwneud unrhyw awgrym, fodd bynnag, a chyn cynnig unrhyw feddyginiaeth, y mae'n rhaid inni'n gyntaf adnabod ein sefyllfa. Am hynny, 'rwy'n gwahodd pawb sy'n ddigon gwrol i rannu gyda mi ychydig funudau o fyfyrdod.

*   *   *   *

Yn y byd y mae Cymru, ac yng Nghymru y mae ardal, ac yn yr ardal bentref, ac yn y pentref dŷ, ac yn y tŷ y mae dyn. Y mae Duw yn caru'r dyn ac y mae Iesu Grist wedi marw drosto. Ond ni ŵyr y dyn mo hynny. A phe gwyddai, ni fyddai'n golygu dim iddo. Y mae'r dyn yn codi bob bore yn erbyn ei ewyllys; mae'n mynd i'w

---

[1] Y Parch. Huw Llewelyn Williams, Y Fali ar y pryd.
[2] Yr enwog Bob Owen.

waith; mae'n casáu'i waith; mae'n gwneud cyn lleied o'i waith ag a all; mae'n dod adref, yn bwyta'i de, yn mynd am ei lasiad, yn dod adref drachefn, yn bwyta'i swper, yn mynd i'w wely. Felly ddydd Llun, a dydd Mawrth, a dydd Mercher, a phob dydd drwy'r wythnos. Ond brynhawn Sadwrn a'r Sul. Brynhawn Sadwrn mae'n mynd i'r gêm bêl-droed a dydd Sul mae'n gorwedd yn ei wely tan ginio ac yn darllen ei bapurau, ac yn y prynhawn mae'n mynd am dro, a chyda'r nos mae'n gwrando ar y radio[3] ac yna'n mynd i'w wely, yn casáu'r bore Llun sy'n dod.

Nid yw bywyd yn werth ei fyw, meddai'r dyn, ond eto mae'n rhaid imi'i fyw. I hynny mae'n rhaid imi fwyta, ac i hynny mae'n rhaid cael arian, ac i hynny mae'n rhaid imi weithio. Ond nid yw bywyd yn werth ei fyw. Mae ambell beth yn dod i'w ysgafnu. Y glasiad cwrw bob nos, y gêm brynhawn Sadwrn, y papur dydd Sul, yr wythnos bob blwyddyn ar lan y môr. Ond tabledi yw'r rhain i liniaru'r undonedd. Nid yw bywyd yn werth ei fyw.

Draw, yn Llundain, y mae rhywun yn pregethu ac yn tynnu torfeydd ac yn tynnu sylw. Mae'n dweud nad yw'r dyn yn ddim ond un mewn miliwn, bod mwyafrif y boblogaeth yr un fath ag ef. Yn byw dow-dow wysg eu trwyn y bywyd nad yw'n werth ei fyw. Ac mae'r rhywun draw yn Llundain yn taeru bod Duw yn caru'r dyn a Iesu Grist wedi marw drosto a bod yn rhaid argyhoeddi'r dyn fod hyn yn wir a bod bywyd yn werth ei fyw. Ond mae'r dyn yn troi'r ddalen ac yn diffodd y radio ac yn dweud twt lol.

Yng ngolwg y tŷ lle mae'r dyn yn byw y mae adeilad a alwant yn gapel. Llwyd ydyw'r capel, a sgwâr, a hyll, ac ynddo bob Sul y mae dyrnaid o bobol yn canu a gweddïo a chysgu wrth wrando ar y pregethwr. Ac mae'r dyn yn eistedd ar garreg ei ddrws yn y smotyn haul ac yn clywed y canu marw o bell ac yn dweud beth maen nhw'n gael yn y capel? Ac yn dweud peth iddyn nhw ydi o, dydi o'n ddim o musnes i, pob hwyl iddyn nhw, ac yn meddwl bod ei bapur yn fwy diddorol.

Rhyw fis yn ôl fe ofynnodd y blaenor iddo, pam na ddowch chi i'r capel? I beth? meddai'r dyn. Wyddai'r blaenor ddim i beth, ond dweud y dylai'r dyn ddod. Chwarae teg i'r blaenor am ofyn, ond fe ddwedodd y dyn wrth ei wraig nad oedd o'n gweld dim pwrpas i flaenoriaid. Ond os oedden nhw'n cael rhyw foddhad wrth eistedd yn y sêt fawr a siarad ar goedd, mai mater iddyn nhw oedd hynny.

[3] Nid pob tŷ yng Nghymru oedd â set deledu ym 1955.

Wedi gofyn i'r dyn, aeth y blaenor adref ac eistedd wrth ei dân. 'Roedd o wedi gwneud ei ddyletswydd, wedi cymell esgeuluswr i ddod i'r Tŷ fel yr oedd Ymgyrch y Deffro'n gofyn.[4] Ond faint haws oedd o gymell? Mae 'na ddigon o redeg ar flaenoriaid, ond petai'r rhai sy'n rhedeg arnyn nhw'n gwybod mor anodd yw mynychu'r moddion bob Sul a chanol yr wythnos a gofalu am gasgliadau a byw'n symol onest yn y byd anonest hwn, fe fydden yn gwerthfawrogi'n well. 'Roedd gan flaenor ddigon i'w wneud heb gymell, ond pan oedd yn cymell, 'doedd y cymell ddim iws.

Yn ymyl y capel y mae'r mans. Ac yn y mans y mae gweinidog. Gweinidog y capel yn y pentre lle mae'r dyn yn byw, a dau gapel arall yn y wlad. Fe fu'r gweinidog hefyd un diwrnod yn cymell y dyn. Pam na ddowch chi i'r capel? meddai'r gweinidog. I beth? meddai'r dyn. Wel, meddai'r gweinidog, yn meddwl tipyn, i lenwi tipyn ar y capel. Pam na rowch chi ddefaid ynddo os isio'i lenwi o sy arnoch chi? meddai'r dyn. Wel ie 'ntê, meddai'r gweinidog. Yr oedd gan y dyn feddwl miniog ac 'roedd o'n gwybod hynny. Wel, 'does gan ddefaid ddim enaid, meddai'r gweinidog o'r diwedd. 'Does a wnelo fi ddim byd â hynny, meddai'r dyn. Ond mae gynnoch chi enaid, meddai'r gweinidog. Dydw i'n teimlo dim byd oddi wrtho, meddai'r dyn. Ellwch chi ddim bodloni'ch enaid hefo ffwtbol a phapur dydd Sul; mae'n rhaid ichi gael crefydd. Sut y gwn i y byddai crefydd yn bodloni'r enaid sy'n sypôsd o fod gen i? Dowch i drio Sul nesa', meddai'r gweinidog. Mi ga' i weld, meddai'r dyn.

Aeth y gweinidog hefyd adref ac eistedd wrth ei dân. Ef hefyd wedi gwneud ei ddyletswydd. Wedi cymell. 'Doedd ganddo yntau chwaith ddim llawer o amser i gymell. Yr oedd yn ysgrifennydd tri neu bedwar o bwyllgorau ac yn gynrychiolydd i hyn ac arall ers blynyddoedd. Nid oedd wedi chwennych y swyddi; fe'u gwthiwyd arno. Ac yr oedd yn rhaid iddo wneud pregethau a darllen a thrin yr ardd a gwneud lot o fusnes a mynd i'r ysbyty. Ac yr oedd yn rhaid iddo ymweld â'r ffyddloniaid, neu fe fydden yn cwyno arno wrth ei gilydd. Mae'n debyg eu bod yn cwyno arno p'un bynnag. 'Doedd ganddo ddim llawer o amser i gymell esgeuluswyr. Ond yr oedd yn trio gwneud amser am fod Ymgyrch y Deffro'n gofyn.

Pwy oedd Ymgyrch y Deffro? Rhywun wedi riteirio o'r Weinidogaeth, ynteu rhywun a oedd wrth ei fodd yn cymell, yn

[4] Cenhadaeth at bobl Cymru gan y Presbyteriaid Cymreig ynghanol y pum degau.

gymhellwr wrth natur? Pwy oedd yn cysgu, p'un bynnag? Mae'n
debyg mai'r Cyfundeb oedd yn cysgu. Wedi bwyta gormod o
bwyllgorau ac is-bwyllgorau a rheolau sefydlog a chronfeydd a
defence bonds a chael diffyg treuliad a syrthio i gysgu. Wel, mae
isio angel o'r nefoedd i'w ddeffro, meddai'r gweinidog, fedra' i
ddim. 'Rydw i'n rhy ifanc ac yn rhy hen, yn rhy brysur ac yn rhy
flinedig, yn trio plesio pawb ac yn plesio neb. Pe bawn i ugain
mlynedd yn iau mi fyddwn yn gadael y weinidogaeth ac yn chwilio
am job lle byddwn i'n dda i rywbeth i rywun.

Bob nos pan fydd y dyn yn cysgu yn ei dŷ, a'r blaenor yn ei siop,
a'r gweinidog yn ei fans, y mae'r angel o'r nefoedd yn hofran
uwch toau'r tai yn y pentref yn yr ardal yng Nghymru. Ysbryd
gwasanaethgar, meddwl duwiol, cariad, gwirionedd, beth bynnag
ydyw, mae'n hofran yno bob nos. Llewych y lleuad yw ei
wyneb, y niwl yw ei fantell, a'r gwynt yw ei adenydd. Ac mae'n
drist.

Mae'n drist am fod y pentref yn yr ardal yng Nghymru wedi
marw, a phopeth o'i fewn wedi marw – y gwaith a'r ddrama, y côr
a'r capel – popeth. Y bobl o'i fewn wedi marw, wedi marw o'u
mewn eu hunain, yn ddim ond cyrff yn cerdded, llygaid yn sbïo,
meddyliau'n cyfrif, nid yn meddwl. Ac mae'r angel yn drist am na
wŷr neb ei fod ef yno, mor agos, yn y gwynt. 'Does neb yn credu
mewn angylion erbyn hyn.

A! meddai'r angel, gyda diferyn glaw ar bob grudd, a'i lais yn y
chwa sy'n gwingo drwy gangau'r coed, pwy a'ch twyllodd chwi,
drueiniaid? Eich twyllo i feddwl bod Duw'n dibynnu ar eich
ymbalfalu chwi? Ai eich anobaith chwi yw anobaith Duw? Ai hyd
y gobeithiwch chwi y gobeithia Yntau?

Drueiniaid, meddai'r ysbryd gwasanaethgar sy'n llewych lleuad
a niwl a gwynt, oni wyddoch nad yn eich pentref chwi yn eich
ardal chwi yng Nghymru y mae'r deffro heddiw? Dydd y dyn du
yw hi heddiw, dydd geni Cristionogion fory o groth yr Anghrist
Comiwnyddol, dydd achub yr Ianc a Christioneiddio'r Siapanead,
dydd dial ar ymerodraethau a dydd gwasgaru awdurdod. Nid i
chwi y rhoes Duw allweddau'i Deyrnas. Yn ofer y curwch chwi ar
ddrysau caeëdig. Gadewch eich hunan-dyb a'ch consárn gyda
pheirianwaith crefydda. Ni ellir peirianeiddio na chyfundrefnu'r
Ysbryd sydd o Dduw.

Y dyn sydd yn cysgu, a miliynau o'i fath, heb grefydd. Yr oedd
Crist gan ei dadau a bydd Crist gan ei blant, ond rhaid iddo ef

gysgu, medd yr angel. Y dyn sydd yn ddyn am na all, er dymuno, fod yn anifail. Y blaenor sydd yn flaenor am ei fod yn llwyrymwrthodwr. Y gweinidog sy'n weinidog am fod ganddo ewythr yn weinidog o'i flaen. Na, na, medd yr angel, nid rhaid i Dduw wrthych chwi. Ni'ch galwyd chwi. Cristionogion ydych chwi o ddyletswydd, Cristionogion am fod eich rhieni'r Gristionogion, Cristionogion yn siarad geiriau Cristionogaeth heb brofi'i phrofiadau. Peidiwch â beio Duw a pheidiwch â beio'ch oes a pheidiwch â'ch beio'ch hunain. Fe ddaw daioni o'ch marwolaeth ysbrydol chwi. I rywun. Yn rhywle. Cysgwch bellach, ac yn India ac yn Rwsia ac yn Siapan fe ddaw eich breuddwydion yn wir.

A phan fachluda'r lleuad a chodi o'r niwl a gostegu o'r gwynt, nid yw'r angel mwyach. O leiaf, nid yw yma, lle nad oes mo'i eisiau, lle nad oes neb yn credu ynddo. Y mae draw yn Asia mewn bedydd, mewn cyfarfod heddychwyr yn Rwsia, mewn ysgydwad llaw rhwng dau frawd a gymodwyd; mae'n ôl yn yr Eglwys Fore, ymlaen yn y diwygiad a dyr dros Tseina. Mae ym mhobman lle mae bywyd, y Bywyd, y Crist. Am mai'r angel o bawb a ŵyr ym mha le, pa fodd, pa bryd y mae'r gwynt yn chwythu.

2. YR HEN GYFUNDEB ANNWYL

Yn fy ysgrif gyntaf yn y gyfres bûm yn drist uwchben ein marwolaeth ysbrydol a sicrwydd colledigaeth llawer ohonom. Pa les ymdrechu, felly? Ni allwn fforsio'r gwanwyn na throi cloc yr Ysbryd ymlaen. Ac mae'n hen egwyddor fod pob mudiad nad yw'n mynd yn ei flaen yn rhwym o fynd yn ei ôl. Felly grefydd yng Nghymru.

Fy hunan, yr wyf yn bartïol iawn i gau pob eglwys a chapel am ugain mlynedd, cyfyngu propaganda crefyddol i areithiau a dadleuon mewn neuaddau cyhoeddus ac addoli i grwpiau mewn tai. Byddai'r effaith ar y wlad yn ddramatig, yr effaith ar aelodau eglwysig yn buredigol, a'r ailgychwyn ymhen yr ugain mlynedd yn apostolaidd. Fodd bynnag, ni wneir sylw o'r awgrym, a chystal felly ei adael.

Erys y cwestiwn: a oes rhyw ddiben i grefydd gyfundrefnol farw fel y mae, ac a all unrhyw les fod trwyddi? Ar draul peri poen i rai o'm cyfeillion gorau, mae'n rhaid i mi gymryd fy enwad fy hun yn enghraifft, am y gwn fwy amdano, o angenrheidrwydd, nag am unrhyw gangen arall o'r Eglwys ar y ddaear.

Ddwy flynedd neu dair yn ôl, mewn basâr capel,[5] mi welais debot ar werth. Yr oedd yn debot hardd, Wedgwood, gyda ffigurau gwynion ar gefndir glas. Ond er ei hardded, ni allai mwyach gyflawni swydd briod tebot. Yr oedd y rheswm yn syml. Yr oedd ei big wedi torri. Pig neu beidio, fe dalodd rhywun chweugain amdano a'i gario adre'n fuddugoliaethus. Dyma ddirgelwch. Yr oedd yn amlwg nad wrth ei big y mae prynu tebot, oherwydd yr oedd y tebot hwnnw, hyd yn oed fel yr oedd, yn werth chweugain. Mi ddeëllais y rheswm. Fe fu'r tebot ar un adeg yn eiddo i'r diweddar Ddr. Puleston Jones, a fu'n weinidog ar yr eglwys y cynhelid y basâr er ei budd. Yr oedd pris a gwerth ar y tebot oherwydd y dwylo annwyl a fu unwaith yn cydio ynddo, er na allai mwyach wneud y gwaith y lluniwyd ef ar ei gyfer.

'Rwy'n gobeithio y maddeuir imi. Gyda phob gwyleidd-dra yr wyf yn gofyn: a oes bwrpas i enwad barhau pan na all mwyach wneud y gwaith y lluniwyd ef ar ei gyfer? Y mae imi'r fraint – ac nid wyf yn ei bychanu – o fod yn perthyn i enwad y Methodistiaid Calfinaidd. Fe ddaeth adeg yn hanes Cymru pan oedd yn rhaid ei gael. Ni ellid bod hebddo. Yr oedd ei dystiolaeth yn gyfryw ag na ellid mo'i diogelu ond mewn enwad ar wahân. Mae'n anodd dweud lle y mae ewyllys Duw yn gorffen a phechod dynion yn dechrau, ond 'rwy'n medru credu bod pwrpas Duw yng Nghymru wedi'i wasanaethu'n rymus trwy enwadau, pan oedd enwadau'n anochel.

Ond nid ydynt yn anochel mwyach. Nid ydynt hyd yn oed yn anhepgor mwyach. Y mae monopoli'r Bedyddwyr ar fedydd oedolion yn anachroniaeth bitw, ac nid arnynt hwy'n unig y mae'r bai am hynny. Ni allaf weld un synnwyr ym mharhad Annibynwyr fel enwad, a hwythau'n Bartheiddio fwyfwy yn eu diwinyddiaeth ac yn presbytereiddio fwyfwy yn eu trefnyddiaeth eglwysig. Ac ni wn i ddim pam y mae'r Eglwys Fethodistaidd yn goroesi yng Nghymru ond i fod yn faich arni'i hun.

A dyna f'enwad i fy hunan. Fe'i galwyd i Gymru i dystio i Benarglwyddiaeth Duw a Chyfiawnhad trwy Ffydd a Maddeuant Pechodau. Fe'i cyfundrefnodd ei hunan ar batrwm presbyteraidd. Fe luniodd Gyffes Ffydd a'i diogelu ar gyfer y dyfodol trwy

[5] Capel Moreia, Llanfair Caereinion.

gyfraith. Heddiw, nid oes mo'i angen i dystio i Benarglwyddiaeth Duw a Maddeuant Pechodau. Fe beidiodd ef ei hun i raddau mawr â thystio i'r gwirioneddau hynny, ac fe wneir y gwaith bellach gan unigolion Efengylaidd ym mhob enwad. Fe drosglwyddodd y ffurflywodraeth bresbyteraidd i gymdeithas seciwlar, yn esiampl o lywodraeth ddemocrataidd, ac aeth ef ei hun yn fiwrocrataidd. Bu am flynyddoedd lawer yn ceisio gwingo'n rhydd o afael ei gyffes ffydd ei hun, ac mae o'r diwedd yn llwyddo i'w chladdu. A'i bwysleisiau priod – Etholedigaeth, Rhagarfaeth, a'r cyffelyb – fe'u bwriodd dros y bwrdd.

Yn ôl at fy nghwestiwn, ynteu. Gan fod yr enwad hwn naill ai wedi gorffen ei waith yn y byd neu wedi ymwrthod â'r cyfrifoldeb amdano, i beth y mae'n bod? Nid yn arbennig i addoli Duw a phregethu Crist; y mae pob enwad yn bod i hynny. Nid i arwain y frwydr dros welliannau cymdeithasol; ni wnaeth mo hynny erioed. Gellir dweud ei fod yn bod i gondemnio'r fasnach feddwol. Os yw holl egni ysbrydol enwad yn mynd i wasgu un ploryn ar gorff y ddynoliaeth, nid rhyfedd ei fod yn cyflawni cyn lleied.

Erys y ffaith. Er na all ein henwad ni mwyach gyflawni swydd briod enwad, sef tystio i wirionedd arbennig, diogelu ffurf-wasanaeth neu ffurf-lywodraeth arbennig, annog ffordd arbennig o fyw – am fod y gwaith naill ai wedi'i orffen neu wedi'i drosglwyddo – eto fe estynnir ei ddyddiau ac fe'i cynhelir ac fe'i hamddiffynnir o hyd â sêl syfrdanol. Nid hynny yw fy nghŵyn i, ond bod y fath sêl dros ei gadw a'i gynnal a'i amddiffyn, heb fod neb, i bob golwg, yn gwybod pam.

Ni allaf weld bod ymlyniad ei selogion wrth ein Cyfundeb heddiw yn ddim ond ymlyniad greddfol y natur ddynol wrth yr hyn sy'n gynefin ac yn gyfarwydd. Medraf ei ddeall a medraf ei barchu. Nid yw ond yr un peth â'm hymlyniad annwyl i wrth fy ngwlad ac wrth fy rhieni ac wrth lechweddau coediog cysgodol. Ond nid yw ymlyniad felly wrth beirianwaith yn beth cwbwl iach, nac yn beth creadigol.

Dyna pam y mae'r ymadrodd mynych, 'Yr Hen Gyfundeb Annwyl', yn arswyd i mi. Dyna fel y bydd dyn yn cyfeirio at ei hen gartref, nad yw'n byw ynddo mwyach, neu at ei hen goleg, nad yw'n fyfyriwr ynddo mwy. Yr awgrym yw mai sefydliad yw'r Cyfundeb sydd wedi goroesi'i ddefnyddioldeb, y mae'n rhaid bod yn annwyl ohono ac yn deyrngar iddo heb ofyn pam, ac y bydd yn rhaid, ysywaeth, ei roi i gadw cyn bo hir, â deigryn neu ddau a gwên fach drist o ffarwel. Os dyna'r argraff a rydd y rhai sy'n arfer yr ymadrodd hiraethus, paham y beiir ni am roi mynegiant i'w her?

I'r graddau yr ydym ni'n ceisio deall ac yn ceisio parchu teimladau'r rhai sy'n anwylo'r Cyfundeb a hwyrach yn ei ledaddoli, i'r un graddau y dylent hwythau geisio deall ein diffyg brwdfrydedd ni ynglŷn â'i lysoedd a'i drefniadau a'n teyrngarwch bratiog. Wedi'r cyfan, ni welsom ni mo'r Cyfundeb yng ngwisgoedd ei ogoniant. Y mae cenhedlaeth ohonom wedi codi na chlywsom erioed mo Brynsiencyn, na welsom erioed ddiwygiad, na fuom erioed yn dystion i frwydrau mawr y sasiwn a'r gymanfa. Heblaw hynny, nid yw'r rhai a welodd y Cyfundeb yn ei ogoniant yn medru trosglwyddo dim o'r gogoniant hwnnw i ni. Mae gofyn i ni fod yn deyrngar i'r Cyfundeb er mwyn yr hyn a fu fel gofyn inni fod yn deyrngar i'r Frenhines Victoria. Ac os ydym ni, yn y faciwm, yn trosglwyddo'n teyrngarwch i'r Eglwys Fyd-eang, pwy a all ddweud nad hynny yw ewyllys Duw?

Fe ddywed rhywrai na ddylwn ysgrifennu fel hyn. Oni allwn annog teyrngarwch absoliwt i'r Cyfundeb, y dylwn dewi. O'r gorau. Gadael iddo farw fyddai hynny. Ac fe fyddai hynny'n dolurio mwy ar rai o'm cyfeillion gorau nag arnaf fi. Y mae cyfundrefn na ellir ac na ddylid ei beirniadu na cheisio'i diwygio eisoes wedi colli'r dydd. Y cancr gwaethaf mewn unrhyw gymdeithas yw'r cancr tewi-â-sôn. A thewi â sôn a wnawn i'n llawen oni bai fod rhywfaint o deyrngarwch Cyfundebol ynof o hyd.

Felly, hyd yn oed os yw'r Cyfundeb wedi gorffen y gwaith a osodwyd iddo, ac nad yw Duw'n debyg o'i ddefnyddio ef yn neilltuol ar gyfer unrhyw ymyriad arbennig o'r eiddo eto, y mae tair ffordd, mi gredaf i, y gall y Cyfundeb adennill peth o'i barch a'i safle ym mywyd Cymru, er na fyddai hynny, hwyrach, ond dros dro.

Yn gyntaf, byddai'n dda i rai o feddylwyr aeddfetaf y Cyfundeb, a'i gwelodd yn ei ddyddiau mawr ac sy'n credu bod gwaith arbennig ar ei gyfer o hyd – byddai'n dda i un neu ragor ohonynt hwy fynd ati i ailfeddwl ei arwyddocâd ar gyfer ein dyddiau ni. Beth yw ystyr Methodistiaeth Galfinaidd heddiw? A oes ganddi neges o hyd? Os oes, beth ydyw? Beth a ddylem ni, fel Presbyteriaid Cymreig ar wahân i aelodau enwadau eraill, ei feddwl yn ddiwinyddol, ymgyrraedd ato'n ysbrydol, ei wneud yn gymdeithasol? Ofer yw cyflwyno'r materion hyn i Henaduriaeth a Sasiwn. Fe'u cleddir dan bentwr o welliannau ac fe'u cabolir allan o fod. Y mae angen llyfr safonol yn ateb y cwestiynau, ac yna annerch a phregethu'r atebion o bob sêt fawr a phulpud. Os cenfydd y meddylwyr, wedi mynd ati i feddwl, nad oes ateb i'r cwestiynau, dywedent hynny'n onest, a byddwn yn gwybod ymh'le y safwn. Os dywedant mai mater i bob un drosto'i hun yw cred a buchedd, bydd hynny'n gyfystyr â dweud nad oes ar ddyn angen enwad i berthyn iddo, a bydd ein teyrngarwch ar ben. Ni allwn lynu wrth enwad na wyddom, ac na ŵyr ef ei hun, dros ba beth y mae'n sefyll.

Rhag ofn y metha'r cais cyntaf hwn, ac y metha rhai o'n gwŷr blaen profiadol gyflwyno Methodistiaeth Galfinaidd ar newydd wedd i newydd oes, y mae dau beth arall y gellir eu gwneud i sicrhau'r byd oddi allan, yn ogystal ag aelodau'r Cyfundeb ei hun, fod y Cyfundeb yn bwriadu byw.

Un peth yw bod iddo ystyried yr oes y mae'n byw ynddi a'r genedl y mae'n ceisio'i gwasanaethu. Fe fu dydd, yn ddi-os, pan oedd y Cymry'n cymryd eu harwain yn llwaeth ym mhopeth gan lywodraeth frenhinol Llundain, pan oeddent yn meddwl yn imperialaidd ac yn doriaidd-Ryddfrydol ac yn filitaraidd. Fe aeth y dydd hwnnw heibio, ond nid yw'r flaengad Gyfundebol wedi deffro i hynny. Nid Cymru Victoria yw'n Cymru ni, ac mae'n anodd i ni argyhoeddi'n cydwladwyr nad pregethu efengyl Victoriaidd yr ydym.

Yn y Sasiwn Unedig ddiwethaf yn Aberystwyth, pan alwyd ar bawb i godi yn arwydd o gydymdeimlad y Cyfundeb oll â'r teulu brenhinol yn eu galar, fe arhosodd dau ohonom ar ein heistedd. Nid o ddiffyg parch i'n diweddar frenin, nac o ddiffyg cydymdeimlad â'i deulu yn eu galar – nad oedd ddim trymach, am wn i, na galar neb arall ohonom mewn profedigaeth. Ond am na allem ddeall gofid anghymesur rhai o'n harweinwyr am golli gŵr a oedd, yn y lle cyntaf, yn ben ar enwad crefyddol y gorfu i ni gefnu arno er mwyn medru gwneud ein tystiolaeth. Ac yn ŵr a orfodid, yn yr ail le, i gyflawni'n gyson ddau bechod y gwgir arnynt gan ein Cyfundeb ni, sef cadw ceffylau rasus ac yfed diodydd meddwol. Galwyd arnom i sefyll o barch i ŵr da, yn ddiamau, ond gŵr na dderbynnid mohono'n flaenor yn y Cyfundeb.

Nid y maldodi mynych hwn ar y teulu brenhinol yw'r unig elfen anghyfoes sy'n tramgwyddo. Da yw gweld bod ein hwythnosolyn enwadol yn llawer mwy Cymreig ei ysbryd nag y bu, a bod Sasiwn y Gogledd wedi cyhoeddi yn erbyn y bom hidrogen ac wedi symud yn bendant ynglŷn â buddsoddiadau'r Cyfundeb. Ond buom yn rhy dawel ar fater gorfodaeth filwrol, ac yn rhy gyndyn i arfer y Gymraeg yn holl lysoedd ac adroddiadau'r Corff, yn rhy negyddol yn ein hagwedd at ideolegau'r dydd.

I genhedlaeth wedi syrffedu ar ryfel a sôn am ryfel, sy'n dod beunydd yn fwyfwy Cymreig, ac sy'n teimlo pwys Comiwnyddiaeth siŵr-o'i-siwrne ar y naill law a Chatholigiaeth siŵr-o'i-siwrne ar y llall, y mae'n diffyg arweiniad ni a'n hymlyniad wrth safonau ac anwyldebau oes a fu yn ein gwneud yn bathetig.

Y mae un peth arall y gellir ei wneud. Mewn argyfyngau a oedd yn galw am bwyll a sadrwydd, y mae'r Nefoedd yn gyson wedi galw hynafgwyr i arwain. Ond mewn cyfnodau o farwolaeth ysbrydol, pan elwid am egni a menter, fe ddisgynnodd ei choel-brennau ar wŷr ieuainc bob tro. Os yw'r Cyfundeb heddiw yn rhaeadr berwedig digyfeiriad, hynafgwyr sy'n eisiau arno. Ond os llyn llonydd marw ydyw, mae'n rhaid iddo wrth rywbeth na all henaint pwyllog mo'i roi. Os myn farw, arhosed fel y mae. Os myn fyw, trosglwydded ei awenau i wŷr ieuainc. Nid dwedyd amarch yw hyn, ond cydnabod deddf bywyd ac angau, sy'r un mor wir mewn Eglwys ag ydyw mewn unigolyn.

Ond wedi meddwl ennyd, y mae'n debyg y bydd yn rhaid imi dynnu 'ngeiriau'n ôl. O achos, hyd y gwelaf fi, nid oes gan y Cyfundeb wŷr ieuainc sy'n credu ynddo ac ar yr un pryd yn ddigon mawr i arwain. Mae ganddo wŷr ieuainc, bid siŵr. Rhai ohonynt yn bregethwyr tra phoblogaidd, eraill yn Efengylwyr ac yn Eciwmenwyr ac yn bopeth ond Cyfundebwyr da. A llawer sy'n Gyfundebwyr, ond yn rhy dlawd mewn meddwl ac ysbryd i ddymuno dim ond parhau o bethau fel y maent.

Wedi'r cyfan, pan alwodd Duw wŷr ieuainc i arwain, fe'u gwthiasant eu hunain drwy blisg eu cyfundrefn a'u gwneud eu hunain yn atgas i'w tadau er mwyn eu hefengyl. Yr oedd digon o sudd sanctaidd ynddynt i falu confensiynau heb falio mewn dim ond eu comisiwn. Nid oes heddiw yr un llanc a chanddo'r grym, na'r bersonoliaeth, na'r argyhoeddiad. Naill ai y mae'r Nefoedd yn fud, neu nid yw'r llanciau'n werth eu halen.

3. MACHLUD A GWAWR Y FUGEILIAETH

Y mae Eglwys sy'n dibynnu'n drwm ar weinidogaeth a gweinidogion yn sefyll neu'n syrthio gyda'i gweinidogaeth. Pan â'i gweinidogion yn brinnach a'i gweinidogaeth o'r herwydd yn llai trylwyr ac yn llai effeithiol, mae'i bywyd i gyd yn edwino. Trychineb yw bod yr eglwysi ymneilltuol yng Nghymru yn colli gweinidogion mor gyflym i'r bedd ac i'r byd, ond ni fyddai'n drychineb oni bai fod eu bywyd wedi ymglymu mor sownd am y gweinidogion hynny. Eglwys fyw yw'r Eglwys a fedrai ymdaro, pe deuai'r gwaethaf, heb unrhyw fath o weinidogaeth gyflogedig.

Mae gan y Cyfundeb ar y funud bwyllgor sy'n trafod trychineb ein gweinidogaeth, ac yn ystyried moddion i'w leddfu. Pe digwyddai i'r ychydig sydd gennyf fi i'w ddweud fedru cyfrannu rhywbeth at argymhellion y pwyllgor hwnnw, byddwn yn fodlon yn wir. Ond yr wyf am ochel gobeithio gormod.

Trychineb ein gweinidogaeth yw bod dau beth wedi digwydd yn gyson ers blynyddoedd bellach. Mae gweinidogion wedi bod yn gadael y weinidogaeth am swyddi eraill. Ac mae'r gweinidogion sydd wedi aros yn y weinidogaeth yn eu cael eu hunain yn mynd yn llai eu parch a'u dylanwad a'u gwerth o flwyddyn i flwyddyn. Ffrwyth yr un sefyllfa yw'r ddeubeth.

Y rheswm parod a roir gan amlaf fod cynifer yn gadael y weinidogaeth yw bod cyflog gweinidog mor fychan fel na all ei gadw'i hun a'i deulu arno. Mae'r ffaith yn ffaith, ond nid yw'n rheswm. Mae dyn yn barod i newynu os bydd ei genhadaeth yn llwyddo. Eto i gyd, hwyrach mai gormod gofyn iddo newynu'i deulu er mwyn unrhyw genhadaeth.

Gan nad wyf fi'n gorfod wynebu newyn fy hun, diolch i hynawsedd cyhoeddwyr a golygyddion a charedigion eraill, mi garwn i edrych ar argyfwng ariannol ein gweinidogion yn gwbwl wrthrychol, oddi allan, fel pe na bawn yn weinidog fy hun. Enghraifft nodweddiadol, mi dybiwn i, fyddai gweinidog gyda gwraig a dau o blant, yn gorfod cadw modur, ac yn byw, neu'n ceisio byw, ar yr isafswm. £365 y flwyddyn yw'r isafswm ar hyn o bryd, sef £7 yr wythnos. Ychydig iawn o weithwyr ar y ffyrdd ac ar y ffermydd sy'n ennill llai. Mae'r gweinidog yn cael ei dŷ'n ddi-rent ac yn ddi-dreth, ond gan ei fod yn gorfod cadw modur at wasanaeth ei eglwysi ac er hwylustod lletywyr Sul, mae'n waeth arno nag ydyw ar weithiwr heb fodur sy'n talu rhent.

O'i saith bunt yr wythnos, mae'r modur – os yw mewn cyflwr gweddol dda – yn medru rhedeg ar ddwy. Dyna adael pumpunt i gadw pedwar enaid arnynt am wythnos. Ni ellir bwydo pedwar heddiw dan ddwy-a-chweugain yr wythnos, a bod yn gynnil iawn. Fe â punt arall am dân a golau a'r yswiriant saith-a-phump. O'r degswllt-ar-hugain sy'n weddill rhaid cael dillad ac esgidiau i bedwar – neu i'r tad a'r fam fod hebddynt – dillad, llestri a chelfi at iws tŷ a gardd, llyfrau, papurau, a holl gostau gohebu. Yna fe ddisgwylir i'r gweinidog roi cyfran o'i gyflog yn ôl i'r eglwys mewn casgliadau a rhoddion, prynu tocyn a rhoi i bawb a ddaw at ei ddrws, gwisgo'n barchus bob dydd a chadw'i dŷ'n deilwng. Amhosibl? 'Synnwn i ddim. A beth am wyliau? Ni all gweinidogion sydd â phlant fforddio gwyliau onid oes ganddynt incwm o ryw ffynhonnell arall. Ac fe'u cyhuddir yn aml o fod yn glós ac yn anghefnogol i fudiadau'u hardal.

Mae arnaf ofn dychmygu sefyllfa gweinidogion a chanddynt bedwar neu chwech o blant, a gweinidogion gyda'r Bedyddwyr a'r Annibynwyr sy'n ymdrechu byw ar chwephunt yr wythnos. Mae difrawder a chalongaledwch aelodau eglwysig yn peri imi ofyn: a oes arnynt eisiau gweinidogion? Mae'n debyg fod y gydnabyddiaeth a delir i ddyn yn dangos ei werth i'w bobl. Mae meddyg yn werth o ddeuddeg i bymtheg cant y flwyddyn; mae gweinidog yn werth tri chant a hanner. Hynny yw, mae gweinidog yn werth chwarter meddyg, neu feddyg yn werth pedwar gweinidog. Mae'n wir yn aml. Mae meddygon at ei gilydd yn gweithio'n fwy diymarbed. Ond mae hynny am fod llai ohonynt i bob pen o'r boblogaeth, a bod mwy o alw amdanynt a mwy o ddibynnu arnynt a mwy o ymddiried ynddynt.

Ond yr wyf am ddweud eto: nid cyflog llwgfa yw'r rheswm fod gweinidogion yn gadael y weinidogaeth. Mae'n rhan o'r rheswm weithiau, ond rhan fechan iawn. Oherwydd pa fath ddynion sy'n gadael y weinidogaeth? Fel rheol, dynion sy'n ddigon talentog i fedru gwneud incwm ychwanegol hyd yn oed pan fônt yn weinidogion, trwy ddarlithio neu ddysgu'n rhan amser neu sgrifennu neu ddarlledu. Maent wedi symud y swmbwl economaidd cyn gadael y weinidogaeth, fel nad yw tlodi'n rheswm yn y byd.

Beth, felly, yw'r rheswm? Mae rhai wedi awgrymu y byddai rhoi cyflog byw i weinidogion yn eu harbed rhag gwneud gwaith nad oes a wnelo â'u swydd er mwyn chwanegu at eu cyflog. Yn fy marn i, ni wnâi ddim o'r fath. Coder eu cyflog, ac fe ddalient i wneud gwaith y tu allan i'w swydd. Oherwydd nid er mwyn cynyddu'u hincwm yn unig y mae gweinidogion yn darlithio ac yn sgrifennu ac yn darlledu ac yn cynnal dosbarthiadau, ond am eu bod yn cael rhyw hunanfynegiant yn y gorchwylion hynny nas cânt yn y fugeiliaeth. A siarad yn blaen, ychydig iawn o hunan-fynegiant sy'n bosibl i ddyn a chanddo rywfaint o dalent yn y fugeiliaeth heddiw. Nid yr un yw bugeiliaid heddiw â bugeiliaid doe, ond nid yr un yw'r defaid chwaith. Na'r gorlan, na'r tywydd, na'r porfeydd.

Gellir ateb y dylai dyn sydd wedi'i alw'n weinidog fedru cael hunanfynegiant a bodlonrwydd llwyr yn y fugeiliaeth fel y mae, ac y dylai fedru ymatal rhag gwneud gorchwylion bydol. Osgoi wynebu'r sefyllfa yw hynny. Ni alwyd pob gweinidog, hyd yn oed, i ddysgu plant, nac i gadw seiat henffasiwn, nac i gerdded tai, ac ni lwyddodd llawer o weddïo ac ymddisgyblu i feithrin y doniau hyn mewn rhai ohonom a anwyd hebddynt. Nid oes odid un gweinidog â dawn ar gyfer pob gorchwyl yn y fugeiliaeth, ac mae ambell weinidog nad oes gyfle i'w ddawn arbennig ef yn y fugeiliaeth o gwbwl.

Oes yr arbenigwyr yw hon. Ac mae pob ffyrm a chwmni effro yn cael gwaith gorau'u gwŷr cyflog, nid trwy'u gosod i wneud pob dim yn y ffatri, ond trwy'u gosod i wneud y gwaith a fedrant hwy orau. Ni fu corff mwy bwngleraidd na'r fyddin, ond mae honno, hyd yn oed, yn honni'i bod yn rhoi gwaith i bob un o'i dynion yn ôl ei ddawn arbennig ef. Mae gan Eglwys Rufain hithau urddau i osod ei hoffeiriaid ynddynt yn ôl eu doniau – rhai i fugeilio, rhai i addysgu, rhai i wneud gwaith ymarferol, rhai i fyw bywyd ysgolhaig.

Ond am weinidog yn un o'r enwadau ymneilltuol Cymreig, beth bynnag fo'i elfen, nid oes dim ar ei gyfer ond gofal eglwys. Yr anrhydedd uchaf, bid siŵr; uwch ac anos nag a deilynga llawer ohonom. Bu rhai o'n gweinidogion ysgolheigaidd yn ffodus; cawsant le fel athrawon yn ein colegau diwinyddol. Bu rhai o'n gweinidogion ablaf mewn trefnu yn ffodus; yr oedd swydd ysgrifennydd amser llawn i rywbeth neu'i gilydd ar eu cyfer. Ond gwrthododd y Cyfundeb benodi efengylydd amser llawn – y swydd uchaf o bob un, a swydd y gallasai ambell un fod wedi'i throi'n fendith i filoedd. Ac i weinidog sy'n arweinydd ieuenctid yn bennaf dim, neu'n llenor yn bennaf dim, neu'n addysgwr yn bennaf dim, nid oes gennym fel enwad ddim i'w gynnig iddo ond torri'i ddawn ar ddannedd y bagad gofalon – oni fyn ef yn wahanol.

Y gweinidogion hynny a adawodd y weinidogaeth am swydd arall, gwŷr a chanddynt dalent oeddent, ac a gafodd fynegiant i'r dalent honno yn y swydd arall honno. A phetai cyfle i fynegi ac i fodloni'r dalent rywle o fewn y weinidogaeth ac er gogoniant Duw, 'rwy'n credu y byddai amryw o'r gwŷr da hynny'n weinidogion hyd y dydd hwn. Nid yw codi cyflog yn unig yn mynd i wneud dim i leddfu'r argyfwng. Pwysicach o lawer yw rhoi sylw newydd i ddameg y talentau.

Yn unol â chais rhai a fu'n darllen fy sylwadau blaenorol, mi geisiaf fod yn 'adeiladol' a chynnig awgrym neu ddau. Diau ei bod yn rhy ddiweddar i awgrymu dim ynglŷn â chyflogau gweinidogion, gan fod penderfyniad go bendant ar y mater hwnnw eisoes yn y gwynt. Credaf, er hynny, nad codi'r isafswm i bob gweinidog a'i gadael ar hynny sydd orau. Ond cymryd dalen o lyfr yr Eglwys Fethodistaidd, a rhoi lwfans i bob gweinidog i gyfarfod â'r gwahanol alwadau arno. Tra bo'r codiad a argymhellir yn y Gymanfa yn ddigon i ambell un ohonom, ni fydd ond briwsionyn i eraill y mae'u treuliau mor uchel.

Tecach, i'm tyb i, fyddai gadael yr isafswm fel y mae yn awr, a rhoi lwfans blynyddol i bob gweinidog at ei fodur, os oes ganddo fodur, a lwfans ar gyfer pob plentyn, os oes ganddo blant. Fe ddylid hefyd roi cydnabyddiaeth ffyddlondeb i bob gweinidog nad yw'n gwneud dim y tu allan i'w waith fel gweinidog (heb eithrio cyfarfodydd pregethu) ac nad oes ganddo felly gyfle i chwyddo dim ar ei incwm. Ac fe ddylai cyflog pob gweinidog godi bob pum mlynedd (yn ôl punt y flwyddyn) ar hyd ei oes. Mae'n annheg fod cyflog rhai ohonom ni weinidogion ifainc yn £400 neu £450 y flwyddyn, a gweinidogion sydd wedi gwasanaethu am ddeugain mlynedd yn dal i fyw ar yr isafswm.

Fe ddylid codi'r gydnabyddiaeth, nid i gadw gweinidogion ifainc yn y weinidogaeth – fe fyddai'n rhaid ei chodi i tuag wyth gan punt y flwyddyn er mwyn cystadlu'n effeithiol â'r cyflogau y mae'r byd yn eu cynnig i wŷr gradd – ond i gydnabod aberth a ffyddlondeb y rhai sydd wedi aros ynddi. Ond nid codi'r gydnabyddiaeth yw'r ateb i'r broblem. Seicolegol yw'r broblem, nid economaidd, a rhaid ei thrafod felly os ydym am weinidogaeth a fydd yn foddhad i'n gweinidogion ac yn fywyd i'w haelodau.

Ni ellid byth weithredu f'awgrymiadau i'n effeithiol ond mewn Eglwys Unedig, wedi cyfuno holl adnoddau ymneilltuaeth, yn weinidogion ac yn adeiladau ac yn arian. Ond nid yw'n rhy gynnar i ddechrau arbrofi. A phe bai nifer o weinidogion ac eglwysi'n barod i'w benthyg eu hunain i arbrofi drwyddynt, 'rwy'n credu y byddai bendith y Nefoedd ar yr arbrofion.

Mae'r awgrym cyntaf yn amcanu at wneud y defnydd effeithiolaf o'r amryw ddoniau sydd yn y weinidogaeth. Yr awgrym yw ffurfio tîm o weinidogion i ofalu am nifer o eglwysi ar y cyd. Fe fyddent yn byw ym mugeildai'r gofalaethau a gyplyswyd, lle byddai bugeildai. Gwaith un gweinidog – gweinidog ifanc, o ddewis – fyddai gofalu am y bobl ifainc trwy holl eglwysi'r ofalaeth gyfunol, yn yr oed ollbwysig rhwng pymtheg a phymtheg ar hugain, eu paratoi at eu derbyn a gofalu amdanynt wedi'u derbyn ym mhob dull a modd. Os oes unrhyw weinidog ifanc yn awr yn bwriadu ymgeisio am swydd fel trefnydd ieuenctid seciwlar, boed iddo oedi ychydig. Fe fyddai swydd bugail ieuenctid yn swydd wrth ei fodd.

Y mae rhai ohonom sydd yn fwy hoff ganddynt fugeilio nag unrhyw ran arall o waith gweinidog, gwŷr y mae ymweld â thai ac ysbytai yn hyfrydwch iddynt. Y mae lle i un o'r gwŷr da hyn yn y tîm, heb ddim gofal arall arno ond ymweld â chartrefi'r ofalaeth gyfunol yn eu tro (gyda chymorth y modur gorau y gellir ei brynu iddo), ac â'r ysbytai, ac â sefydliadau eraill lle ceir aelodau eglwysig ar wahanol adegau o'r dydd. Byddai'r gŵr hwn yn fendith i eglwysi nas bugeiliwyd yn effeithiol ers blynyddoedd.

Y mae lle i weinidog arall – profiadol y tro hwn – i gymryd arno faich addysg a defosiwn yr eglwysi. Arno ef y byddai trefnu ac arwain seiadau a chyrddau gweddi a dosbarthiadau oedolion, yn ogystal â phriodi a chladdu aelodau a bedyddio'u plant, pe dymunai hynny. Gŵr trwm, a geblir yn fynych yn awr am esgeuluso bugeilio ac esgeuluso ieuenctid ei eglwysi, ond a gâi ddigon o waith i'w elfen ei hunan yn y tîm.

Gallai tri gweinidog ordeiniedig wneud gwaith pedair neu bum gofalaeth yn ddigon effeithiol yn y dull hwn. Gellid cael rhagor, wrth gwrs – pe baent i'w cael – a rhannu'r gwaith ymhellach. Neu fe ellid cyflogi chwaer amser llawn i ofalu am chwiorydd yr eglwysi, a gallai hi (neu athro neu athrawes ifanc a neilltuid) ofalu hefyd am y plant.

Byddai i'r tîm drefnu rhyngddynt a'i gilydd ar ba un y disgynnai pa orchwylion, o achos fe all yr esgorid ar bob math o gynlluniau newydd, fel clinig eneidiau yn y gwahanol eglwysi ar wahanol adegau o'r dydd (mae'n bryd ymarfer aelodau eglwysig i fynd at weinidog fel yr ânt at feddyg) a chlybiau esgeuluswyr, fel sydd yn rhai o eglwysi Lloegr ac America, a gwaith cyflwyno crefydd trwy ddrama a phasiant a noson lawen grefyddol. Diau y byddai'r gweinidogion oll yn awyddus i bregethu, a pham nad y chwaer hefyd, os myn?

Y mae anawsterau. Gwastraff ar ofod fyddai i mi'u henwi yma; fe wna eraill hynny. Pe llwyddai'r arbrawf, fe fyddid wedi creu gwasanaeth modern effeithiol i gadw'r aelodau eglwysig sydd gennym eto'n aros. A chydag ambell ymweliad gan un neu ddau o efengylwyr amser llawn y Cyfundeb, fe fyddai peirianwaith ystwyth i sicrhau'r dychweledigion. Byddai'r gweinidogion yn fodlonach o gael rhoi'u holl egni i'r rhan honno o'u gwaith y maent hapusaf ynddi, ac fe fyddai'r tîm, o fod yn dîm, wedi erlid ymaith un o fwganod hyllaf y weinidogaeth: unigrwydd.

Mae'r awgrym arall sydd gennyf yn fwy diniwed, ond y mae posibiliadau yn hwn lle bo'n anodd gweithredu'r llall. Fel y prinha'n gweinidogion – a phrinhau y maent – bydd yn rhaid inni, er mor anodd gan roi ohonom ildio, ddibynnu fwyfwy ar bregethwyr lleyg. A bugeiliaid lleyg. Gyda'n llygad ar fwy a mwy o grwpio eglwysi yn y dyfodol, fe ddylem yn awr fod yn magu dynion ifainc na allant ymglywed â galwad i weinidogaeth amser llawn, ond a garai wneud mwy yn eu heglwysi. Gwn am flaenoriaid sy'n ymwelwyr cyson a da â chleifion ac esgeuluswyr. Rhaid magu rhai tebyg iddynt, o achos fe â'n anos, anos i weinidogion wneud y gwaith.

Lle bo gweinidog, cyn bo hir, yn gorfod gofalu am nifer o eglwysi, a lle ni ellir gweithio cynllun y tîm, bydd yn dda fod ym mhob un o'r eglwysi hynny bregethwyr lleyg a hefyd fugail lleyg, a fydd yn barod, am gydnabyddiaeth fechan, i roi'u hamser hamdden i waith eglwys. Ond fe ddylid trefnu cwrs blwyddyn o baratoad iddynt yn ein coleg diwinyddol, yn ddi-gost iddynt hwy, wedi'u rhyddhau am flwyddyn o'u gwaith beunyddiol – neu o'u dwy flynedd gonsgripsiwn gwastraffus. Y mae lle hefyd i ddyn busnes amser llawn i ofalu am lyfrau a threfniadau a chasgliadau llawer o eglwysi y mae ochr fusnes eu bywyd yn mynd yn draed moch. Mae gorymboeni â manion yn parlysu egnïon llawer gweinidog nad oes ganddo swyddogion abl, ac yn crino'i ysbrydolrwydd. Fe dalai ar ei ganfed i ddwy neu dair henaduriaeth gyflogi rhyngddynt gyfrifydd teithiol amser llawn i gadw olew ar olwynion rhydlyd toreth ein heglwysi. Gan mai oes fusnes yw hon, boed busnes yr Eglwys mor loyw ag unrhyw fusnes, a rhyddhaer dwylo ac ysbrydoedd y gwŷr y mae gofal ysbrydoedd arnynt.

Ond gwarchod ni! Sut y gallwn ni fforddio cyflogi'r holl bobol ecstra hyn? Nid ecstra mohonynt. Ymhen deng mlynedd eto, hyd yn oed wedi cyflogi'r holl bersonau a enwais, bydd llawer llai o fodau dynol yn derbyn cyflog gan y Cyfundeb nag sydd heddiw.

'Y Drysorfa', Chwefror/Mai/ Awst, 1955

Ni chyhoeddwyd fy mhedwaredd ysgrif yn y gyfres.

III

Yr Eisteddfod Genedlaethol
Detholion o Feirniadaethau

Cystadleuaeth yr Ysgrif, Ystradgynlais 1954, ar y testun 'Gwlith' *neu* 'Atal y Wobr' *neu* 'Tano Pib' ('Tanio Cetyn').

Yr wyf bron â chredu erbyn hyn mai da fyddai i Bwyllgorau Llên yr Eisteddfod Genedlaethol roi gorffwys i gystadleuaeth yr ysgrif am ddwy neu dair blynedd, ac yn ei lle, gofyn am sgwrs radio neu erthygl bapur newydd neu bennod o atgofion. Oherwydd pethau felly a anfonir yn amal i gystadleuaeth yr ysgrif, ac un o boenau'r beirniad yw ceisio penderfynu pa nifer ohonynt y gall eu caniatáu fel ysgrifau, a pha nifer y mae'n rhaid iddo'u gwrthod, a phaham. Fel beirniad y delyneg, nid oes ganddo reolau pendant yn gefn ac yn gymorth iddo. Ac fel y delyneg ei hun, y mae'r ysgrif Gymraeg ymron wedi chwythu'i phlwc.

Nid dweud yr wyf na all ysgrifwr godi eto, ac na cheir ysgrif wefreiddiol eto o dro i dro. Ni chafwyd mohoni eleni. A chan fod y Dr. T. H. Parry-Williams wedi gwneud â'r ysgrif Gymraeg bron bopeth y gellir ei wneud ag ysgrif Gymraeg, fel y gŵyr pob un a fu'n difrifol geisio sgrifennu ysgrifau ar ei ôl, y mae'n siawns yn eiddil am gyfraniad arbennig eto i'n llên ysgrifol. Ac yn herwydd llwyr fedi a lloffa maes yr ysgrif gan y meistr, dau fath ar ysgrif a geir fynychaf yn awr. Ysgrifau yn null T. H. Parry-Williams, ac ysgrifau sy'n benderfynol, doed a ddelo, o beidio â bod yn y dull hwnnw. Ac fe gafwyd y ddau fath yn y gystadleuaeth hon.

Fel y delyneg, fe aeth yr ysgrif hithau i rigol. Y mae bellach batrwm 'ysgrifol' a brawddeg 'ysgrifol', a dechrau a diweddglo 'ysgrifol', a hyd yn oed syniadau 'ysgrifol,' nad yw'r mwyafrif ohonynt ddim hyd yn oed yn syniadau. Fe dyb llawer awdur, os bydd wedi agor ei ddarn rhyddiaith â geiriau fel 'Anodd dweud' neu 'Peth rhyfedd yw' neu 'Tybed a oes' ac wedi'i gloi ag ebwch fel 'Efallai,' neu 'Pwy a ŵyr?' ei fod wedi llunio ysgrif. Ac fe â rhagddo i ddweud fel y cafodd loes farwol pan ddysgodd am y tro cyntaf nad yw gwlith, wedi'r cyfan, yn ddim ond dŵr, neu fel y cafodd ei godi i'r seithfed nen wedi canfod bod tanio cetyn yn gelfyddyd mor aruchel â chyfansoddi opera. Rhyw lol felly. A gwaeth. Fe'm temtir yn fynych i feddwl bellach nad yw'r ysgrif yn ddim ond ffordd ddifyr o ddweud dim byd.

Ond mi anturiais feirniadu cyfansoddiadau'r gystadleuaeth hon wrth y bras-ddiffiniad a luniais rywdro i mi fy hun o'r hyn a ddylai ysgrif fod: darn byr o ryddiaith, cyflawn ynddo'i hun, sy'n ymdrin ag un testun mewn un dymer ac un arddull drwyddo draw, ac sy'n ein dwyn i gydnabyddiaeth bersonol, nid yn unig â'r testun, ond hefyd â'r awdur. Esgus, a dweud y gwir, yw'r testun i'r awdur godi sgwrs â'r darllenydd. Ond cadw at ei destun, er hynny, a wna pob sgwrsiwr da, a dweud pethau gwerth eu dweud am ei destun.

Popeth sy dros ben hyn, neu'n fyr ohono, fe all fynd yn draethawd neu'n erthygl neu'n stori fer neu'n gerdd ryddiaith, fel yr aeth amryw o ysgrifau'r gystadleuaeth hon. Fel y dywedais, ni chefais un ysgrif a yrrodd wefr drwof. Siomedig oedd y gystadleuaeth. Arddull gyffredin, dadansoddi a chymharu a chyferbynnu di-fflach, ychydig iawn o ddim newydd yn ymgynnig. Oni bai am un neu ddau go ddoniol a gwreiddiol, ni fuasai gennyf ddewis ond anwybyddu rhybudd rhai o'r cystadleuwyr ac 'Atal y Wobr.'

Rhannwyd y wobr rhwng Cymro Dewr *(R. J. Davies) a* Rags *(D. T. Williams).*

Cystadleuaeth yr Ysgrif, Pwllheli 1955, ar y testun 'Chwyrnu' *neu* 'Ar y Silff' *neu* 'Llestri.

Mae cystadleuaeth yr ysgrif eleni yn ddifesur uwch ei safon na'r gystadleuaeth y llynedd. Hwyrach fod y dewis gwell o destunau yn cyfrif i raddau am hynny. Ni ddaeth un ffŵl i'r gystadleuaeth, na neb sy'n ofnadwy anobeithiol fel llenor. Fe ddaeth llu o ysgrifau cyffredin eu naws a'u harddull, ond peth i'w ddisgwyl yw hynny.

Dwy a deugain o ysgrifau a ddarllenais i. A chan nad oes bwrpas yn y byd mewn rhagymadrodd y tro hwn, gan fod mwyafrif y cystadleuwyr yn amlwg wedi manteisio ar ragymadroddion beirniaid blaenorol, mi fwriaf iddi i ddweud gair am bob un. 'Rwy'n cynnig beirniadaeth weddol lawn i bob un, am y buasai'n dda gennyf fi fod wedi cael beirniadaeth weddol lawn ar fy nghynhyrchion fy hun pan oeddwn i'n cystadlu, yn lle gweld dim ond fy ffugenw ym mherfedd yr ail neu'r trydydd dosbarth.

Rhennais y cystadleuwyr yn bum dosbarth am fod cynifer ohonynt. Ond nid gwarth ar yr un ohonynt yw bod yn y trydydd dosbarth, nac ar ben y pedwerydd, hyd yn oed. Mae aelodau isaf pob dosbarth yn bur agos i'w aelodau uchaf, a'r rheini wedyn yn bur agos i aelodau isaf y dosbarth uwch.

Gwobrwyd Cedwyn *(M. Selyf Roberts). Yn ogystal, rhoddwyd £5 i'w rhannu rhwng y goreuon o blith y gweddill, ac fe'i rhannwyd rhwng* Disgwylfab *(J. Price Williams),* Rip Van Winkle *(M. Selyf Roberts) a* Siaced Lwch *(Gerallt Jones, Brynaman).*

Beirniaid: Kate Roberts, T. J. Morgan.

Methodd y ddau feirniaid â chytuno ar eu dyfarniad, a gwahoddwyd fi i fod yn ddyddiwr.

Darllenais 'Blynyddoedd y Locust' gan Llanddwyn yn gyflym, o raid. Nid rhaid amser yn unig, ond rhaid y stori ei hun. Hawliai ei darllen yn gyflym, er mwyn gweld beth a ddeuai nesaf. Ni olygaf wrth hynny mai stori ydyw sy'n ddim ond stori, o'r math 'poblogaidd.' Stori ydyw sy'n gafael, nid yn unig am fod digwyddiad yn gweiddi am ddigwyddiad ynddi, ond am fod y gymeriadaeth yn ddiddorol, y ddeialog yn dadlennu'n gyson, a'r 'athroniaeth' yn hawlio sylw.

Y mae ei gwendidau yn wendidau y gellir dadlau yn eu cylch. Hynny yw, dadlau a ydynt yn wendidau ai peidio, ac mae hynny'n dibynnu ar farn beirniad am swyddogaeth a method a chynnwys nofel. Nid oes yma wendidau y gellir eu galw'n elfennol, a'i gadael ar hynny. Mae hon yn nofel aeddfed, yn yr ystyr fod ei hawdur yn gwybod cystal ag unrhyw nofelydd Cymraeg beth yw nofel – yn ôl ei syniad ef (neu hi), wrth gwrs. Ac y mae ganddo berffaith hawl i goleddu ei syniad, ac i'w weithredu.

Y cwestiwn yw, a yw'r nofel hon fel y mae yn deilwng o wobr yr Eisteddfod Genedlaethol, ac yn addas i'w chyhoeddi? Yr unig beth a all ein helpu i benderfynu yw cymharu. Ac ni allwn ei chymharu ond â nofelau Saesneg heddiw, ac â nofelau Cymraeg o ddydd Daniel Owen hyd heddiw. Y mae, yn sicr, cystal â thoreth nofelau Saesneg heddiw, ac yn debyg i rai ohonynt, mewn techneg, thema a chymeriadaeth. O'i chymharu â'r nofelau Cymraeg a gyhoeddwyd, gallwn ddweud ei bod cyn fedrused o ran techneg ag unrhyw un ohonynt, er ei bod yn wacach o ran cynnwys moesol na'r rhan fwyaf. Ond gall ei hawdur gyfiawnhau hynny, os myn.

Fe ddylid ailystyried y cyfeiriadau at rai o bentrefi Môn sydd yn y nofel; gellid ystyried y cyfeiriad at westy yn un ohonynt yn enllibus bron, er bod hynny'n gwbl anfwriadol, mae'n bur debyg.

Yn ddios, y mae'r awdur yn llenor o bwys. Nid prentiswaith mo'r ddeialog dynn a'r ymatal di-feth a'r eirfa drydanol. Y mae'r gwaith – er na fyddai'n boblogaidd iawn – yn gyfraniad i'n llenyddiaeth. Ac o gymharu fel y gwnaethom, ni allwn ond dod i un casgliad: y mae 'Blynyddoedd y Locust' yn werth hanner canpunt o wobr (y mae digon o nofelau salach mewn ieithoedd eraill yn dwyn elw mwy i'w hawduron) ac fe ddylid ei chyhoeddi.

Ni ddaeth y buddugwr i dderbyn ei wobr, ac ni chyhoeddwyd ei nofel.

Cystadleuaeth Nofel, Caernarfon 1959. Testun Agored.

Mi glywaf feirniaid barddoniaeth yn cwyno heddiw nad oes gan feirdd yr Eisteddfod ddim i'w ddweud, ond eu bod yn medru'i ddweud yn raenus. Y gwrthwyneb, 'rwy'n meddwl, yw'r gŵyn ynghylch y nofelwyr sy'n ymgeisio yn yr Eisteddfod: eu bod hwy'n dweud llawer yn ddi-raen.

Mae'n wir y gall techneg ladd nofel fel y gall cynghanedd ladd cerdd. Ond mi fyddwn i'n ddigon hapus petai'r rhai sy'n ceisio sgrifennu nofelau Cymraeg yn meistroli hanfodion nofel mor llwyr ag y mae'n beirdd wedi meistroli'r cynganeddion. Fe ellir maddau i nofelydd am fethu o ddiffyg gallu neu ddiffyg awen; nid mor hawdd yw maddau iddo am fethu o ddiffyg techneg.

Y mae gan bob un o'r chwech a anfonodd nofel i'r gystadleuaeth hon rywbeth i'w ddysgu am dechneg nofel. Ond calondid yw gweld bod bron bob un ohonynt hefyd wedi dysgu rhywbeth eisoes, a'i bod yn eglur fod ganddynt allu i ddysgu mwy.

Gwobrwyd **Afnell** *(Eigra Lewis, fel yr oedd hi y pryd hwnnw), a chyhoeddwyd ei nofel fuddugol, 'Brynhyfryd', yn Nhachwedd 1959.*

Cystadleuaeth Y Fedal Ryddiaith, Y Drenewydd 1965. Testun: Deuddeg o Ysgrifau Creadigol. Cyd-feirniaid: T. J. Morgan ac Iorwerth C. Peate.

Gan fod fy nau gyd-feirniad yn teimlo'r rheidrwydd eleni i fynegi eu barn ar yr hyn yw rhyddiaith greadigol dda, gwell i minnau ddechrau drwy wneud yr un peth.

Yr ydym i gyd, wrth gwrs, yn siarad rhyddiaith bob dydd o'n hoes. Yr ydym hefyd yn ysgrifennu rhyddiaith ym mhob llythyr a dyddiadur. Mewn rhyddiaith y mae ein papurau newyddion, ein llyfrau ysgol a choleg, pob traethawd ac erthygl a llyfr ar bwnc, pob cofnodion pwyllgor a chynhadledd, pob bil treth a phob hysbysiad cyhoeddus.

Fe all y rhain, hyd yn oed, fod mewn rhyddiaith well neu waelach na'i gilydd. Nod amgen rhyddiaith *ddefnyddiol* dda yw symlrwydd geirfa (lle nad yw hynny'n rhwystro manylder) ac eglurder cystrawen. Ni ofynnir dim mwy gan ryddiaith fynegiannol na bod mor syml ac mor eglur ag y mae modd.

Ond fe ofynnir mwy gan ryddiaith *greadigol*. Wrth reswm, gorau po symlaf ac egluraf yw hithau hefyd. Fe ddisgwylir i'w sillafu a'i chystrawen fod yn gywir, dim ond inni beidio â chyfri perffaith-gywirdeb peiriannol – sy bron yn amhosibl, p'un bynnag, yn enwedig mewn iaith mor gystrawennol gymhleth â'r Gymraeg – yn rhinwedd *llenyddol* fel y cyfryw. Fe ddisgwylir i'w hidiom fod yn driw i deithi naturiol yr iaith (ac nid hau 'idiomau' hyd bob dalen yw ystyr hynny, o angenrheidrwydd).

Ond cynheiliaid rhyddiaith greadigol yw'r pethau hyn, yn yr ystyr fod crefftwr geiriau cydwybodol yn siŵr o gychwyn gyda hwy. Ni ellir meddwl am lenor da nad yw'n ymdrafferthu i sillafu a chystrawennu'n rhesymol gywir, i fynegi'i feddwl yn olau, ac i ymadroddi'n idiomatig. Ond cynheiliaid rhyddiaith greadigol dda ydynt, nid ei hanhepgorion.

Swyddogaeth rhyddiaith greadigol, yn syml, yw creu. Nid cofnodi, nid disgrifio, nid traethu, nid gwyntyllu syniadau, ond creu. Creu cyfanbeth newydd, wrth gwrs, fel ysgrif neu stori, ond creu'n fanach na hynny hefyd: creu trosiadau a chyffelybiaethau newydd, hwyrach, delweddau newydd, priodasau geiriol sy'n gyffrous o newydd, er eu bod yn unol â theithi'r iaith; os cofnodi, cofnodi'n arwyddocaol; os disgrifio, disgrifio'n awgrymog; os traethu, traethu fel na thraethodd neb ar yr un pwnc o'r blaen.

Ond yn y fan hon rhaid rhoi rhybudd. Os â sgrifennwr ati nerth deng ewin i lunio delweddau a throsiadau a chyffelybiaethau newydd ac i wneud sŵn newydd ym mhob brawddeg heb fod ganddo'r ddawn gynhenid at hynny, fe all yr effaith fod yn saith waeth na phetai'n bodloni ar ddim ond traethu noeth. Fe ddigwyddodd hynny yn y gystadleuaeth hon: mwy nag un cystadleuydd a fedrai sgrifennu rhyddiaith ddefnyddiol lân yn anfodloni ar hynny ac yn ceisio bod yn 'farddonol', ac yn suddo mewn cors o haniaethau. Fel y gellir gwneud cynganeddwr ond bod rhaid geni bardd, fe ellir dysgu sgrifennu rhyddiaith ddefnyddiol, ond rhaid geni llenor creadigol. Er gwell neu er gwaeth, ni roddwyd awen i bawb.

Bid siŵr, fe ellir rhyddiaith greadigol sy'n ddi-ddelwedd, di-drosiad a di-gyffelybiaeth. Ond hyd yn oed mewn rhyddiaith felly fe ellir adnabod y gwahaniaeth rhwng llymder ymatal a llymdra diffyg awen. Fe all mynegi bwriadol noethlym fod yn greadigaeth newydd.

Fe wna 'geiriau yn y drefn orau' ddiffiniad eithaf boddhaol o ryddiaith ddefnyddiol. Ond mewn rhyddiaith greadigol mae gennym hawl i ddisgwyl yr ychwaneg rhiniol. Ac er fy mod wedi cynnig enghreifftiau o'r 'ychwaneg' hwnnw, rhaid cyfaddef ei fod yn y bôn yn anniffiniol. Ond fe ellir ei adnabod. Fe ellir hefyd adnabod ei absenoldeb.

Dyfarnodd T. J. Morgan a minnau o blaid gwobrwyo Esniod *(Eigra Lewis Roberts).*

Cystadleuaeth Nofel Antur, Aberafan a'r Cylch 1966.

Fe all nofel fod yn unrhyw beth bron. Cyhyd ag y bo hi wedi'i sgrifennu mewn rhyddiaith, ac yn feithach na stori fer, ac yn dweud rhyw gymaint o stori (i ddarlunio'r newid neu'r diffyg newid mewn o leiaf un cymeriad) fe ellir ei bedyddio'n nofel. Ond cyn gynted ag y gofynnir am 'nofel serch' neu 'nofel antur' dyna ni'n tocio'n syth ar ryddid yr awdur ac yn ei orfodi i dwnnel. 'Does dim dewis iddo wedyn ond mynd i mewn yn un pen i'r twnnel a dod allan yn y pen arall – heblaw, wrth gwrs, troi'n ôl, neu fygu i farwolaeth ar y ffordd.

Hynny yw, i nofel antur, fel i nofel serch, y mae confensiwn. Patrwm-stori cydnabyddedig sy wedi'i brofi a'i ailbrofi gan genedlaethau o awduron nofelau antur heb eto'i gael yn brin. Fe luniwyd y patrwm i chwarae yn y modd mwyaf effeithiol ar ddwy reddf (gair hen-ffasiwn bellach) sylfaenol mewn gwrandawr neu ddarllenydd: ei chwilfrydedd a'i ofn. Y gamp yw ennyn ei chwilfrydedd hyd yr eitha', ac wedyn ei barlysu ag ofn, llacio'r ofn, ailennyn y chwilfrydedd, dôs arall o ofn – ac felly 'mlaen; ailadrodd y broses drosodd a throsodd nes bod y darllenydd wedi'i ysgwyd ddigon, ac yna, ei ollwng o'i ingoedd yn ochneidio'n llaes gan ryddhad ac yn ei longyfarch ei hun ar ddod yn ddihangol drwy 'bethau mawr.'

I gyflawni'r gamp hon mae'n rhaid wrth rai angenrheidiau. Yr anghenraid cyntaf yw arwr: gwryw, o ddewis, sy'n ddigon derbyniol i'r gwrywod llwfr sy'n darllen amdano eu dychmygu'u hunain yn ei sgidiau a chael mynegiant i'w hymladdgarwch cudd wrth gyflawni'i orchestion gydag ef, ond sy hefyd yn ddigon deniadol i'r merched sy'n darllen amdano chware bod mewn cariad ag ef a dychmygu'i freichiau cedyrn yn eu hamddiffyn rhag ellyllon (simbolau, efallai, o ddiystyrwch oerllyd eu gwŷr). Ond nid yw dweud y dylai'r arwr fod yn 'dderbyniol' yr un peth â dweud y dylai fod yn sant. Yn wir, fe all ladd, fe all feddwi, fe all golli cyflog blwyddyn wrth fwrdd gamblo, fe all odinebu a hyd yn oed gystwyo merched lle bo angen (hynny'n rhoi gwefr ryfedd i'r darllenwyr benywaidd), ond ni all wneud tro gwael. Ni all fod dim amheuaeth ynghylch dwy o'i rinweddau: ei anrhydedd a'i ddewrder. Yn ogystal â bod yn ddiedifar chwilfrydig, mae'n gwbwl anrhydeddus ac yn afresymol ddewr.

Da yw bod gan yr arwr gydymaith neu ddau ar ei bererindod arswydus, dim ond i'r rheini beidio â lladrata dim o'i ogoniant ef. Mae'r bererindod (neu'r ymchwil, neu'r frwydr) yn dechrau'n syth bin, heb golli amser. Corff, neges gruptig, gwaedd am help, ymosodiad annisgwyl – beth bynnag fo'r achlysur, fe gyffroir chwilfrydedd y darllenydd yn y fan. Niwsans yw rhagymadrodd. 'Does mo'r amser. Rhaid codi a mynd.

Yn fynych iawn, dechrau gofidiau'r arwr yw gwthio'i fys anrhydeddus fusneslyd i nyth cacwn. Pluen yn ei gap os yw'n gwneud hynny i achub cam cyd-ddyn. O'r foment honno mae'r cacwn am ei waed, oherwydd mae'u nyth mewn perygl. 'Does dim amheuaeth na chwelir y nyth yn y diwedd. 'Does dim amheuaeth nad yr arwr fydd yn ei chwalu. Yr unig beth y mae'n rhaid ei gynllunio o ddifri yw brwydr Arwr *v* Cacwn. Po feithaf fydd hi, mwyaf amrywiol y mae'n rhaid iddi fod. Ni wiw i'r Arwr erlid y Cacwn ar hyd yr amser, na chwaith ddianc rhagddyn nhw bob cam o'r daith. Un o batrymau nodweddiadol y confensiwn fyddai: (1) Arwr yn ymwybod â'r Cacwn; (2) yn cychwyn ar eu trywydd; (3) yn cael ei bigo ganddyn nhw; (4) yn eu hymlid yn ffyrnicach; (5) yn rhoi cam gwag; (6) yn gorfod ffoi rhagddyn nhw; (7) wyneb yn wyneb â'r Brif Gacynen; (8) yn eu dwylo nhw; (9) yn eu trechu ac yn chwalu'r nyth. Fe ellir amrywio'r patrwm; rhaid parchu'r confensiwn o ddyddiau'r Brithlys Ysgarlad hyd ddyddiau Mr. James Bond. Rhaid i'r awdur fynd drwy'r twnnel tanllyd heb wyro; yn wir, gwyro ni all os ydyw yn y twnnel iawn.

Dyfarnwyd dau draean o'r wobr i Nacw (Ifor Wyn Williams), a chyhoeddwyd ei nofel fuddugol, '412 ar ei Choes', yn fuan wedyn.

Cystadleuaeth Nofel dros 40,000 o eiriau. Y Bala 1967.

Pe bawn i'n beirniadu cystadleuaeth nofel antur neu nofel i bobol ifanc, fel y bûm i yn y gorffennol, fe fyddwn i'n naturiol yn beirniadu'r cyfansoddiadau yng ngoleuni'u hamcan, sef cyffroi neu adlonni (diddanu, os mynnwch chi) neu ddweud stori'n grefftus. Ac fe rown i'r wobr i'r nofel a fyddai wedi gwneud orau yr hyn yr amcanodd hi'i wneud neu'r hyn y gellid disgwyl iddi'i wneud.

Mae prif nofel yr Eisteddfod Genedlaethol yn fater gwahanol. 'Nofel', y tro hwn, heb ansoddair wrth gwt y gair. Efallai fy mod i'n hen-ffasiwn (o leia, rydw i'n ganol oed) ac i mi, fe ddylai nofel fel a ddisgwylir ym mhrif gystadleuaeth y Genedlaethol ymestyn ein profiad a dyfnhau'n hadnabyddiaeth o'r natur ddynol (nid, o raid, yn yr un ffordd ag y gweir gan seiciatreg). Fe ddylai hefyd fod camp lenyddol arbennig ar yr ysgrifennu. Hynny yw, fe ddylai fod yn llenyddiaeth 'greadigol', yn yr ystyr a roddais i i hynny cyn eleni.

Afraid manylu mwy. Pedair nofel a ddaeth i'r gystadleuaeth. Efallai, bellach, fod rhaid inni ddisgwyl lleihad yn nifer y nofelau a anfonir i'r Genedlaethol oherwydd y gwobrau mwy sylweddol a gynigir gan eisteddfodau eraill ac oherwydd cystadlaethau llyfrau'r siroedd.

Ataliwyd y wobr.

Cystadleuaeth Y Fedal Ryddiaith: Nofel. Bangor a'r Cylch 1971. Cyd-feirniaid: Hugh Bevan a John Rowlands.

A minnau wedi bod braidd yn ddigalon ers tro ynghylch cyflwr y nofel Gymraeg, dyma fi'n ddisymwth yn beirniadu'r gystadleuaeth nofel orau y bûm yn ei beirniadu erioed. Dyma un o'r pethau annisgwyl, agos-wyrthiol hynny sy'n digwydd yng Nghymru. Naw nofel Gymraeg, a phob un yn gyhoeddadwy. Wrth gwrs, yn y rhan fwyaf o'r rhain – ac, ysywaeth, ymysg y rhai galluocaf a mwyaf uchelgeisiol – fe geir y gwallau iaith a geir bob amser. Ond bellach, mae'r Cyngor Llyfrau Cymraeg yn cynnig gwasanaeth golygu rhad i gyhoeddwyr, ac ni fydd rhaid i'r un o'r nofelau hyn ymddangos yn ei charpiau. Ond fe garwn bwysleisio mai eu cywiro'n unig a ddylid lle bo angen – nid dim mwy na hynny, rhag amharu ar eu 'personoliaeth'.

Rhyfeddu'r oeddwn i o weld 'crefft' y nofel Gymraeg wedi aeddfedu cymaint o fewn rhyw ddeng mlynedd: yr ymwybod amlwg â saernïaeth, ag eironi, ag arwyddocâd, y cymeriadu byw – a chymhleth iawn weithiau – y gamp dechnegol a welid mor anfynych gynt mewn nofelau Cymraeg.

Dyfarnodd John Rowlands a minnau o blaid gwobrwyo India *(Ifor Wyn Williams), a chyhoeddwyd ei nofel fuddugol, 'Gwres o'r Gorllewin', ar faes yr Eisteddfod.*

Cystadleuaeth Gwobr Goffa Daniel Owen: Nofel. Caerdydd 1978. Cyd-feirniad: John Rowlands.

Er bod y gystadleuaeth am Wobr Goffa Daniel Owen yn fenter newydd a phwysig ac yn temtio beirniad i ymhelaethu ar 'Y Nofel', rhaid parchu cais yr awdurdodau am inni beidio â rhagymadroddi'n hirwyntog. Llawn cystal peidio hefyd, gan y bydd y beirniaid yn newid o flwyddyn i flwyddyn a bod barn pob beirniad am yr hyn sy'n gwneud nofel dda yn amrywio rhyw gymaint. Mae'n ddiau y gellir casglu pa bethau y mae Dr John Rowlands a minnau'n eu cyfri'n rhinweddau ac yn feiau mewn nofel oddi wrth ein sylwadau ar y naw ymgais a dderbyniwyd eleni.

Un peth y carwn i'i ddweud ar y dechrau fel hyn. Nid yw pum cant o bunnau'n wobr fawr heddiw am lafurwaith ysgrifennu nofel, ond mae gymaint yn fwy na'r gwobrau a gynigiwyd am nofel mewn eisteddfodau blaenorol nes ei bod, yn anochel, wedi denu nifer da o nofelau, ac amryw o'r rheini – yn anochel eto, mae'n debyg – ymhell islaw safon yr Eisteddfod Genedlaethol. Ond am y goreuon, mae'r rheini cystal, o leiaf, â dim a ddarllenais i mewn cystadleuaeth erioed, ac wedi llwyr gyfiawnhau cynnig y wobr newydd hon.

Gwobrwywyd Cymydmaen *(Alun Jones), a chyhoeddwyd ei nofel fuddugol, 'Ac Yna Clywodd Sŵn y Môr', yn 1979.*

Cystadleuaeth: Dwy bennod o gyfieithiad o'r gwreiddiol o unrhyw un o'r nofelau hyn: 'Das Schloss', Kafka; 'Il Gattopardo', Giuseppe di Lampedusa; 'Thérèse Desqueyroux', Mauriac. Caernarfon 1979.
Cyd-feirniad: Glyn Tegai Hughes.

Ar yr olwg gyntaf, achos dathlu yw bod cynifer â dau ar hugain o gyfieithwyr wedi llafurio at y gystadleuaeth hon.

    *   *   *   *

Bu chwech yn ddigon dewr i ymgodymu â *Das Schloss* Kafka.
Rhaid canmol y chwech am fentro ar dasg mor anodd ac ymdrechu mor lew i'w chyflawni. Gobeithio iddynt gael budd o'r profiad, a rhywfaint o bleser. Ysywaeth, yn fy marn i, nid oes yr un o'r chwech wedi llwyddo i roi inni ddwy bennod wir ddarllenadwy, heb sôn am afaelgar, o nofel fawr Kafka yn Gymraeg.
'Roeddwn i'n disgwyl i fwy o gystadleuwyr ddewis *Thérèse Desqueyroux*, nid yn unig am fod mwy o Gymry'n gyfarwydd â'r Ffrangeg ond hefyd am fod penodau Mauriac yn fendithiol o fyr. Ond nid yw yntau'n hawdd ei gyfieithu o bell ffordd. Mae ei arddull gynnil, glòs a'i ymadroddi cryno, llwythog yn gofyn ymdriniaeth ofalus iawn, a dyfeisgar yn aml. At hynny, mae termau technegol a rhanbarthol (termau hela sguthanod, er enghraifft) a'r 'presennol hanesyddol' Ffrangeg a all ddarllen mor chwithig yn Gymraeg o'i drosi'n beiriannol gryno, yn her i adnoddau unrhyw gyfieithydd. Ond mi dderbyniais naw cyfieithiad o ddwy o'r penodau byrion cyfoethog hyn.

    *   *   *   *

Dau gyfieithiad yn unig o *Il Gattopardo* a dderbyniais i, ac mae gen' i barch i'r cystadleuwyr a chryn gydymdeimlad â nhw. Er mai nofel weddol fer yw 'Y Llewpart', mae rhai o'r wyth bennod sy ynddi'n faith iawn o'u cymharu â phenodau'r ddwy nofel arall. Fe fyddai trosi un yn ddigon o dasg ar gyfer y gystadleuaeth hon; 'roedd trosi dwy yn golygu llafur go fawr.

Mae eisiau calon llewpart i fynd i'r afael â rhyddiaith fawreddog, soniarus Lampedusa a'i throsi'n Gymraeg naturiol darllenadwy, heb golli gormod o'i rhin. O'i dynwared fel y mae, byddai'n chwyddedig, yn fursennaidd felly, yng Nghymraeg heddiw. Ond o'i naddu'n gymalau a brawddegau syml, sionc, fe gollid llawer o'i hurddas, a llawer o'i direidi a'i choegni cyfrwys hefyd. Anodd iawn yw taro ar lwybr canol teg ac osgoi geiriogrwydd beichus ar y naill law a naturioldeb di-rin ar y llall.

Fe osodwyd cryn faich arnom ni'r beirniaid yn y gystadleuaeth hon. Bach iawn yw'r wobr, ac fe allem ei dyfarnu, heb fawr o loes cydwybod, i unrhyw un o'r tri neu bedwar cyfieithydd a wnaeth waith go lew. Ond gyda'r wobr fechan hon fe roddir comisiwn i'r buddugwr i drosi gweddill ei ddewis nofel. A chlymu Cyngor Celfyddydau Cymru i dalu'r comisiwn hwnnw. A'r cyfieithiad arobryn, wedi'i gwblhau, fydd y cyfieithiad safonol o un o'r tri chlasur hyn yn yr iaith Gymraeg. Mae'r rhagolwg yna'n sobri rhywun. Byddai llawer o waith golygu – ac ailysgrifennu'n aml – ar y goreuon, hyd yn oed, ymysg y cyfieithiadau hyn, a byddai'n rhaid mynd ar ofyn rhyw olygydd neu olygyddion cymwys ond prin eu hamser i wneud y gwaith diddiolch hwnnw.

Wedi dweud hynna, rhaid imi eto ddatgan fy modlonrwydd – a'm syndod, yn wir – fod cynifer o'm cyd-Gymry wedi cyfieithu darnau o lenyddiaeth fawr o dair iaith dramor ac wedi anfon eu hymdrechion i'r gystadleuaeth hon. Ac mi garwn bwyso ar y rhai mwyaf addawol i ddyfalbarhau gyda chyfieithu ac i ymgysylltu ar unwaith â Swyddog Cyfieithu'r Cyngor Llyfrau Cymraeg, os nad yw eu henwau eisoes ar ei restr.

Ond at y dyfarniad. A oes un o'r ddau ar hugain hyn y gellir ei wobrwyo? Ym marn Dr. Hughes a minnau, y mae un cyfieithydd wedi cyflwyno trosiad addawol o ddwy bennod, sef y bumed ran o leiaf, o *Il Gattopardo*. Er bod gwaith mawr i'w wneud ar ei Gymraeg, mae'n cyfieithu'n ddiogel, yn ddyfeisgar ac yn ddiddorol, ac fe ellir ymddiried iddo'r dasg o drosi'r nofel gyfan.

Gwobrwywyd **Cumiana** *(Heledd Hayes), a chyhoeddwyd ei chyfieithiad cyflawn, 'Y Llewpart', yn ddiweddarach.*

Cystadleuaeth Nofel: Cyfyngedig i rai sydd heb gyhoeddi nofel hyd yn hyn. Abertawe a'r Cylch 1982.

'Rwy'n falch o gael bod yn feirniad y gystadleuaeth hon. Nid bob amser y gall beirniad ddweud hynny. Syniad rhagorol oedd gosod cystadleuaeth o'r fath, ac fe ddylid ei gosod bob rhyw dair neu bedair blynedd yn gyson. Fe fu'n ffrwythlon eleni – o'm safbwynt i, beth bynnag. Fe gefais bedair nofel i'w darllen, a 'does dim un o'r pedair yn wael . . .

Astudiaeth yw'r nofel orau o gymeriadau Rhian a'i mam a'r berthynas rhyngddynt. Mae'r gymeriadaeth yn dangos treiddgarwch aeddfed, ac uchelgais y fam a gwrthryfel y ferch wedi'u corffori mewn stori afaelgar iawn. A Rhian gartref ar wyliau Nadolig o'r coleg, daw'r newydd fod tŷ haf wedi'i losgi yn yr ardal. Amheuir Rhian ar unwaith am fod ganddi 'record' eithafol: record bur ddiniwed, a dweud y gwir, ond mae'n ddigon i'r heddlu. Mae effaith yr hyn sy'n digwydd yn ystod y dyddiau dilynol – ei effaith ar Rhian a'i mam a'i thad – yn ddramatig, heb fod yn felodramatig, fel y gallasai fod mor hawdd.

Yn ogystal â chymeriadaeth dreiddgar a stori gref, mae i'r gwaith hwn rinwedd arall. Fe'i sgrifennwyd yn ddawnus. Mae'r rhannau sy mewn tafodiaith yn dafodieithol iawn, a braidd yn chwithig yw'r ambell ffurf lenyddol sy'n disgyn i'w canol. Nid yw Cymraeg y gwaith yn ddifrycheulyd, ond mae'n cyrraedd lefel dderbyniol o gywirdeb o'm safbwynt i. Ac mae *Albro*'n llenor; hynny sy'n bwysig. Dyma nofel sy'n rhoi pleser llenyddol yn ogystal â'r pleser mwy arwynebol a geir o ddarllen 'stori dda'.

Gwobrwyd Albro *(Angharad Dafis), a chyhoeddwyd ei nofel fuddugol, 'Rhian', yn fuan wedyn.*

Cystadleuaeth Y Fedal Ryddiaith: Nofel Fer, Ynys Môn 1983. Cyd-feirniaid: Branwen Jarvis, R. Geraint Gruffydd.

Wedi i'r tri ohonom ddarllen y ddwy nofel ar hugain a anfonwyd i'r gystadleuaeth a'u trafod gyda'n gilydd, fe gytunwyd mai'r ffordd hwylusaf i ymdrin â chynifer fyddai i'r Dr. Geraint Gruffydd a minnau eu rhannu rhyngom a chyfrannu i'r feirniadaeth hon sylwadau ar un ar ddeg yr un, gan adael i Mrs.

Branwen Jarvis wneud y tafoli terfynol a chyhoeddi ein dyfarniad.

Fe'n boddhawyd yn fawr yn ansawdd y cyfansoddiadau. Mae Cymraeg nifer helaeth ohonynt yn rhagorol a'u hamgyffred o grefft nofel yn codi calon dyn. Hon yw'r gystadleuaeth orau – yn ogystal â'r fwyaf toreithiog – y bûm i'n ei beirniadu yn yr Eisteddfod Genedlaethol.

Gŵr y Graith: 'Y Pabi Coch'. Fe gyfarfuom o'r blaen â rhai o gymeriadau'r nofel hon megis Huw Afon Wen, Meri Cocos a Saunders, mewn nofel a gyhoeddwyd flynyddoedd yn ôl.[1] Clod i ddyfeisgarwch yr awdur yw iddo leoli nofel arall ffres yn yr un ardal a'i phoblogi â rhagor o drigolion lliwgar yr un gymdeithas. Mae'r cymeriadau'n neidio'n fyw o'r tudalennau a'r arddull yn gwreichioni gan drosiadau a chymariaethau sydyn yn nhafodiaith arfordir Sir y Fflint.

Gorchest o greadigaeth yw'r prif gymeriad, Twm, ac mae realaeth lem y gwaith a'i naws chwerw-ddychanol yn ymlid dyn am oriau ar ôl ei ddarllen. Dyma olwg ysgytiol ar fyw a marw, ar y pethau darfodedig a'r pethau sy'n para. Ni allaf ychwanegu dim at hynyna ond hyn: profiad prin oedd darllen y nofel hon. 'Rwy'n gyndyn iawn i ddefnyddio'r gair 'athrylith', ond 'rwy'n siŵr fod peth o'r gynneddf anniffiniol honno yn y sgrifennwr hwn.

Gwobrwywyd Gŵr y Graith (T. Wilson Evans), a chyhoeddwyd ei nofel fuddugol, 'Y Pabi Coch', ar faes yr Eisteddfod.

[1] 'Trais y Caldu Mawr', T. Wilson Evans, Gwasg Gee, 1966.

Cystadleuaeth: Testun Arbennig Llys yr Eisteddfod Genedlaethol: Gwobr Goffa Daniel Owen: Nofel heb ei Chyhoeddi. Ceredigion : Aberystwyth 1992. Cyd-feirniaid: R. Cyril Hughes, M. Wynn Thomas.

Bu beirniaid y gystadleuaeth hon yn Eisteddfod 1990 yn ffodus; pedair nofel i'w darllen ac un deilwng iawn yn eu plith. Llai ffodus o dipyn fu'r beirniaid ym Mro Delyn y llynedd: un nofel yn unig, a gorfod atal y wobr. Cyd-rhwng y ddau deulu yr ydym ni eleni. Dwy nofel. Ni ddywedaf fwy ar y funud.

Mae'n amlwg mai o don i don yr â cystadleuaeth Gwobr Goffa Daniel Owen. Ymchwydd calonogol bob rhyw dair neu bedair blynedd, a gwastadrwydd afloyw rhyngddynt. Nid yw hynny'n achos digalonni mewn cymuned iaith mor fechan a'i nofelwyr o ddifri mor brin. Ond mae'r Fedal Ryddiaith eleni eto yn cystadlu â Gwobr Goffa Daniel Owen wrth ofyn am nofel, a bydd nifer o'n nofelwyr newydd yn mynd am gyhoeddusrwydd seremoni'r Fedal yn hytrach nag am arian mwy sylweddol y wobr hon. Mae'n dda gweld, fodd bynnag, mai am 'nofel' y gofynnir y tro hwn yn y gystadleuaeth hon, nid am 'nofel hir'. Diolch i bwy bynnag a awgrymodd y gwelliant ac i'r Pwyllgor a'r Panel a'i derbyniodd.

*   *   *   *

Wedi rhoi sylw manwl i ddwy nofel y mae eu gwendidau ar hyn o bryd yn gorbwyso'u rhagoriaethau, beth wnawn ni? Nid yw atal y wobr yn rhoi unrhyw fath o bleser i mi, nac i'm cyd-feirniaid chwaith, mi wn. Ysywaeth, nid oes dim arall y gallwn ei wneud, os ydym i warchod safon uchel y gystadleuaeth hon.

Cystadleuaeth Y Fedal Ryddiaith: Cyfrol o ryddiaith greadigol ar y thema: Y Canol Llonydd. Meirion a'r Cyffiniau 1997.
Cyd-feirniaid: Marion Eames a Robin Llywelyn.

Bu'r gystadleuaeth eleni yn un nodedig, a phleser oedd beirniadu'r cynhyrchion. (Cystadlodd ugain; bu'n rhaid dyfarnu bod un wedi ei dorri ei hun o'r gystadleuaeth.)

Mae'r pedwar cystadleuydd ar bymtheg arall yn ymrannu'n dri dosbarth. Nid yw fy nhri dosbarth i yn cyfateb bob tro i eiddo fy nau gydfeirniad. Dyna pam y gwelwch yn y *Cyfansoddiadau a'r Beirniadaethau* yma fod pob un ohonom yn ei dro yn ymhelaethu ar ryw hanner dwsin o'r cystadleuwyr ac yn rhoi nodyn byr ar y lleill

(Oherwydd peth camddyfynnu a fu ar fy sylwadau ar y gwaith buddugol, rhoddir y sylwadau gwreiddiol yma.)

Cnonyn Aflonydd: 'Wele'n Gwawrio.' Dyma ddyddiadur Ennyd, 39 mlwydd oed, o Ddydd Nadolig hyd Nos Galan 1999. Yn ôl Ennyd, mae hen goel gwlad yn dweud bod rhywun sy'n marw ar eiliad olaf mileniwm yn enaid dethol iawn, fel y caiff weld ar ôl marw. Mae'r hen goel yn ganolog i'r stori ryfeddol a adroddir yn y dyddiadur. Ni allaf ddatgelu dim mwy ar y stori ond medraf ddweud ei bod wedi'i hadrodd yn amheuthun o ddawnus.

Mae'r criw bach o ffrindiau Ennyd ymysg y cymeriadau mwyaf byw a diddorol y deuthum i ar eu traws mewn llyfr erioed, ac mae dychan y Cnonyn Aflonydd ar wleidyddiaeth gyfoes Cymru, ar ei chapelyddiaeth, ar S4C ac, yn wir, ar bron bob 'buwch gysegredig' sy gan ein cenedl ni, yn torri i'r byw ac eto, yn rhyfedd iawn, heb glwyfo. Mae ei lygad a'i glust ar waith bob munud – fel hyn: 'Hon (siop lyfrau Rasmws) oedd yr unig un hefyd i beidio cael enw gwirion megis y Droell, y Dresel, y Siswrn, y Sasiwn, y Pethe, y Pentan, y Pyntars . . .' 'Er mor fawr ydoedd (Rasmws) roedd o bron o'r golwg yng nghanol pentyrrau o *Barn, Tafod, Goleuad, Golwg, Go Lew, Tu Chwith, Tu Hwnt . . .*'

Mae rhai newyddiadurwyr Saesneg yn fedrus iawn yn y math yna o hiwmor geiriol, ond mae'n beth prin iawn yn y Gymraeg. Ond nid dyna'r unig fath o hiwmor sydd gan y Cnonyn Aflonydd yma. Am ei hiwmor du, bydd hwnnw'n gogleisio'r sawl sy'n medru chwerthin heb gymryd tramgwydd, ac mae ei ffraethineb amharchus, iach, yn lles i'r neb sy'n cymryd bywyd ormod o ddifri'. A bu darllen stori Ennyd yn ysgytiad i'r tri ohonom. Nid oedd pob un ohonom yn sicr fod y diweddglo'n iawn, ond gadawn i'w darllenwyr farnu am hynny drostynt eu hunain.

Yn fy marn i, mae gwaith pob un o'r pump a osodais yn y dosbarth cyntaf (*Cannwyll yn Olau, Ffrwdgrech, Gwawr Nosi, Rhiwben* a *Cnonyn Aflonydd*) yn deilwng i'w gyhoeddi. Ond mae pob un ohonom yn unfryd unfarn mai *Cnonyn Aflonydd* biau'r Fedal eleni, a phob clod ac anrhydedd sydd ynglŷn â hi.

Gwobrwywyd Cnonyn Aflonydd (Angharad Tomos), a chyhoeddwyd ei nofel fuddugol, 'Wele'n Gwawrio', ar faes yr Eisteddfod.

Tu Draw i'r Drws

Comisiynwyd gan Is-Bwyllgor Llefaru Eisteddfod Genedlaethol Casnewydd 1988

Pryd y buost ti ddiwethaf wrth y drws? Fuost ti ddoe? Echdoe? Fis yn ôl? Dywed y gwir: fuost ti ddim yn agos ato ers blynyddoedd.

Wyt, wrth gwrs, rwyt ti'n cerdded trwy ddrysau bob dydd. I'r rheini ohonon ni sy'n gallu mynd a dod, cerdded trwy ddrysau ydi bywyd. O'r funud yr wyt ti'n agor dy ddrws ffrynt yn y bore hyd yr eiliad yr wyt ti'n ei gau am y tro olaf yn y nos, rwyt ti wedi cerdded trwy ddegau o ddrysau o bob math, heb feddwl ddwywaith.

Ond nid am ddrysau fel yna'r ydw i'n sôn. Sôn yr ydw i am y drws sydd yng nghanol dy fywyd di, yng nghanol bywyd pawb. Y drws nad yw byth yn agor, na all neb ei agor, hyd yn oed y lleidr cyfrwysaf ei law.

Fe ddaethost ti drwyddo unwaith, ond wyddet ti mo hynny. Roeddet ti'n rhy ifanc i wybod. Roeddet ti wedi dysgu cerdded, ac wedi dechrau siarad. Ac un diwrnod fe deimlaist air newydd sbon yn cosi dy dafod: y gair bach ffrwydrol, 'fi'. Wrth ynganu'r 'fi' cyntaf hwnnw fe ddest ti drwy'r drws, ac fe'i caewyd yn dynn ar dy ôl. A fedraist ti byth ddychwelyd drwyddo wedyn.

Rwyt ti'n gofyn, 'Beth sy tu draw i'r drws?' 'Wn i ddim yn iawn. 'Ŵyr neb i sicrwydd. Ond un peth sydd yno ydi gardd. Ac yn yr ardd honno mae blodau na welodd llygad Dyn mo'u tebyg, hyd yn oed yng ngerddi crog Babilon, a'u haroglueon yn ymgymysgu'n feddwol yn awyr y lle. Mae haul diamser yno, yn dawnsio yn y ffrydiau grisial. Yno mae'r lleuad yn gweld ei llun yn y llynnoedd lili. Ac mae'r llwybrau yno wedi'u palmantu â'r sêr.

Dwyt ti ddim yn cofio dy ddyddiau yn yr ardd. Roedden nhw'n rhy fyr, cyn iti fagu cof. Ond mae dy galon di'n cofio. All *hi* ddim anghofio byth. Dyna pam y mae hiraeth arni'n fynych, hen hiraeth oesol y ddynol-ryw am wlad sydd well. Hiraeth yw hwn am y trysor y buost ti'n chware ag ef â bysedd baban, a rhyfeddu baban lond dy lygaid.

Fe fu Adda ac Efa yn yr ardd, yn byw'n ddiddig ddiofal nes eu troi ohoni am flasu ffrwyth y byd. Neu, os mynni di, pan gollodd Dyn ei ddiniweidrwydd wrth adael y coed a'r creigiau a chodi dinasoedd er ei ogoniant ei hun, fe gollodd ei baradwys am byth. Faint bynnag y chwiliodd amdani wedyn, ar dir, ar fôr, yn yr awyr, ni ddaeth byth o hyd iddi. A 'dyw'r ysfa sy'n ei yrru i'r gofod heddiw yn ddim ond ei hen, hen hiraeth am yr ardd. Ond 'dyw'r ardd ddim ymhlith y sêr.

Efallai, ryw ddydd, yr ei dithau i chwilio amdani. Os ei di, fydd y ffordd ati ddim yn rhwydd. Mae hi mor bell erbyn hyn, a'r llwybr ati mor faith. Mae'r llwybr hwnnw wedi'i dagu gan wreiddiau a'i ddrysu gan gangau: gwreiddiau a changau'r Hunan mawr sy'n estyn ei balfau dros bopeth.

Oes neb, felly, yn gallu mynd at ddrws yr ardd? Neb o gwbwl? Oes, mae yna rai. Rwyt ti wedi cyfarfod ag ambell un, ac wedi dymuno, mae'n siŵr, yn nwfn dy galon, am gael bod yn debyg iddyn nhw.

Trwy fawr ddyfalwch mae'r eneidiau dethol hyn yn llwyddo i gael ffordd dros y gwreiddiau a than y cangau, rhwng y drain a'r drysi, trwy fforest gordeddog yr Hunan, i olwg y drws. Er na chân nhw fynd drwyddo, fe allan' fynd yn ddigon agos i deimlo awelon yr ardd, i glywed ei hadar hi a murmur ei haberoedd. A phan ddôn nhw'n ôl i gerdded eto trwy ddrysau'r byd, mae arogleuon yr ardd ar eu dillad; mae'i goleuni hi yn eu llygaid a'i miwsig hi yn eu llais.

Cymer dithau hamdden ryw dro. Gwrando ar hiraeth dy galon. Ac fe deimli di'r ardd yn dy dynnu tuag ati. Os bydd dy hiraeth yn ddigon taer, fe gei dithau lwybr i lawr trwy'r blynyddoedd o dyfiant sy wedi ymgordeddu o gylch dy galon. A siawns na weli di'r drws. Oeda yno, a gorffwys, a thyn anadl ddofn. Fe ddaw awelon yr ardd dros y muriau i fywiogi d'ysbryd di, a bydd goleuni'r diniweidrwydd coll o'th gwmpas ym mhobman.

Ydi'r drws hwn byth yn agor? I neb? Ddim tra pery bywyd. Ond pan ddaw bywyd i ben, a'r byd a'i bethau wedi ymbellhau, mae hyd yn oed y drws diagor hwn yn agor unwaith – i bawb. Mae'r hyn sydd i'w weld y tu draw iddo'n ddychryn i rai, ond i eraill yn fendigedig. Yr hyn sydd yno, yn syml, yn glir yn y golau gwell, yw'r diniweidrwydd a gollwyd gynt.

IV

Ffuglen Wyddoniaeth: Stori

Y Golau Estron

Tybiwyd bod yr amser wedi cyrraedd i Y Gwyddonydd arbrofi gyda stori ffuglen wyddonol, ac i wneud hyn fe aethom at ein nofelydd mwyaf llwyddiannus, Islwyn Ffowc Elis. Afraid yw ei gyflwyno i ddarllenwyr Cymru, sydd yn sicr wedi mwynhau darllen ei ysgrifau a'i nofelau, a gwrando ar ei raglenni gafaelgar a'i ddramâu difyr ar y radio a'r teledu. Ysgrifennodd y stori hon yn arbennig i Y Gwyddonydd, a rhoddodd i'r gwaith holl awdurdod ei safonau proffesiynol. Yr ydym yn dra diolchgar iddo am ei ateb parod a phrydlon.

–Golygydd

'Un bach eto cyn cychwyn, John?'

'Dim diolch, Bernard. Wedi cael hen ddigon. Mae gen i ddeugain milltir o yrru o 'mlaen, cofia.'

'Wel, ti ŵyr. Cymer ofal dros y mynydd 'na. Un o'r ychydig ffyrdd unig sy ar ôl yng Nghymru bellach.'

'Mi gymra i ofal. Wel, fechgyn, rydw i'n mynd, beth bynnag amdanoch chi.'

'Rydyn ni i gyd yn mynd, John,' meddai Bryn Lewis. A chododd y cwmni bach i chwilio am eu cotiau.

Yn y drws, wrth ymadael, fe drodd y Dr. John Parry at y lleill.

'Diolch yn fawr ichi, fechgyn, am ddod o'ch conglau i roi'r fath groeso'n ôl imi.'

'Ni ddyle ddiolch i chi, Parry,' meddai'r Athro Charles, 'am ddangos i'r byd fod 'na wyddonwyr yng Nghymru. Nid bob blwyddyn y mae Cymro'n ennill Gwobr Nobel.'

Y tu allan i'r drws, safodd John Parry'n sydyn.

'Beth ydi'r gole acw?'

Craffodd y lleill ar y smotyn goleuni'n dawnsio hyd ochor y mynydd gyferbyn.

'Rydw i'n credu mai chwilole o'r gwersyll milwrol,' meddai Bernard Gwynn.

'Am beth maen nhw'n chwilio?'

'Dim syniad. Maen nhw wedi bod wrthi ers sawl noson.'

'Dwyt ti ddim wedi i holi nhw?'

113

'Pam y dylwn i? Dydi o 'n ddim o 'musnes i.'

Distawrwydd wedyn, tra bu John Parry'n gwylio'r llygedyn llachar yn gwibio rhwng y creigiau. Yn y man, dywedodd,

'Nid gole cyffredin ydi 'nacw. Mae'n anhraethol feinach a chryfach nag unrhyw chwilole milwrol.'

Trodd y lleill mewn syndod. Am ei waith mewn Opteg y cafodd John Parry Wobr Nobel.

'Beth yw e 'te, Parry?'

'Laser o ryw fath. Ond mae rhywbeth o'i gwmpas o 'n ddiarth i mi. Weles i ddim goleuni'n hollol yr un fath â hwnna erioed. Mae'n ymddwyn yn od. A ph'un bynnag, pwy fase'n chware laser ar fynyddoedd canolbarth Cymru? E? I beth? Mi wn i am bob gwaith arbrofol mewn goleuni yma ar y Ddaear. Ond beth ydi *hwn*?'

Trawodd Parry'i het am ei ben.

'P'un bynnag, does gen i ddim amser i edrych arno heno. Rhaid imi gychwyn i gynhadledd ym Mharis ben bore fory. Cadw lygad ar y gole 'na, Bernard. Mi 'ffonia i atat ti pan ddo i'n ôl o Baris. Ac os bydd y gole'n parhau, mi ddo i fyny eto i'w weld o'n iawn. Wel, fechgyn, da boch.'

'Da boch, Parry. Pob hwyl ym Mharis!'

Cododd Parry'i law drwy ffenest ei gar. Chwifiodd Bernard Gwynn yn ôl. Fe gâi weld ei gyfaill eto'n fuan, felly. Ardderchog. Bychan a wyddai nad oedd hynny i fod.

*   *   *   *

Deffrodd y Dr. Bernard Gwynn yn sydyn. Y teleffon yn canu. Estynnodd ei law o'r gwely a chodi'r teclyn.

'Bernard?' Llais merch.

'Yn siarad.'

'Gwyneth Parry sy 'ma.'

Gwyneth Parry? meddyliodd Bernard. Gwraig John?

'Ydi John yna?' gofynnodd hi.

'Yma? Nag ydi, wir, Gwyneth bach. Fe aeth odd'ma tua . . . chwarter wedi un ar ddeg. Ar i ffordd adre mae o 'n siŵr. Faint ydi hi rŵan?'

'Hanner awr wedi pedwar.'

'Beth!'

Tynnodd Bernard gordyn y golau ac edrych ar ei wats. Hanner awr wedi pedwar. Fe ddylsai John fod gartref ers teirawr, o leiaf.

114

'Edrychwch, Gwyneth. Peidiwch â phoeni. Mae'n siŵr mai wedi stopio'r car i gael cyntun ar y ffordd y mae o. Roedd o'n edrych dipyn yn flinedig wrth gychwyn –'

'Ond mae o'n gorfod mynd i Baris fory – heddiw bellach –'

'Mi wn i. Ond fe fydd John gartre mewn pryd, fe gewch chi weld. Er mwyn tawelwch ichi, mi ddo i acw rŵan. Ac os gwela i John yn cysgu ar y ffordd, mi ro i sgytiad reit dda iddo. Iawn? A chlywch, Gwyneth. *Peidiwch â phoeni.*'

Hawdd dweud hynny, meddai Bernard wrtho'i hun, wrth roi'r ffôn yn ôl. Yr oedd yn poeni'i hunan. Dros bum awr er pan adawodd Parry'r tŷ. Yr oedd rhywbeth o'i le.

Taflodd ddŵr oer dros ei wyneb, a gwisgo amdano. Yna, fe gafodd syniad. Cododd y 'ffôn, a galw Bryn Lewis. Yr oedd hwnnw'n bur ddrwg ei hwyl nes clywed y newydd. Ond fe gytunodd yn barod iawn i gwrdd â Bernard hanner ffordd. Cododd Bernard y 'ffôn eilwaith, a galw'r atomfa.

'Watkins? Efalle na fydda i ddim i mewn erbyn naw yn y bore. Newch chi roi gwybod i'r swyddfa? Llawer o ddiolch. Da boch.'

Ac yn awr, meddai, yr ymchwil. Diolch fod Bryn yn dod. 'Doedd dim achos arswydo, yn siŵr, ond . . . wel, ar achlysur fel hwn yr oedd dwy galon yn well nag un.

*   *   *   *

Gwelodd Bernard y car â'i drwyn yn y clawdd, a'i lampau'n dal yn olau. Nid wedi methu troi trofa yr oedd: 'roedd y ffordd yn union fel bwled yn ôl ac ymlaen. A 'doedd dim arwydd fod cerbyd arall wedi'i daro. Yr oedd fel petai John Parry wedi troi'n sydyn i osgoi rhywbeth. Ond beth?

Gadawodd Bernard lampau'i gar ei hunan ynghyn, a cherdded i archwilio car ei gyfaill yn fanylach. Disgwyliodd ei weld yn gorff wrth y llyw. Ond pan ddaeth at y car fe ddaliodd ei anadl. 'Doedd John Parry ddim ynddo.

Pan oedd ar fin agor y drws ac edrych i mewn, fe glywodd sŵn car arall. Safodd hwnnw yn ei ymyl, a daeth Bryn Lewis ohono.

'Fûm i rioed yn falchach o dy weld di, Bryn.'

'Ddrwg gen i fod mor hir. Be ddigwyddodd? Ydi Parry wedi'i . . . ?'

'Wedi diflannu. Dyna'r cyfan wn i.'

115

Archwiliodd y biocemegydd y car mawr yn frysiog. Safodd yn stond, yn rhythu ar y ffenest ar ochor y gyrrwr.

'Edrych ar hwn, Bernard.'

Edrychodd Bernard. Er iddo sefyll o fewn modfeddi i'r ffenest hon gynnau, nid oedd wedi sylwi ar y twll. Yn awr y gwelodd ef. Twll perffaith grwn yn y gwydr, digon mawr i roi dwrn drwyddo. Yr oedd ei ymylon yn llyfn, a 'doedd dim crac na chrychni yn unman arall ar y ffenest.

'Beth yn y byd alle fod wedi gneud twll fel hwn, Bryn?'

'Wn i ddim. Mae fel petai wedi'i neud gan ryw . . . belydryn.'

'Pelydryn!'

Agorodd Bryn Lewis y drws a goleuo fflachlamp i du mewn y car. Syllodd ar y sedd lle bu John Parry'n eistedd. Yr oedd rhyw staen ysgafn arni, fel staen llosgi, ond heb losgi'r lledr chwaith. Ond yr oedd y staen ar ffurf dyn.

'Trugaredd annwyl.' Sychodd Bernard y chwys oer ar ei dalcen. 'Dyma beth yr oedd John druan yn ceisio'i osgoi.'

'Osgoi?'

'Fe welodd . . . beth bynnag oedd o . . . ar y ffordd o'i flaen. Fe drodd 'i gar, ac fe ddaeth y peth amdano drwy'r ffenest ochor.'

'Ond os pelydryn o ryw fath oedd o, alle neb droi car yn ddigon cyflym i'w osgoi —'

'Gwylia!'

Tynnodd Bernard ei gyfaill i lawr i'r ddaear. Ysgubodd edau fain, danbaid o oleuni dros eu pennau ac ar draws y rhos. Gwyliodd y ddau hi'n chware ar ochor y mynydd.

'Dyna'r gole welson ni neithiwr!' anadlodd Bryn.

'Hwnna'r oedd John yn ceisio'i osgoi', meddai Bernard.

'John druan!'

Beth *ydi* o? O ble mae o'n *dod*? Yr oedd y cwestiynau atblyg yn berwi yn eu pennau, ond cyn iddyn nhw allu'u lleisio dyma'r goleuni gwynias yn saethu drachefn i lawr y mynydd ac yn sefyll yng ngrug y rhos ryw ganllath i ffwrdd. Ac yna, cyn gynted ag y daeth, fe ddiffoddodd.

Am funud, yr oedd eu llygaid mor ddall â phe baen nhw wedi syllu'n ddi-wydrau ar yr haul. Yna fe gododd Bryn.

'Rydw i'n mynd i gael golwg ar y patsh grug 'na lle diffoddodd o.'

'Paid â bod yn ffŵl. Fe all ddod eto.'

'Gall. Ond mae'n rhaid imi gael gweld. Fe all roi cliw i beth ddigwyddodd i John.'

Gan ddilyn golau'i fflachlamp, rhedodd Bryn Lewis drwy'r grug a'r glaswellt mynydd draw tua'r llecyn. Dilynodd Bernard, a'i goesau fel dŵr odano. Ond cyn iddo gyrraedd, safodd Bryn, a dechrau cilio wysg ei gefn.

'Sa' draw, Bernard! Paid â dod ddim nes!'

Ond yr oedd Bernard yn ddigon agos i weld. Yng ngolau'r fflachlamp fe'u gwelodd nhw, ddegau ohonyn nhw. 'Roedden nhw'n llai na marblis, ac eto'n ddigon tebyg, yn hanner rowlio, hanner llithro drwy'r grug. Ac yn disgleirio yng ngolau'r fflachlamp fel . . . fel llygaid.

'Beth ydyn nhw, Bryn?'

'Duw a ŵyr.'

Yr oedd Bernard yn crynu drosto erbyn hyn. Yna fe gydiodd Bryn yn ei fraich. Rhythodd y ddau. Yr oedd un o'r pethau wedi cydio mewn un arall, a'r ddau wedi toddi'n un. Yna fe lynodd trydydd ynddyn nhw, a phedwerydd, a phumed. 'Roedden nhw'n dod o bob cyfeiriad, y 'llygaid' anghynnes yma, ac yn ymdoddi i'w gilydd yn un Peth meddal, sgleiniog, byw.

'Y nefoedd fawr, wyddost ti beth ydyn nhw, Bernard?'

'Beth?'

'Celloedd. Rhyw fath o brotoplasm arallfydol, yn gallu byw'n annibynnol ac eto'n gallu ffiwsio i'w gilydd. Rydw i am gymryd un neu ddau . . . i'w gweld nhw dan y meicrosgop –'

'Gwell iti beidio –'

'Pam? Maen nhw'n edrych yn ddigon diniwed. Dim ond sbesimen neu ddau . . .'

Yr eiliad y cydiodd Bryn Lewis yn un o'r 'celloedd', fe oleuodd y rhos. Gwelodd Bernard y pelydryn ofnadwy'n ysgubo dros y grug ac yn taro'i ffrind. Dim ond am ran o eiliad y parhaodd y cyfan, ond fe welodd Bernard y peth yn digwydd am wythnosau wedyn yn ei gwsg. Nid cael ei faporeiddio a wnaeth Bryn, ond cael ei dynnu, ei sugno rywfodd, i mewn i'r pelydryn erchyll. Ac yna, tywyllwch.

Yn ddall unwaith eto, ac wedi'i barlysu gan fraw a thrallod, fe ymladdodd Bernard â'r tywyllwch. Pan ddaeth ei lygaid i weithio eto fe welodd fflachlamp ei ffrind ar lawr, ac yn ei golau, wedi tyfu erbyn hyn gymaint â gwaedgi, yr oedd Y Peth. Y cyfuniad arswydus o'r 'llygaid' bach a oedd yn dod, ac yn dal i ddod, drwy'r grug, yn glynu wrth ei gorff meddal, sgleiniog ac yn ei chwyddo'n fwy bob eiliad. Gwelodd Bernard un rhan o'r Peth yn ymestyn fel pen, a rhannau eraill yn ymwthio allan fel aelodau. Ni allodd ddal yn hwy. Gan fentro'i fywyd, cipiodd y fflachlamp oddi ar lawr a rhedeg nerth ei draed yn ôl tua'r ffordd a chlydwch ei gar.

*   *   *   *

'Mae'n ddrwg gan 'y nghalon i, Gwyneth.'

'Ond alla i ddim derbyn y peth, Bernard, alla i ddim! Ble mae o? Ble mae'i gorff o? Os ydi o wedi marw, a fedra i ddim credu hynny mor sydyn, mae'n rhaid fod 'na gorff i'w gladdu. Mae gen i hawl i'w gorff o!'

Fe wyddai Bernard mai ofer oedd ymresymu â hi. 'Allai hi ddim deall. 'Doedd o ddim yn deall ei hunan. Dau gyfaill iddo wedi diflannu mewn noson. Dyna'r unig ffaith oedd ganddo i gydio ynddi. Sut y diflannodd y ddau, a pham – 'doedd ganddo ddim ateb i hynny, er iddo weld â'i lygaid ei hun.

Yr oedd bod John wedi mynd yn ergyd enbyd. Ond Bryn hefyd . . . Petai heb ei alw ar y 'ffôn, fe fyddai Bryn yn dal i gysgu yn ei wely y funud hon. Yn dawel, ddiofidiau. Fe ddylai deimlo'n euog. Ond ni allai deimlo dim. Dim ond braw glas wedi caledu'n lwmp y tu mewn iddo.

Edrychodd ar Gwyneth Parry, a'i phen gwinau tonnog yn ei dwylo, yn ceisio wylo, ac yn methu. Ac nid hi oedd yr unig weddw newydd heno.

'Clywch, Gwyneth. Rhaid imi fynd i drio torri'r newydd i wraig Bryn Lewis. I drio . . . Duw ŵyr be ddweda i wrthi. Wedyn, mi ddo i'n ôl i gadw cwmni ichi.'

'Bernard?'

'Wel?'

'Ydych chi'n credu mewn byd arall?'

'Byd arall . . .?' Aeth yn oer drosto. 'Nid y byd arall rydych *chi'n* meddwl amdano, Gwyneth.'

Brysiodd o'r tŷ, a gweld y wawr yn torri, fel gwaed ar dân.

*   *   *   *

'Dwy farwolaeth sydyn, a dim un corff. Dyw e ddim yn gneud synnwyr.'

'Nag ydi, Inspector,' meddai Bernard.

118

Am ba hyd yr oedd yr holi seithug yma i barhau?

'Rŷch chi mewn sefyllfa anffodus,' meddai'r Inspector wedyn. 'Chi welodd gar Dr. Parry, a chi oedd yr ola i weld Dr. Lewis yn fyw.'

Yr arswyd fawr, oedd yr Inspector dwl 'ma'n awgrymu'i fod o, Bernard Gwynn, yn llofrudd neu rywbeth?

'Ond Inspector, ydi'ch plismyn chi ddim wedi gweld car Dr. Parry? Welson nhw ddim byd anghyffredin ar y mynydd?'

'Fe welson nhw gar Dr. Parry, do. A riportio'r staen llosgi ar y sêt, fel roeddech chi'n dweud. Ond beth mae hynny'n i olygu?' Edrychodd yr Inspector arno'n awgrymog. 'P'un bynnag, rwy'n disgwyl adroddiad pellach unrhyw funud.'

Ar hynny, fe ganodd y teleffon. Ni ddeallodd Bernard beth yr oedd y llais cynhyrfus yn ei ddweud o'r pen arall, ond fe welodd wyneb yr Inspector yn araf newid ei liw. Wedi gwrando'n fud am rai munudau, fe ddywedodd,

'Daliwch i wylio, Powell. Rwy'n dod lan.' A rhoes y 'ffôn i lawr.

'Wel, Inspector?' meddai Bernard.

'*Out of this world*, Dr. Gwynn.' Sychodd y plisman ei dalcen â hances fawr. 'Maen nhw wedi gweld . . .'

'Beth?'

'Dau greadur anferth . . . tebyg i ddynion, ond . . . heb wyneb na dwylo na dim . . . yn symud hyd y mynydd. Nid cerdded, ond . . . symud.'

Methodd Bernard â chael geiriau. *Dau* ohonyn nhw. Dau Beth fel hwnnw a welsai neithiwr, ond . . . ar ffurf dynion.

'Ddewch chi gyda fi, Dr. Gwynn?'

'Does dim amser, Inspector. Y peth gore i mi ydi cael gair ar unwaith ag awdurdode uwch.'

'Pwy awdurdode?'

'Rhaid ichi adael hynny i mi, mae arna i ofn. Os ca i fenthyg ych teleffon chi, fe gewch chi restr o bawb y bydda i wedi siarad â nhw.'

*   *   *   *

Tridiau'n ddiweddarach. Y Weinyddiaeth Wyddoniaeth yn Llundain. Bernard yno, yn disgwyl. Disgwyl echdoe, disgwyl ddoe, disgwyl heddiw. Disgwyl am rywun gwahanol bob awr, a phob un mor ddiddeall â'i ragflaenydd.

'Ych enw chi ydi Dr . . . y . . .?'

'Gwynn.'

'Cweit so. Oes rhywun wedi'ch gweld chi?'

'Oes. Chi ydi'r pedwerydd ar bymtheg.'

'Felly. 'Rhoswch chi, rydych chi yma ynglŷn â . . .?'

'Fe ges i 'ngalw yma o Gymru i roi adroddiad ar yr ymwelwyr o blaned arall sy'n lluosogi'n gyflym ar y mynydd-dir –'

'Y . . . hanner munud. Gawn ni arfer iaith ychydig yn fwy gwyddonol? Gawn ni ddweud . . . ffenomena anesboniedig?'

'Fe gewch chi ddweud beth fynnoch chi. Y cwestiwn ydi, beth ydych chi am i wneud?'

'Cwestiwn anodd, Doctor. Mae'r mater dan ystyriaeth y Swyddfa Gartref, ond maen nhw'n dweud na allan nhw wneud dim nes cael llawer mwy o dystiolaeth. Amdanon ni . . . wel, rydyn ni'n trefnu gyda rhai prifysgolion i anfon tîm o sylwedyddion i . . . gadw golwg, gawn ni ddweud, ar y . . . ffenomena yma. Ond fe gymer rai wythnosau i gasglu tîm a chyfarpar.'

'Rhai wythnosau! Erbyn hynny, fe all y Pethau 'ma fod wedi meddiannu'r byd.'

'Dowch, dowch, Dr Gwynn. Rydych chi wedi darllen gormod o ffuglen wyddoniaeth. Wel, fe drefna i i rywun arall ych gweld chi yn y man. O, gyda llaw. Mae'r Swyddfa Gartre'n gofyn ichi gadw hyn oll yn gwbl gyfrinachol. Dim gair wrth y wasg na neb felly. Does dim eisiau panig cyhoeddus. Rwy'n siŵr y cytunwch chi. Bore da, Dr . . . y . . .'

Fe demtiwyd Bernard yn gryf i ollwng y stori i'r wasg. Dim ond codi'r 'ffôn yn y bwth y tu faes i'r ystafell. Ond cyn i'r bwriad aeddfedu fe ddaeth dyn arall i mewn. Yr oedd hwn yn gwybod ei enw. A llawer mwy na hynny, yn amlwg.

'Dr. Gwynn, mae'n flin calon gen i ych bod chi wedi'ch cadw i ddisgwyl fel hyn. Ddowch chi i f'ystafell i ar unwaith, os gwelwch chi'n dda? Mae rhagor o'r Pethau welsoch chi wedi ymddangos yn Casachstân, ac mae'r Athro Pobodni o'r wlad honno am gael gair â chi ar y teleffon. Fedrwch chi Rwsieg?'

'Dim ond i darllen hi, drwy drafferth.'

'Fe gawn ni gyfieithydd. Dwedwch bopeth welsoch chi, a rhowch ych barn ych hunan. Mae'r dystiolaeth newydd yma o Rwsia wedi newid popeth.'

*   *   *   *

120

Deuddydd arall, ac yr oedd Bernard yn Efrog Newydd. O leiaf, 'roedd o'n meddwl mai yn Efrog Newydd . . . Yr oedd rhuthr caleidosgopig y tridiau diwethaf wedi'i ffwndro'n lân – teleffonau, stafelloedd, coridoriau, trenau, tacsis, awyren, cerbydau caeëdig . . . Y cwbwl a wyddai oedd bod y stafell yn llawn o ddynion tra phwysig, ac yn eistedd yn nesaf ato, yr Athro Pobodni o Casachstân.

Rhyw gadfridog oedd yn y gadair. Pesychodd hwnnw i gael gosteg, ac yna,

'Foneddigion. Cyn dweud dim rydw i am ichi weld map o'r byd. Mae pob man lle mae'r Ffenomena wedi ymddangos wedi'i farcio â fflag fechan sgarlad.'

Nodiodd ei ben ar swyddog milwrol arall, a thynnodd hwnnw gyrten i ddadorchuddio map mawr. Aeth y lle'n ferw gwyllt. Ar y map yr oedd o leiaf ugain o fflagiau bychain sgarlad. Alasca, Ariannin, Tasmania, y Swdân, Tibet, Casachstân . . . 'Roedd y Pethau wedi amgylchu'r byd.

'A dydyn nhw ddim yn ddiniwed,' meddai'r cadfridog. 'Mae Fort Yukon a rhyw bentre yn y Swdân wedi'u chwalu – ganddyn nhw, mae'n amlwg, er nad oes dim enaid byw ar ôl yn yr un o'r ddau le i dystio i hynny. Ac os gallan nhw ddifa pentrefi bach, ble y trawan nhw nesa? Llundain? Mosco? Hyd yn oed . . . Efrog Newydd?'

Y farn gyffredinol – a swyddogol bellach – oedd y dylid 'gwneud rhywbeth ar unwaith.' Hyd yn hyn, 'roedd y Pethau wedi ymddangos mewn mannau anial, am ryw reswm, ac 'roedd y gyfrinach wedi'i chadw. Ond fe ellid bod yn siŵr fod gwaedgwn y wasg a'r teledu wedi arogli newyddion bellach, ac ymhen diwrnod neu ddau fe ollyngid panig ar yr holl fyd.

Yr oedd gan y gwyddonwyr Americanaidd, wrth gwrs, ddamcaniaeth. Fe alwyd ar un ohonyn nhw, yr Athro Julius R. Bamberg, i ymhelaethu. Ymhelaethu a wnaeth, am awr gron. Swm a sylwedd ei sylwadau oedd mai math o brotoplasm arallfydol – fel 'roedd Bryn Lewis wedi dweud – oedd y Pethau, yn gallu dal unrhyw hinsawdd ac yn gallu asio â'i gilydd mewn unrhyw ffurf. Gan fod y Pethau bellach yn ymddangos ar ffurf dynion, er yn amherffaith, yr oedd yn amlwg eu bod yn ceisio dynwared y ffurf uchaf ar fywyd ar y blaned hon. 'Roedden nhw felly yn fodau tra deallus. Y cwestiwn oedd, sut y cawson nhw afael ar y syniad o ddyn? Trwy syllu, a sylwi, o bell?

'Nage,' meddai Bernard, a throdd pawb i edrych arno. 'Trwy gipio dau o 'nghyfeillion i, a'u hastudio nhw rywle yn y gofod.'

Disgrifiodd Bernard yr hyn a ddigwyddodd i Bryn Lewis – ac i John Parry, mae'n rhaid.

'Ond,' protestiodd Bamberg, 'ydych chi'n meddwl dweud fod y pelydr yma'n gallu cipio organebau oddi ar y ddaear a'u hailosod wrth i gilydd yn rhywle arall?'

'Ydw. O ble bynnag mae'r Bodau 'ma'n dod, maen nhw 'mhell àr y blaen i ni. Maen nhw wedi darganfod ffordd i droi mater yn egni ac yn oleuni a'i saethu drwy'r gofod a'i droi'n fater yn ôl. Dyna sut mae'r Pethau 'ma'n cyrraedd y Ddaear. Ond nid yn unig hynny. Maen nhw hefyd wedi darganfod ffordd i droi darn o fater – y Dr. John Parry, os mynnwch chi – yn drosglwyddydd, i'w droi'i hun yn oleuni a'i saethu'i hun yn ôl i ble bynnag y maen *Nhw*.'

'Ffantastig! Nonsens! Treip!'

'Foneddigion,' meddai'r Athro Pobodni. 'Y ffaith noeth yw na wyddon ni ddim. A chyn ichi ymgynhyrfu gormod, cystal inni gyfaddef fod Dr. Gwynn wedi gwneud ymgais deg, beth bynnag – nid i esbonio'r dirgelwch – all *e* ddim gwneud hynny, mwy na neb ohonon ni – ond i geisio'i ddeall e. Fe all i *fod* e'n siarad nonsens, ond oes gan rywun ohonon ni weledigaeth amgen?'

Dywedodd y distawrwydd nad oedd. Yna, wedi peth siarad am donfeddi, amlderau a micronau ac angstromau, a'r sylweddau anhygoel y byddai'n rhaid wrthyn nhw i gynhyrchu'r math o belydr gwyrthiol a awgrymodd Bernard, gofynnodd y cadfridog anwyddonol. 'Wel yn awr, foneddigion, oes gan rywun syniad o ble mae'r Bodau 'ma wedi dod?'

Cododd Bamberg ei sgwyddau. 'O'r tu allan i Gyfundrefn yr Haul, does dim dadl. Alffa Centawri, efallai? Y seren agosaf? *Os* ydyn nhw'n cael i trosglwyddo yma drwy'r pelydr – *os* ydw i'n i ddweud –' gan syllu ar Bernard, 'fe allen nhw ddod yma mewn pedair blynedd. Dyna faint o amser a gymer goleuni i deithio oddi yno yma.'

Unwaith eto, fe greodd Bernard gyffro.

'Mae'n ddrwg gen i anghytuno â'r Athro Bamberg. Mae'r pelydr yn cael i saethu o rywle llawer nes na hynny.'

'Beth?'

'Mae'r pelydr yn gallu ymateb ar unwaith i ryw rwystr ar y Ddaear. Pan gydiodd fy ngyfaill Bryn Lewis yn rhai o'r 'celloedd', fe'i trawyd ar unwaith gan belydryn. Os ydi'r pelydr yn dod o

Alffa Centawri, dyweder – ac os nad ydi'r Bodau 'ma wedi cyflawni'r wyrth o yrru goleuni'n gynt na 186,000 o filltiroedd yr eiliad – fe gymerai bedair blynedd i'r Pethau yrru signal yno a phedair arall i belydryn ddod yn ôl i daro fy ffrind. Ond fe ddigwyddodd y peth mewn eiliad. Credu'r ydw i fod y pelydr yn cael i saethu o rywle pur agos i'r Ddaear. Oes angen imi ddweud rhagor?'

'Ewch ymlaen, Dr. Gwynn.'

'Fy marn i ydi fod gan y Bodau 'ma long ofod – gwbwl wahanol i ddim y gwyddon ni amdani, mae'n ddiamau – yn cylchdroi o gwmpas y ddaear.'

Wedi rhai eiliadau o fudandod anghrediniol fe ddywedodd y cadfridog,

'Rhag ofn ych bod chi'n iawn, Dr. Gwynn, fe rown ni orchymyn i bob gorsaf-dracio ar y Ddaear chwilio am y . . . am rywbeth allan yna. Mae'n ymddangos . . . mai dyna'n hunig obaith ni, foneddigion.'

*　　*　　*　　*

Unwaith eto, yr oedd Bernard gartre, yn ei dŷ ei hun, yn ymyl yr atomfa. Ar unrhyw adeg arall fe fyddai'n braf bod gartre, wedi'r fath helcud o wibio ôl a blaen ar draws y byd. Ond nid heno.

Gydag ef, yn ceisio yfed cwpanaid o goffi, yr oedd yr Inspector, a Chapten o Gymro o'r gwersyll dros y bryn. Yr oedd yr atomfa gerllaw yn fyw o blismyn, ac yma ac acw hyd y mynydd-dir fe welid fflachiadau gynnau'r Ffiwsilwyr. 'Doedd dim angen dweud wrth Bernard ar bwy'r oedden nhw'n tanio. Yn ystod yr wythnos y bu oddi cartre, yr oedd y Bodau wedi cynyddu'n arswydus yn eu nifer. Yr oedd y Capten y noson gynt, drwy'i sbenglas, wedi cyfri dros drigain ohonyn nhw'n symud drwy rug y rhos.

'Roedd y newid yn fwy na hynny. 'Roedd y Pethau wedi dod yn debycach fyth i ddynion, wedi magu wynebau dau-lygad a dwylo pumbys, ac er bod eu cyrff mawr noethion yn bur 'farblog' yr olwg o hyd, 'roedd eu symud yn dod i edrych yn debycach i gerdded dynol bob dydd. Yr oedd eu 'dynwared' yn gwella.

Tasg y milwyr a'r plismyn oedd gwarchod yr atomfa. Am ryw reswm yr oedd y Pethau wedi cymryd ffansi at atomfeydd; wedi casglu drwy ryw ryfedd reddf fod y rheini'n bwysig, ac yn amlwg yn bwriadu crynhoi'u hymosod ar bwerdai'r byd.

123

'Dwy atomfa arall wedi i chael hi neithiwr,' meddai'r Inspector yn drymllyd. 'Roedd e yn yr *Express* y bore 'ma'.

'Ond sut maen nhw'n gallu chwalu atomfa?' cwynfanodd y Capten. 'Mae'r creaduriaid yn edrych yn rhy feddal i symud carreg, heb sôn am ddryllio adweithydd cyfan.'

'Gneud contact o ryw fath y maen nhw.' 'Roedd yr Inspector wedi gwneud ei waith cartre. 'Cynta maen nhw'n cwrdd â'r welydd, mae un o'r *rays* 'ma'n dod lawr, a *whiw!*'

'Wela i.' Sipiodd y Capten ei goffi'n sur. 'Oes rhyw obaith taro'u sbwtnic nhw, Dr. Gwynn?'

Edrychodd Bernard ar ei wats.

'Fe gawn wybod cyn pen hanner awr,' meddai.

Yr oedd Bernard wedi bod yn iawn. Fe ddarganfuwyd bod rhyw wrthrych anferth yn cylchu'r Ddaear, rai miloedd o filltiroedd allan yn y gofod, ac mai o'r gwrthrych hwn yr oedd y pelydr yn dod, â'u llwyth o 'brotoplasm'. Heno, am hanner awr wedi wyth, fe fyddai rhes o rocedi bomben yn codi o ddaear America, wedi'u hanelu at y 'gwrthrych'. Pe digwydden nhw fethu'i daro, fe ellid rhoi cynnig arall arni. Ond pe llwydden nhw, a chael bod y peth yn anninistriol, dyna ddiwedd, mae'n debyg, ar bopeth. Fe fyddai'r byd yn nwylo – os dwylo hefyd – y Pethau hyn.

'Cwpaned arall o goffi?' meddai Bernard, i dorri ar y disgwyl enbyd.

Estynnodd yr Inspector a'r Capten eu mygiau.

'Job anobeithiol ydi hi,' ebychodd y Capten, gan syllu i'r coffi du yn ei gwpan. 'Does dim lladd ar y tacla. Gneud twll cymaint â ffenast drwy i bolia nhw, ac maen nhw'n cau wedyn fel pwti, ac yn dal i ddŵad. Nefoedd annwl!' A thrawodd ei law dros ei lygaid.

'Nawr, c'mon, c'mon', meddai'r Inspector, ''sdim iws siarad felna. Dyn yn ych safle chi. Beth am 'y mois i 'te, â dim ond trynshons?'

'Waeth ichi drynshon na mortar yn erbyn y cythreuliaid yma,' snapiodd y capten. 'Be 'dach *chi'n* ddeud, Dr. Gwynn?'

'Wel, heddychwr ydw i, p'un bynnag –'

Ond cyn i Bernard gael gorffen fe ganodd y 'ffôn. Y Capten a'i cododd.

'Hylô?' Saib. 'Duw mawr. Rhowch bopeth fedrwch chi iddyn nhw, Pierce bach. A phob bendith, 'ngwas i.'

'Newydd drwg, Capten?'

'Ia. Tua chant a hanner o'r giwed wedi torri drwy'r lein ac yn dod am yr atomfa hynny fedran nhw. Does dim stopith nhw.'

'Wel, am beth ŷn ni'n aros?' cyfarthodd yr Inspector.

O fewn eiliadau yr oedd y tri'n ysbedu mewn car polîs tua'r atomfa. Yng ngolau'r lampau fe'u gwelson nhw'n dod, yn powlio dod dros y grug, rhes ar ôl rhes o'r pethau hyllion, sgleiniog. Swatiai'r plismyn o flaen yr atomfa, pob un â'i bastwn bach tila yn ei ddwrn, a phob un yn meddwl, yn bur debyg, am ei deulu bach a fyddai'n amddifad ymhen ychydig funudau bellach.

Llithrodd Bernard, yr Inspector a'r Capten o'r car. Yr oedd y gynnau wedi peidio â thanio, rhag taro'r plismyn. 'Doedd dim i'w wneud, ond disgwyl.

'Ordrwch ritrît, ddyn!' gwaeddodd y Capten ar yr Inspector. 'Does gin yr hogia ddim siawns!'

Am hanner munud fe betrusodd yr Inspector. Hanner munud tyngedfennol. Yna fe waeddodd,

'Bant â chi, bois! Rhedwch!'

Ond 'roedd hi'n rhy ddiweddar. Yr oedd y Pethau ar bennau'r plismyn, wedi'u gwasgu a'u taflu o'r neilltu fel sachau. Ac yn dal i ddod.

Tro'r Inspector oedd cuddio'i lygaid yn awr. Cydiodd y Capten yn ei fraich.

'I'r car,' meddai.

Trodd y tri tua'r car. Ond y foment honno fe gyrhaeddodd y cyntaf o'r Pethau fur yr atomfa. Gwelodd Bernard y pelydryn enbyd yn taro'r adeilad. Yr oedd twrw'r dymchwel yn ofnadwy.

'I'r car, y diawlad dwl!' sgrechiodd y Capten.

Yna, safodd y tri yn stond. Yng ngolau'r fflamau a oedd yn tasgu o'r atomfa fe welson ddau o'r Pethau'n sefyll rhyngddyn nhw a'r car. 'Roedden nhw dros saith droedfedd o daldra, yn gennog fel pysgod, gyda hollt hyll o geg a llygaid fel lampau. Rhonciodd y ddeubeth tuag atyn nhw, eu breichiau'n hofran, i'w gwasgu'n shwtrws fel y gwasgwyd y plismyn gan y lleill.

Safodd Bernard wedi'i fferru, yn methu tynnu'i lygaid oddi ar y ddwyfraich seimlyd erchyll uwch ei ben. Eiliad arall . . . hanner eiliad . . . caeodd ei lygaid.

Ni ddigwyddodd dim. Agorodd ei lygaid drachefn. Er ei syndod, fe welodd y Peth o'i flaen yn siglo ac yn nyddu fel petai mewn pangau. 'Roedd y Peth arall wedi cwympo, ac yn hollol lonydd. Cwympodd y cyntaf yn ei ymyl. Trodd Bernard ei ben. Yr oedd y Creaduriaid wedi cwympo ymhob cyfeiriad, yn gorwedd yn glytiau cochion marw yng ngolau'r tân.

'Pam?' meddai'n uchel. 'Pam . . .?'

Ond cyn gynted ag y ciliodd un braw, fe ddaeth un arall yn ei le. 'Doedd dim ffrwydrad wedi bod, ond fe fyddai ffrwydro unrhyw eiliad. A'r ymbelydredd . . . Neidiodd i'r car ar ôl y ddau arall, clep ar y drws, ac i ffwrdd.

'Roedden nhw ddwy filltir i ffwrdd ar lôn y mynydd pan ddaeth y ffrwydrad cyntaf. Hyrddiwyd y car i'r ffos. Wedi dringo ohono'n ddianaf, meddai'r Capten,

'Bois bach, mi fydda i'n credu mewn Rhagluniaeth ar ôl heno.'

'Hawdd y gallwch chi,' griddfanodd yr Inspector. 'Mae'ch dynion *chi'n* fyw . . .'

Edrychodd Bernard ar ei wats, ac yna ar ei ddau gydymaith.

'Wyddoch chi?' meddai. 'Rydw i wedi bod yn dwp. Roedd hi tua phum munud ar hugain i naw pan ddechreuodd y Pethe 'na farw o'n cwmpas ni. Dyna pryd 'roedd y rocedi i daro'u llong ofod nhw. Maen nhw wedi'i tharo hi. Mae'n rhaid i bod nhw. Roedd y Pethe'n cael i cynhaliaeth ohoni, yn cael i bwydo, efalle, gan y pelydr. A phan chwalwyd hi, allen nhw ddim byw. Ydych chi'n gwrando arna i?'

Ysgydwodd Bernard y ddau.

'Rydyn ni'n saff, ydych chi'n clywed? Mae'r hen fyd 'ma'n saff!'

Swatiodd y tri yn y ffos am oriau tra bu'r atomfa'n ffrwydro, yn wylo fel plant.

'Y Gwyddonydd' (golygydd, Dr. Glyn O. Phillips)
Cyf, ii, Rhifyn 2, Mehefin 1964

V

O'r Cylchgronau:
Golygyddol ac Achlysurol

Darnau o 'Taliesin'

Lansiwyd 'Taliesin', cylchgrawn yr Academi Gymreig, ym 1961. Ei olygydd cyntaf oedd y bardd Gwenallt. Pan ymddiswyddodd ef o'r gwaith ym 1965 penodwyd D. Tecwyn Lloyd yn ei le. Gofynnodd Tecwyn Lloyd i Islwyn Ffowc Elis fod yn gydolygydd iddo, a gwnaeth yntau'r swydd honno am ddwy flynedd. Cyhoeddir isod ddwy o'i golofnau golygyddol, a rhai o'i gyfraniadau eraill i'r cylchgrawn.

BETH YW BARDDONIAETH HEDDIW?

Yng Nghynhadledd Caredigion Taliesin eleni, yn ystod y drafodaeth ar bryddest radio olau a chofiadwy Mr. Gwyn Thomas, fe ddywedodd Dr. Bobi Jones mai geiriau brwnt (yn ystyr y De) yw 'barddoniaeth anodd' a 'barddoniaeth dywyll,' rhan o dermeg amddiffyn yr hen yn erbyn pob newydd.

Rhan o'r gwir, mae'n debyg, ydyw hyn. Mae'r ymgyndynnu yn ein dyddiau ni yn erbyn ceisio deall arlunio haniaethol a cherddoriaeth ddigyweirnod a barddoniaeth ddiystyr-ar-yr-wyneb yn rhywbeth mwy na cheidwadaeth reddfol, oesol, y canol oed yn nannedd campau brawychus pob to ifanc yn ei dro. Mae'n fwy na'r dirmyg diamynedd a fu'n groeso i artistiaid ifainc mewn oesoedd eraill. Math o fraw ydyw, wrth weld yr holl fyd cyfarwydd yn ymddatod.

Wedi oesoedd maith o fywyd sylfaenol amaethyddol a theuluol, lle nad oedd dyn byth ymhell oddi wrth gae glas a bedd ei daid, mae'r byd wedi mynd yn lle croch, llachar, di-stop. Mae awyr y dyn cyfoes yn chwibanu ac yn ffrwydro uwch ei ben, ei ddaear yn dirgrynu dan ei draed, ei gaeau'n troi'n drefi dros nos, ei wrychoedd a'i barwydydd yn arwyddion a hysbysebion hyll, a'i blant yn estroniaid iddo. Yn ei arswyd – diarwybod, yn ddiau – mae'n naturiol ei fod yn cydio'n dynnach yn yr ychydig dealladwy sy'n weddill o fywyd a fu.

Ond pan yw'n troi at gelfyddyd, mae'n gweld yno hefyd yr un dieithrwch. Fe aeth y tebygrwydd o'r llun, y melodedd o'r miwsig, y synnwyr o'r gerdd.

Felly, efallai, y mae'n rhaid iddi fod bellach. Ond os felly, mae arnom ddyletswydd tuag at y rhai sy'n ceisio deall, ac yn methu. Anfoddhaol, a dweud y lleiaf, yw gadael i'r rhai arafach ddal i weiddi 'Tywyll!' ar y rhai cyflymach eu cerdded, ac i'r rheini ddal i weiddi 'Ceidwadol!' yn ôl. Os yw dyn yn gwrthod ceisio deall dim newydd, dyna ben. Ond os yw'n ceisio ac yn methu, nid arwydd o dwpdra neu anfarddonoldeb yw hynny, o anghenraid.

Mae hi'n hen bryd bellach inni gael datganiad (neu ddatganiadau) gweddol fanwl a helaeth ar beth yw barddoniaeth heddiw. A ydyw barddoniaeth ei hun wedi newid yn yr oes wyneb-i-waered hon, neu ddim ond ei hiaith a'i ffurfiau a dull ei hadeiladu? Os ydyw barddoniaeth yn ei hanfod yr un heddiw ag a fu er dyddiau Aneirin, fe fyddai'n dda clywed rhywun yn dweud hynny, ac yn egluro sut.

Mae'n llawer haws diberfeddu cerdd neu ddwy mewn darlith, a dangos simbolaeth hyn ac arwyddocâd y llall, neu ymosod yn ffyrbŵt ar 'sentimentaleiddiwch Ceiriog' neu 'ryddiaith odledig' John Morris-Jones. Mwy camp o dipyn yw eistedd i lawr mewn pwyll i sgrifennu cyfrol – neu hyd yn oed erthygl – ar natur barddoniaeth. Efallai fod yn rhaid gadael hynny, fel llawer gorchwyl helaeth arall, i'r Saeson.[1]

Mae cryn dipyn o help i'w gael yn rhagarweiniad Syr Thomas Parry-Williams i *Elfennau Barddoniaeth*. Ond mae'n rhaid gofyn: a ydyw'r geiriau a ganlyn yn para'n wir, ynte a ydyw'n bryd ailfeddwl?

> 'O safbwynt celfyddyd . . . y mae barddoniaeth yn ddefod. Barddoniaeth iaith arbennig yn unig sydd, – barddoniaeth Gymraeg, barddoniaeth Saesneg, ac yn y blaen . . . Ac wrth gwrs y mae'n amhosibl cyfieithu barddoniaeth un iaith i farddoniaeth iaith arall heb newid ei natur yn gyfangwbl.'

Mae'n ddiamau y bydd mwy o gytuno heddiw â phwynt nesaf Syr Thomas:

> 'Mewn barddoniaeth gellir edrych ar eiriau fel rhyw fath o simbolau neu arwyddluniau. Y mae mwy nag ystyr iddynt, – pethau eraill sydd yn fwy pwysig at bwrpas barddonol, sef "lliw" ac awyrgylch, sŵn a rhyw fath o drydan, cymdeithasiad a chysylltiadau.'

---

[1] Erbyn hyn (1998) fe lanwyd y bwlch, i raddau helaeth, gan y Prifardd Alan Llwyd ac eraill.

Mae llai o help i'w gael yn rhagymadrodd W. J. Gruffydd i'r *Flodeugerdd Gymraeg*. Sôn y mae ef yn bennaf am y delyneg a'i hanfodion hi, ac nid yw'n rhoi llawer o help inni chwaith i farnu rhwng telyneg dda ac un sâl, namyn dweud mai'r tri bai drwg mewn telyneg yw 'diffyg mawrfrydedd, sef distadledd; a diffyg cynhyrfiad gwirioneddol, sef sentimentaliti; ac annidwylledd.' A dweud wedyn mai'r unig feirniad terfynol yw chwaeth bersonol. Ac i hynny fe ddywedai llu o feirdd a beirniaid cyfoes amen.

Un o'r llyfrynnau handïaf at hyfforddi beirdd ifainc yn allanolion crefft prydyddu yw *Odl a Chynghanedd* Dewi Emrys. Ond 'does ganddo ddim i'w ddweud am yr hyn *ydyw* barddoniaeth, er ei fod yn awgrymu rhywbeth am yr hyn *nad yw*'n farddoniaeth iddo ef mewn sylw fel hwn dan y pennawd 'Ffigurau Cymysg':

'Cymysgu ffigurau yw cymhwyso at wrthrych gyffelybiaeth nad yw'n perthyn i fyd y gwrthrych hwnnw. Wele enghraifft:
  Yr *aradr* yn *hwylio* o dalar i dalar,
  A *thonnau* o *bridd* ar ei hôl.
Dyna gymysgu ffigurau o ddifrif oherwydd cymhwyso at aradr dermau a berthyn yn bendant i long ar y môr, – cymhariaeth annaturiol iawn. Y mae Shakespeare yn euog o'r un bai yn y llinell a ganlyn:
  "*To take up* arms *against a* sea *of troubles.*" '

Ond wedi darllen llawer o farddoniaeth gyfoes lle nad yw'n ymddangos bod parchu 'byd' gwrthrych yn ystyriaeth o bwys wrth lunio delwedd, mae dyn yn amau cyfoesedd egwyddor Dewi Emrys, a dweud y lleiaf.

Rhaid enwi llyfr Mr. H. J. Hughes, *Gwerthfawrogi Llenyddiaeth*. Llyfr ar gyfer ysgolion uwchradd, gan athro da a oedd yn awyddus i rannu ffrwyth ei fyfyrdod ei hun â'i gyd-athrawon, er mawr fendith i lawer ohonynt, yn siŵr. Yn ei lyfr mae Mr. Hughes yn dangos y ffordd i ddechrau datod cerdd, i chwilio am ei delwedd allweddol, i gesio hoelio'r 'cymdeithasiadau a'r cysylltiadau.' Ac mae'r eirfa dechnegol farddonol ar ddiwedd y llyfr yn llawn budd.

Rhywbeth i'r un perwyl, yn treiddio'n ddyfnach ac yn cribo'n fanach eto, a fyddai'n dda inni heddiw. Efallai y gallai Mr. Hughes wneud y gymwynas hon eto â ni. Fe ddadleuai rhai fod pob beirniadaeth lenyddol heddiw yn rhwym o fod yn 'safbwyntiol', ac na allai barn neu ddehongliad un beirniad byth fod yn derfynol na bodloni pawb. Ond pam y dylai? Nid datgan oraclaidd yw beirniadaeth lenyddol iach, ond dadl a gwrth-ddadl. Fe geir hynny yng Nghymru yn y Babell Lên, yng Nghynhadledd Caredigion Taliesin, weithiau ar y radio, ac yn amal mewn seiadau hwyrol preifat. Ond fe ddylid ei gael ar bapur, yn helaeth, lle y gwelo pawb sy'n ymddiddori, a medru myfyrio ar a wêl.

Mae'n ymddangos erbyn hyn, fel y crybwyllwyd yng Nghynhadledd Taliesin, mai math o chwarae ditectif yw darllen barddoniaeth i fod. Wedi darganfod y 'corff' (sef y gerdd gyfan), pyslo uwchben y 'cliwiau' (y delweddau), ystyried yr 'amheuedigion' (yr ystyron amlwg, arwynebol), ac o'r diwedd cyrraedd y 'datrysiad' (sef ystyr greiddiol y gerdd – a all fod yn gwbl wahanol, wrth gwrs, i'r ystyr a fwriadodd y bardd ei hun). I bob golwg, dyma'r math pennaf, onid yr unig fath, o fwynhad a gaiff rhai wrth ddarllen barddoniaeth heddiw. Yn wyneb hyn, mae'n deg gofyn: a ydyw 'lliw' ac 'awyrgylch' a 'sŵn' wedi mynd yn ddibwys? A gollodd cyfrwysterau rhythmig eu rhin? A ydyw barddoniaeth sy'n ddealladwy ar y gweld neu'r clywed cyntaf wedi peidio â bod yn farddoniaeth? Neu a gawn ni dderbyn fod gwahanol fathau neu ddosbarthiadau o farddoniaeth, fel y dangosodd Mr. Gwyn Thomas fod gwahaniaeth rhwng barddoniaeth lafar (syml) a barddoniaeth brint (fwy astrus)? A'r cwestiwn mawr: ai yn ôl ei hastrusi y mae mesur rhagoriaeth cerdd?

Yr ydym ni'n teimlo y dylai *Taliesin* geisio ateb cwestiynau fel y rhain, mai rhan o'i swyddogaeth yw bod yn llwyfan i ddadlau a gwrthddadlau beirniadol iachus. Yn y rhifyn hwn fe gyhoeddir erthygl gan Derec Llwyd Morgan ar ddefnydd Bobi Jones o ddelweddau, a darlith Euros Bowen i'r Academi ar 'Farddoniaeth Dywyll'. Fe obeithiwn allu cyhoeddi rhagor o ymdriniaethau tebyg, a fydd yn help, nid i gael cytundeb prennaidd, ond i fagu barn fwy golau a chytbwys ar yr hyn yw barddoniaeth ar gyfer ein dyddiau trafferthus ni.

*   *   *   *

The Author yw cylchgrawn Cymdeithas Awduron Lloegr. Ac i'r rheini ohonom sy wedi arfer meddwl ei bod hi'n fyd braf ar awduron Saesneg o'u cymharu â ni, agoriad llygad yw darllen y chwarterolyn hwn, oherwydd mae'n siŵr nad oes gylchgrawn mwy cyson gwynfanllyd yn cael ei gyhoeddi heddiw.

Yn rhifyn y gaeaf diwethaf yr oedd erthygl fer gan Mr. J. B. Priestley yn condemnio'n egr ffilistiaeth swyddogol Lloegr tuag at ei hawduron, ac mae'r drafodaeth ar ei erthygl yn parhau. Yn enghraifft, fe grybwyllodd y ddau ginio i ddathlu pedwar canmlwyddiant Shakespeare yn Stratford-upon-Avon. Y siaradwyr yn y ddau ginio, meddai Priestley, oedd *'politicians, diplomats, bishops and assorted bigwigs'*. 'Doedd dim un bardd na dramaydd yn eu plith. 'Doedd gwŷr llên cyfoes Lloegr ddim yn deilwng i draethu ar goedd ym mharti pen-blwydd y pennaf ohonynt.

Mae'n mynd ymlaen wedyn i aredig yr Anrhydeddau Brenhinol. Mae cynifer o Farchogion a Bonesau ar y llwyfan, meddai ef, nes bod rhaglen ambell berfformiad yn yr Haymarket yn debycach i Fwletin Llys. Ond p'le mae'r Barchogion a'r Bonesau ymysg *awduron* y dramâu?

Ymlaen eto i gondemnio'r anwybyddu llwyr ar awduron gan lywodraeth ar ôl llywodraeth. Er i awduron helpu cymaint â neb i roi'r Blaid Lafur mewn grym ym 1945, ni ddangosodd y Llywodraeth Lafur ei diolchgarwch iddynt mewn ffordd yn y byd. Yr unig adran yn y Llywodraeth sy'n cymryd unrhyw ddiddordeb mewn awduron, meddai J.B.P., yw honno sy'n casglu'r Dreth Incwm.

Yn dilyn erthygl Priestley yn yr un rhifyn y mae un arall ar sefyllfa'r awdur yn Sweden. Mae'r gwahaniaeth yn ddramatig. Mae Llywodraeth Sweden wedi bod yn estyn cymorth ariannol o ryw fath i awduron ers yn agos i ganrif. Ond yn awr mae'r cymorth hwn i'w ymestyn ar raddfa ysblennydd. Ymhen blwyddyn neu ddwy fe fydd awduron Sweden yn derbyn fel a ganlyn:

1. Bydd tua 40 ohonynt yn derbyn grant (drethadwy) o rhwng £50 a £70 y mis. Awduron proffesiynol yw'r rhain, ac mae pymtheg o awduron llyfrau plant yn derbyn y 'cyflog' hwn eisoes.
2. Bydd y Wladwriaeth yn gwarantu uchafswm blynyddol o £1,655 i 30 o awduron eraill am eu hoes. Hynny yw, pa faint bynnag y bydd awdur yn ei ennill o dan yr uchafswm, fe fydd y Wladwriaeth yn talu'r gwahaniaeth iddo.
3. Bydd o leiaf 30 o awduron eraill eto yn derbyn grant o £830 y flwyddyn gan y Wladwriaeth am dair blynedd olynol.

4. Mae 55 o awduron eisoes yn derbyn pensiwn gan y Llywodraeth, 30 ohonyn nhw'n derbyn £485 y flwyddyn. Fe chwanegir at eu nifer.

Saith miliwn a hanner yw poblogaeth Sweden; dim ond teirgwaith poblogaeth Cymru. Ac eto mae'i Llywodraeth hi'n gallu cynnal oddeutu cant o awduron yn llawn, yn ogystal â helpu nifer helaeth o rai eraill drwy grantiau a gwobrau a rhoddion o bob math, a hynny heb ymyrryd dim â gwaith a gweledigaeth yr awduron nac â'u bywyd preifat. Ar ben cymorth y Wladwriaeth fe gânt grantiau a gwobrau a rhoddion oddi wrth gyrff cyhoeddus ac awdurdodau lleol. Ac er 1954 maent yn cael rhywfaint o dâl am y benthyca ar eu llyfrau o'r llyfrgelloedd.

Dyma faldodi awduron, meddech chi, eu clustogi a'u sbwylio fel plant. Efallai. Ond y pwynt yw mai gwlad ddiwylliedig yw Sweden. Gwlad gyfoethog, bid siŵr, ond gwlad wâr. Gwlad sy'n credu bod y llyfr yn bwysig, a bod ysgrifennu llyfrau cyn bwysiced gwaith â dysgu plant neu wneud awyrennau neu drin arfau neu fagu defaid mynydd – gorchwylion sy'n cael cymhorthdal gan Lywodraeth Prydain.

Diolch i weledigaeth a diwydrwydd rhyfeddol Mr. Alun R. Edwards, mae gan awduron Cymru y Cyngor Llyfrau Cymraeg yn gefn iddynt. Dim ond arian bach a all y Cyngor ei dalu i awdur, mae'n wir, ond y mae'n gam bras yn y cyfeiriad iawn. 'Does gan filoedd awduron Lloegr ddim cymaint â chyngor llyfrau i'w noddi, ac mae digon o angen nawdd ar y rhan fwyaf ohonyn nhw. Ac er gwaethaf diddordeb honedig y llywodraeth bresennol yn y celfyddydau, fe fydd llawer o ddynion wedi bod i'r lleuad ac yn ôl cyn y gwêl awduron Lloegr eu llywodraeth hwy'n cael cymaint o ddedwyddwch mewn rhoddi ag a gafodd hyd yn hyn mewn derbyn.

*   *   *   *

Y Ddrama oedd thema Cynhadledd Caredigion Taliesin ym Mangor, yn bennaf oherwydd ei chyplu â Gŵyl Ddrama Colegau Cymru.

Y peth a darawodd amryw ohonom yn ystod y gynhadledd oedd ei bod yn bosibl bellach trafod dramawyr Cymraeg yn yr un gwynt â dramawyr pwysig y Cyfandir heb deimlo'n swil na siarad yn wirion. Gwaith Mr. Dafydd Glyn Jones oedd dadansoddi dramâu Mr. Saunders Lewis, ac fe wnaeth hynny'n gampus, ond fe allai Mr. Gareth Jones, wrth ddarlithio ar Y Ddrama yn Rwsia, gymharu Maiacofsci â Saunders Lewis yn gwbl naturiol, mor naturiol ag y gallai Mr. John Gwilym Jones gymharu Pirandello ac Ionesco, gan ddangos ei fod mor gymwys â neb yn Ewrop i wneud hynny yn herwydd ei weledigaeth ddramatig ef ei hun.

'Chawn ni ddim cyfle bellach i glywed barn Brecht ar Huw Lloyd Edwards, ond fe glywsom farn Huw Lloyd Edwards ar Brecht. A phetai Ionesco a Pinter yn deall Cymraeg Eifionydd fe fyddai'r ddau wedi mwynhau gwrando ar W. S. Jones – yn enwedig ei gyfeiriad athrylithgar at yr 'eliffant mynydd' – ac wedi cael ynddo enaid hoff cytûn.

Nid oes neb ohonom mor anystyriol â thybio bod y Ddrama Gymraeg Gyfoes yn mynd i roi'r byd ar dân. Ond fe allwn fwrw'n swildod bellach yn wyneb y ffaith fod gennym ddramawyr na fyddai'n faich ar unrhyw gynulleidfa ddeallus yn unrhyw wlad wylio'u gwaith nac ar unrhyw feirniad deallus ei drafod.

*   *   *   *

Ergyd i gyhoeddi llyfrau Cymraeg oedd marw Edward Lewis, Llandysul, a hynny mor fuan ar ôl ei frawd, y diweddar Rhys Lewis. Yr oedd y ddau frawd yn meddwl y byd o gael dilyn yng nghamre'u tad, y J. D. Lewis y mae Gwasg Gomer yn parhau i ddwyn ei enw.

Yr oedd urddas a boneddigeiddrwydd hyfryd yn Edward Lewis. Yr oedd yn ddylanwad ar gyngor a phwyllgor ym mhlaid yr iaith Gymraeg a'i llenyddiaeth. Ac yr oedd yn graff i adnabod awdur newydd addawol. Fe fyddai ar faes yr Eisteddfod Genedlaethol bob blwyddyn, nid yn unig yn gofalu am babell ei wasg ac yn mwynhau ymgom ynddi â hwn a'r llall, ac yn cael blas ar fywyd Cymraeg yr Eisteddfod, ond hefyd yn gwylio'r dyfarniadau i weld a oedd dawn newydd ar ymddangos. Fe gadwodd rai o'n prif awduron ar 'restr' ei wasg ar hyd y blynyddoedd, gan ychwanegu atynt ambell seren newydd yn ôl y cyfle. Ei frawd oedd fwyaf cyfrifol am yr ochr argraffu, ac yr oedd ganddynt bob lle i ymfalchïo yn eu hargraffwaith. Edward Lewis a fyddai'n gohebu â'r awduron, gan eu trin yn ddoeth ryfeddol pan fyddent yn tueddu i strancio tipyn – fel y gwna awduron weithiau.

Chwith meddwl am golli'r brodyr llengar hyn. Ar eu meibion, y Mri. Huw a John Lewis, y mae'r cyfrifoldeb bellach o gynnal traddodiad a safon uchel y wasg deuluol hon mewn argraffu a chyhoeddi. Yr ydym yn ffyddiog y caiff llenyddiaeth Gymraeg yr un nawdd ganddynt hwy ag a gafodd gan eu tadau a'u tad-cu.

Golygyddol, 'Taliesin', Cyfrol 10, Gorffennaf 1965

GWOBR YR ACADEMI

Yn y rhifyn hwn mae Alun Cilie'n dweud gair neu ddau amdano'i hun a'r teulu llengar y cododd ohono. Ar ein cais ni y mae'n gwneud hynny, am mai fe yw'r cyntaf un i dderbyn gwobr yr Academi.

Gair am y wobr hon. Ei henw llawn yw Gwobr Goffa Griffith John Williams. Fe'i sefydlwyd i goffáu'r ysgolhaig mawr hwnnw am mai fe oedd llywydd cynta'r Academi Gymreig. Fe fu farw pan oedd ar yr Academi fwyaf o angen ei arweiniad, pan oedd hi'n dal i ddioddef gan boenau prifio oddi mewn a beirniadaeth anneallus oddi allan. Yn ffodus, fe'i cawsom yn ddigon hir i ddysgu beth a allai corff bychan fel hwn ei wneud i genedl fechan. Fe'i hunan fyddai'r olaf i gydsynio â galw gwobr yr Academi ar ei enw, ond hynny oedd y peth cyfiawn i'w wneud.

Gwobr fechan ydi hi – ar hyn o bryd, o leia' – am nad oes gan yr Academi gyllid ond cyfraniadau'i haelodau. Dydi £25 ddim yn debyg o lawenhau calon na bardd na llenor na dramaydd yn y dyddiau moethus hyn, pan ellir ennill mwy na hanner hynny am englyn mewn un eisteddfod hynod. Arwydd yw'r swm bychan hwn, arwydd o werthfawrogiad a diolchgarwch nifer o wŷr llên amlwg Cymru i gyd-lenor a roes fwynhad iddyn nhw ac a wnaeth gyfraniad newydd o bwys, yn eu barn nhw, i lenyddiaeth eu gwlad.

Nid am 'lyfr gorau'r flwyddyn', o angenrheidrwydd, y rhoir y wobr. Beth sy'n gwneud llyfr yn 'orau'? Pwy a all farnu, p'un bynnag, fod un llyfr yn 'orau' o blith nifer o lyfrau newydd eu cyhoeddi, cyn i'r blynyddoedd yn ôl eu harfer dynnu'r sglein parod oddi ar rai a datguddio'r cyfoeth cudd yn y lleill? Nid beirniadu mewn cystadleuaeth eisteddfodol y mae aelodau'r Academi, lle mae'n rhaid dyfarnu rhwng nifer o weithiau tebyg eu

136

natur a'u ffurf a'u maint, ond ymateb yn dra phersonol i nifer o gyfrolau amrywiol iawn.

A'r peth tecaf y gellir ei ddweud yw bod y llyfr a wobrwywyd, nid yn 'orau' o angenrheidrwydd – er y gall fod yn hynny – ond yn llyfr da, yn llyfr sy'n boddhau, yn llyfr sy'n ychwanegiad gwerthfawr at ein trysorfa lenyddol. Fe all fod llyfrau eraill wedi'u cyhoeddi yn ystod yr un flwyddyn y gellid dweud yr un pethau amdanyn nhw; os felly, rhaid penderfynu p'le y byddai gwobr fel hon yn rhoi'r 'sêl bendith' fwyaf derbyniol ac yn galw sylw at waith gwir dda a allai gael llai o glod nag y mae'n ei haeddu am nad yw ei awdur yn un o'r 'enwau mawr'.

Teg yw dweud, wrth gwrs, na all yr Academi wobrwyo un o'i haelodau hi ei hun. Nid hawdd chwaith yw darganfod ffordd foddhaol o ddewis llyfr i'w wobrwyo. Ar hyn o bryd, mae pob aelod o'r Academi'n cael cyfle i enwebu llyfr, a dau ddyfarnwr o'u plith wedyn yn ystyried y llyfrau a enwebwyd ac yn dewis y gyfrol arobryn. Y bwriad yw dyfarnu'r wobr hon bob blwyddyn. Mae pa un a wneir hynny ai peidio yn dibynnu ar fod o leiaf un gyfrol o ddeilyngdod llenyddol diamheuol wedi'i chyhoeddi yn ystod y flwyddyn flaenorol. Gobeithio na welir blwyddyn mor llenyddol ddilewych nes bod yn rhaid i'r Academi 'atal y wobr'.

*   *   *   *

Er bod yr adroddiad ar Statws Cyfreithiol y Gymraeg wedi'i droi ym mhadell pawb bron erbyn hyn, ni all *Taliesin*, o bob cylchgrawn, adael iddo fynd i ble bynnag yr â heb wneud rhyw sylw ohono. Oherwydd y mae parhad *Taliesin* a'r llenyddiaeth y mae *Taliesin* yn bod i weini arni yn dibynnu ar ba beth a ddaw o'r adroddiad mynych-glwyfus hwn.

Prif rinwedd yr Adroddiad, yn y sefyllfa gyfoes, yw ei fod mor rhesymol ei ddatganiadau a'i argymhellion. Ei brif anffawd, hwyrach, yw iddo argymell ar ddu a gwyn fod pob pennaeth adran llywodraeth yng Nghymru i fedru Cymraeg, heb roi awgrym sut i gyrraedd nod mor chwyldroadol na nodi amser rhesymol i'w gyrraedd, ac argymell ymhellach roi tâl ychwanegol i swyddogion a fedrai'r ddwy iaith. Fe gododd hyn wrychyn mileinig yr elfen fwyaf cul a phlwyfol yn ein gwlad, sef gwarcheidwaid y Gymru uniaith Saesneg, gwrthwynebiad y gellid bod wedi'i osgoi drwy argymell gwneud medru Cymraeg yn gymhwyster ychwanegol i gael swydd ymhen ugain mlynedd, dyweder, yn yr ardaloedd Saesneg.

Prif wendid yr Adroddiad o'r safbwynt Cymreig yw ei fod yn gadael y baich o ofyn am ffurflenni a dogfennau Cymraeg ar y Cymry Cymraeg. Ac yna, pan na fydd ond ychydig o Gymry'n gofyn amdanyn nhw, fe dry'r Llywodraeth a dweud nad oes alw am bethau o'r fath.

Y gwir plaen yw hyn: ni wna'r mwyafrif o'r Cymry Cymraeg byth ofyn am ffurflenni a dogfennau yn eu hiaith eu hunain. Mae pedair canrif o Saesneg swyddogol gormesol wedi gadael eu hôl, a pheth afrealistig ac annheg yw disgwyl i genhedlaeth gyfan o Gymry fwrw'u taeogrwydd dros nos ac ymorchestu'n sydyn mewn iaith y magwyd nhw i fod â chywilydd ohoni. Ar ben hynny, y mae degau o filoedd o Gymry Cymraeg na ddysgwyd mohonyn nhw gan ein cyfundrefn addysg i sgrifennu Cymraeg yn iawn, ac mae'n well gan y rhain lenwi ffurflen mewn Saesneg gwallus – sy'n Saesneg, o leiaf, ac felly'n siŵr o fod yn dderbyniol – nag mewn Cymraeg gwallus.

Fe gymer ddwy genhedlaeth i ddysgu'r Cymry Cymraeg i ddefnyddio'u hiaith ar lafar ac ar bapur heb gywilydd a heb ofn. Rhaid dechrau eu harfer ar unwaith, ond i'w harfer yn effeithiol fe ddylid anfon pob ffurflen a dogfen swyddogol atyn nhw yn Gymraeg neu o leia'n ddwyieithog, er mwyn iddyn nhw arfer â gweld eu hiaith eu hunain mewn print swyddogol.

Rhaid canmol Pwyllgor Syr David[1] am gadw Cymru'n uned yn eu hargymhellion. Roedd hon yn egwyddor genedlaethol iach. Ond tybed, a chyflwr y Gymraeg yr hyn ydyw, nad aberthwyd gormod er mwyn egwyddor? Onid mwy ymarferol fuasai argymell egwyddor dilysrwydd cyfartal dros Gymru gyfan – fel y gwnaed, ond gan liniaru tipyn ar ei goblygiadau, yn y rhanbarthau Saesneg – a phwyso am ddwyieithrwydd llwyr yn y rhanbarthau lle mae'r Cymry Cymraeg yn fwyafrif? Er mor drist fyddai gorfod rhannu'n gwlad felly, ac er gwaetha'r anawsterau a godai mewn ardaloedd 'ffiniol', fe wnâi bethau'n haws i Gymry Cymraeg Môn a chadw ewyllys da Cymry di-Gymraeg Mynwy. A chyda'r ewyllys da hwnnw, fe fuasai'n haws i ni fynd ati drwy'r ymgyrch dysgu Cymraeg i droi 'ardaloedd dilysrwydd cyfartal' yn 'ardaloedd dwyieithrwydd' – yn haws o dipyn nag y bydd yn awr.

[1] Syr David Hughes Parry, Cadeirydd y Pwyllgor.

Fe ddywedodd Mr. James Griffiths[2] y bydd yn gwylio ymateb y cyhoedd i'r Adroddiad cyn y cyflwynir ef i'r senedd. Dyma'r perygl. Eisoes, mae gwrthwynebwyr yr iaith yn ein 'papurau cenedlaethol' Saesneg ac mewn cylchoedd cyhoeddus yn codi digon o stŵr i beri taflu'r Adroddiad allan yn ei grynswth bron – neu'i roi ar y silff – oherwydd y cymalau ynddo a fyddai'n gwneud bywyd yn fwy dyrys iddyn *nhw*. Os gwrendy'r Swyddfa Gymreig arnyn nhw, a gwrthod yr Adroddiad neu deneuo'i argymhellion nes eu gwneud yn ddiwerth, fe ddaw ymateb chwyrn a chyfiawn oddi wrth aelodau Cymdeithas yr Iaith Gymraeg. Fe fyddai 'rhyfel iaith' yn plesio rhai – a Mr. Saunders Lewis yn eu plith. Ond mae eraill ohonom, sy'n adnabod y werin Gymraeg daeog lawn cystal â Mr. Lewis, a dweud y lleiaf, yn credu y gellid adfer y Gymraeg yn gynt ac yn llwyrach drwy lafur caled, tawel ac ewyllys da.

Rhaid wrth eithafwyr a chymedrolwyr i gario pob maen i'r wal. Tro pa un o'r ddwy garfan yw hi ym mrwydr yr iaith? Mae'r ateb yn dibynnu ar dynged seneddol yr Adroddiad.

Golygyddol, 'Taliesin', Cyfrol 11, Rhagfyr 1965

---

[2] Ysgrifennydd Gwladol Cymru ar y pryd.

HEN LYFR COWNT ARALL

Ar ein hunfed awr ar ddeg ni y daeth y nofel hon,* a *Taliesin* ar
fynd i'w wely. 'Doedd dim amser i'w hanfon i'w hadolygu
gyda nofelau eraill y flwyddyn. Ond gan fod cymaint disgwyl wedi
bod amdani, nofel Medal Rhyddiaith Abertawe 1964, peth
anfaddeuol fyddai peidio â'i chrybwyll gan fod cyfle.

Dyma ail nofel gyhoeddedig Miss Rhiannon Davies Jones. Fe
gafodd y gyntaf, *Fy Hen Lyfr Cownt*, sylw ffafriol iawn, a'i
chanmol am ei hymdriniaeth dyner a chynnil â deunydd anodd,
sef ymsymud enaid Ann Griffiths tua bwlch yr argyhoeddiad a
thrwyddo. Deunydd tebyg sydd yn y nofel hon eto, ond bod y
cyfnod yn dra gwahanol: abades lleiandy yng Ngheredigion ym
1241 yn adrodd ei phererindod ysbrydol. Tebyg yw'r dull:
dyddiadur dychmygol eto. A thebyg yw'r ymdriniaeth: tyner,
cynnil, ysgafnddwys, a phert i'w ryfeddu mewn mannau. Y
gymhariaeth sy'n dod i'r meddwl yw plu'r gweunydd yn llithro
dros faes ac yn cusanu gwelltyn a blodyn a deilen wrth fynd.
Arwyddocaol i mi yw bod sôn am blu'r gweunydd fwy nag
unwaith yn y nofel.

O hir ymdrechu, a methu hyd yn hyn, rydw i wedi dod i gredu
mai nofel hanes yw'r fwyaf anodd ei sgrifennu o bob un. Yn gyntaf
oll, rhaid wrth ysbaid hir o lonydd i ymchwilio ac ymdrwytho
mewn cyfnod, ac wedyn lled-ymddihatru oddi wrtho drachefn
rhag i'r llu o fanylion hanesyddol y bu'n rhaid eu dysgu fygu'r
stori a'r ymrwyfo personol oesol sy'n hanfod pob nofel. Ond
dechrau'n unig yw hynny. Rhaid wedyn wynebu'r dasg o wneud y
cyfnod pell yn fyw a'r cymeriadau'n bobol o bwys i ddarllenydd
ym 1965. A chofio drwy gydol y gwaith gadw'r dafol yn wastad
rhwng blas y cyfnod ac arwyddocâd presennol, rhwng cywirdeb yr
hanes a chyffro'r stori, ac yn yr ymdrech osgoi anachroniaethau ar
y naill law a sych-fanylder ar y llall. Oherwydd nid sgrifennu
hanes yr ydys, lle'r arweinir yr awdur gan yr hanes ei hun, ond
sgrifennu nofel, lle y defnyddir yr hanes, a'i wneud yn eilbeth i
brofiad, i beri'r profiad a'i egluro a'i ddwysáu.

Ac wedi'r holl drafferth, y tebyg yw y rhoir y nofel i'w hadolygu
naill ai i feirniad llenyddol 'pur' a fydd yn cwyno bod yr hanes
wedi lladd y nofel, neu i hanesydd proffesiynol a fydd yn ffureta'r

* *Lleian Llan Llŷr*. Rhiannon Davies Jones. Dinbych. Gwasg y March Gwyn, 1965. 125 tt.

gwallau hanesyddol i gyd i olau dydd ac yn cwyno bod y stori'n gam â'r hanes.

Fe gadwodd Miss Davies Jones y cydbwysedd rhwng hanes a stori yn rhyfeddol o dda. Mae'r Chwaer Anna, Abades Llan Llŷr, yn enaid dethol, ond fe osgowyd ei gwneud yn anniddorol o santaidd drwy ddangos iddi fynd drwy bwl o anffyddiaeth chwerw cyn troi'n lleian, a pheri iddi fod yn awr mewn cariad ag abad Ystrad Fflur, heb obaith iddi hi ac yntau gyflawni eu cariad byth. Mae hon yn sefyllfa rymus, er ei bod wedi'i chyfleu mor gynnil nes colli peth o'i grym.

Mae'r awdur wedi cofio'n llwyr iawn am y pethau a wnâi 1241 yn wahanol i 1965: Pabyddiaeth Cymru a'i gwahanol urddau, ofergoeledd, meddyginiaeth llysiau, crwydriaid a chardotwyr, cyfarwyddiaid a beirdd, 'gwledydd' a 'chymydau', arswyd parhaus rhyfel, sychder, newyn, haint. Cymru ddieithr iawn i ni yw hon, ac eto, ym mhersonoliaeth dyner y Chwaer Anna a'i gweddïau diffuant a'i mynych gymwynasau rydyn ni'n adnabod rhai o'n cyfeillion gorau, a thrwy'i gweld a'i gwrando treiddgar hi fe ddaw Cymru Llewelyn Fawr yn estyniad credadwy o'r Gymru dirion, drafferthus sy'n fro i ninnau.

Gwendid y nofel yw ei bod yn rhy fyr. Nid canmoliaeth ddigymysg yw honyna, oherwydd mae'i byrder, yn ogystal â pheri cynildeb, wedi peri gorgywasgu hefyd. Mae dychymyg darllenydd cyfoes yn faich trwm ac anhylaw i'w gario'n ôl drwy saith gan mlynedd, a rhaid ei gario'n esmwyth ac mor ddirwystr ag y mae modd. Hawdd iawn yw ei ddychryn drwy chwyddo'n rhy fuan ddieithrwch y doe pell. Mae'r llyfr yma'n dechrau'n ddirwystr gyda'r Chwaer Anna'n mamoli Dafydd y bachgen cloff, ond yna, yn y sgwrs rhwng y ddau, rydyn ni dan gawod o gyfeiriadau a chroes-gyfeiriadau at bobol y cyfnod a chymeriadau'r lleiandy. Clod i'r awdur yw nad yw'r bennod orlawn hon, hyd yn oed, ddim heb ei hawyrgylch, ac unwaith y down ni drwy'r gawod gyfeiriadau i lwybr tawelach yr ail bennod rydyn ni ar ein ffordd i wir fwynhau.

Mae yma ambell ddryswch y carwn i gael eglurhad arno. Pam y mae Moi a Meilir yn canu carol yn *Sbaeneg* ar dud. 35? Sut y mae'r Chwaer Anna'n medru sgrifennu cymaint o Ladin a hithau yn ôl ei chyffes ei hun heb fedru darllen yr iaith? Pam y ffurfiau gor-dafodieithol 'ogla' a 'finag' (a pham *fritters*), sy'n amharu ar draethiad urddasol-ystwyth sy weithiau'n rhoi inni flas Cymraeg

Canol heb ei ddieithrwch (ac mae honno'n gamp)? A pham yr ydw innau'n pigo brychau mor fân?

Mi garwn i petai llai o orymdrech ynglŷn ag arwyddion tywydd a phethau felly, a llai o gymariaethau 'fel . . . fel . . . fel . . .' Rhaid wrth rai, bid siŵr, ac mae yma rai gwych, ond mae gormod yn ormod.

Ond mae yma frawddegau a pharagraffau sy'n deffro dyn drwyddo. Un o'r pethau anhawsaf wrth sgrifennu nofel yw cyfleu cyflwr meddwl sy wedi cael ergyd ddifaol, a hynny heb fynd yn sentimental na swnio'n rhy ddicra iach. Fe laddwyd Peredur, cariad Anna, yn un o ryfeloedd Llywelyn. A dyma'i hymateb:

> 'Am fisoedd lawer byddwn yn siarad hefo pawb heb siarad hefo neb. Aethai'r môr yn ddu ac nid oedd Ynys Môn o ben y gaer ond megis anghenfil yn symud ar wyneb y dyfroedd.' (t. 50).

A allai cyfarwydd *Y Pedair Cainc* ddwedyd yn amgenach? Yn y dyddiadur dychmygol hwn eto fe ddangosodd Rhiannon Davies Jones y tynerwch cadarn a wnaeth *Fy Hen Lyfr Cownt* yn nofel fach mor gofiadwy. Mae'n cerdded yn gyson ar ymylon barddoniaeth, nid yn unig yn y 'lleisiau gwragedd' sy'n adleisio corws *Lladd wrth yr Allor* neu'r pytiau areithiau tywysogaidd sy'n adleisio *Siwan*, ond drwyddi draw.

'Weithiau', meddai'r Chwaer Anna, 'fe ddaw rhyw ddoe pell yn llawn o ambell eiliad gynnes, wlanog.' Fe ddaeth felly yn y nofel ry fer hon.

Rhaid dweud bod y llyfr wedi'i argraffu'n aflêr. Mae'r teip yn hyfryd i'r llygad, ond mae yma ormod o wallau cysodi a gofodi anfoddhaol, ac yn y copi a gefais i mae tudalennau 67 a 68 wedi'u cymysgu. Mae nofel fel hon yn haeddu'i chyflwyno'n well.

Adolygiad, 'Taliesin', Cyfrol II, Rhagfyr 1965

YR ACHUB GYNT

Y mae'r Athro Bleddyn Jones Roberts bellach yn ŵr o safle a chryn awdurdod yn y byd diwinyddol mawr y tu faes i'w Gymru enedigol. Yn ôl ei gyffes ef ei hun yn y llyfr hwn* y mae ganddo erthygl yn yr argraffiad newydd o *Peake's Commentary on the Bible* – ac nid pawb sy'n cael cyfrannu i'r esboniadur hybarch hwnnw – ac fe ddywed ei fod wedi trafod canon yr Hen Destament mewn amryw leoedd yn ddiweddar. Wedi'r darganfod ar Sgroliau'r Môr Marw fe fu ganddo ef ran amlwg yn y mesur a'r pwyso a'r nithio anochel, ac mae ysgolheigion Jerwsalem heddiw yn ei adnabod ef.

Nid wyf am ddweud y peth gwasaidd arferol, sef mai braint i Gymru a'r Gymraeg yw bod y Dr. Roberts a rhai o gyffelyb safle yn ysgrifennu yn ein hiaith fach ni, oherwydd braint unrhyw un a fagwyd gan y Gymru Gymraeg yw ei phorthi hithau yn ôl ei gyfle. Ond mi ddywedaf fod y Dr. Roberts yn un o'r ychydig sy'n ymwybod â'i fraint ac â'i ddyletswydd tuag at y gymdeithas a'i magodd, a dweud ymhellach fod unrhyw lyfr o'i law ef yn Gymraeg yn ddigwyddiad sy'n hawlio sylw.

Is-deitl y gyfrol brydferth hon yw 'Ysgrifau ar Ddiwinyddiaeth yr Hen Destament', a sylfaen yr ysgrifau oedd darlith a draddododd y Dr. Roberts dan nawdd Ymddiriedolaeth Pantyfedwen. 'Agweddau ar *Hanes yr Achub* yn yr Hen Destament o safbwynt diwinyddol', yn ôl geiriau'r broliant, yw mater yr ysgrifau. Mae'r Dr. Roberts yn honni, fodd bynnag, nad diwinydd ydyw ef, ond arbenigwr yn yr Hen Destament. Ond beth, atolwg, yw diwinyddiaeth? Onid ymgais i weld arwyddocâd neilltuol mewn ffeithiau a digwyddiadau ac ysgrifeniadau, ac i lunio o'r arwyddocâd hwnnw sylfaen i gredo? Os felly, mae'r Dr. Roberts yn ddiwinydd. Mae'n rhaid iddo fod, os yw ei waith i fod yn rhywbeth amgen nag esbonio geiriau ac egluro cystrawennau'r iaith Hebraeg a'i chwaer-ieithoedd.

Mae'n dweud mai methiant fu pob ymgais i gynhyrchu diwinyddiaeth sy'n gyffredin i'r ddau Destament, gan fod dyfod Iesu Grist wedi troi'r hen ddehongli gynt â'i wyneb i waered. Rhaid, felly, yw deall yr Hen Destament ar ei dir ei hun.

---

* *Sôn Am Achub*. Bleddyn Jones Roberts. Caerdydd, Gwasg Prifysgol Cymru, 1965. 94 tt.

'Y Creu yn Achub', 'Yr Addoli yn Achub', 'Y Cyfamod yn Achub', ac felly 'mlaen gyda'r Proffwydi yn eu pregethu a'u hactau, 'Doethineb', 'Y Dadlennu' (sef celfyddyd y dehonglwr yn y llyfrau apocalyptaidd), 'Y Cenhadu', ac yn olaf, 'Y Gair'. Beth yw 'achub' yn ôl gwahanol lyfrau'r Hen Destament a'r traddodiadau a'u cynhyrchodd? Pwy sy'n achub? Ac yn achub pwy? Sut? Oddi wrth beth ac i beth? Ceisio ateb cwestiynau fel y rhain y mae *Sôn am Achub*.

Mae'r Dr. Roberts yn llawer mwy diddorol wrth drafod y Proffwydi, y Dadlennu a'r Gair nag yn rhannau cynta'r llyfr. Wrth sôn am y Proffwydi, yn enwedig, mae'n eu cymharu hwy yn eu gwaith a'u sefyllfa â phregethwyr Cymru ddoe a heddiw. Ac amod cyntaf bod yn ddiddorol yw dod o hyd i ryw gyswllt â'r darllenydd yn ei amgylchedd yntau. Mae sylw fel hwn, er enghraifft, yn rhwym o ddeffro lleygwr sy wedi tueddu i bendwmpian wrth ddarllen llawer o osodiadau gwir, yn siŵr, ond braidd yn ddigyffro, ar gefndiroedd pell llyfrau'r H.D.:

> 'Y ffaith syml yw ei bod yn anoddach heddiw na chynt i ddeffro ymateb yn y gynulleidfa; nid hyn sydd ar y bobl ei eisiau. Y mae rhywbeth mawr o'i le, oherwydd y mae'r pregethu proffwydol bob amser yn bregethu effeithiol, a gan iddo bellach beidio â bod yn effeithiol, rhaid i ni chwilio am y rheswm. Ni olygaf wrth hyn y dylai pregethu proffwydol fod yn boblogaidd; nid oedd y proffwydi eu hunain yn boblogaidd. Ond ni fu'r proffwyd erioed yn aneffeithiol . . .' (t. 47)

Wrth reswm, nid gwaith y Dr. Roberts, yn enwedig mewn llyfr mor fyr, yw trafod diffygion pregethu Cymru heddiw, ond wrth gyfeirio ato yn y cyd-destun hwn y mae'n adnewyddu'n diddordeb ac yn argraffu'n sicrach arnom fath a maint dylanwad pregethu Jwda gynt.

I'm tyb i, fe fyddai'r penodau ar y Creu, yr Addoli, y Cyfamod, etc., yn fwy byw pe rhoesid inni gipolwg ar y gwŷr y tu ôl i'r llyfrau a'u harferion a'u defodau, tebyg i'r cip diddorol a gawn ar 'seremoni'r gorseddu' ar dud. 32. Bid siŵr, trafod datblygiad syniadau yw bwriad y llyfr, ond mae syniadau, yn enwedig rhai sy wedi colli'u grym a'u perthnasedd ers canrifoedd, yn fwy cyffrous o'u gosod yn eu perthynas â'r dynion a'u magodd ac a fagwyd ganddynt.

Ateb digonol i'r feirniadaeth hon, efallai, yw bod y llyfr mor fyr a'r gofod mor gyfyng, a bod yn rhaid dethol a chrynhoi. Mae'n ddiamau hefyd mai ar gyfer gweinidogion ac offeiriaid a myfyrwyr y bwriadwyd ef yn bennaf, rhai y byddai eu diddordeb yn syniadaeth yr Hen Destament a'u hangen am wybodaeth gryno amdano yn gwneud y llyfr o bwys iddynt prun bynnag.

Yn rhinwedd ei ymdrin safonol, awdurdodol â thema fawr ac anodd yng nghefndir ein crefydd ni, 'does dim rhaid dweud bod y llyfr hwn yn un pwysig, a bod ei gael yn Gymraeg yn amheuthun o beth. Y mae mor angenrheidiol i bregethwr o Gymro sy'n parchu'i bulpud ag ydyw concordans neu *Peake* ei hun, dim ond i'r cyfryw bregethwr wrando ar rybudd yr awdur a pheidio â cheisio pregethu'r llyfr fel y mae. (Rydw i'n ofni bod yna rai a wnâi hynny, ysywaeth.)

Un gair arall. Yn ei ragair fe ddywed yr awdur: 'Os bydd pobl – yn enwedig adolygwyr – am godi cweryl oherwydd gwallau orgraff, boed felly. Fe wnes fy ngorau'. Dyma un adolygydd, beth bynnag, na wna ddim o'r fath beth. Mae Cymraeg y Dr. Roberts yn ddigon da at ei bwrpas. Nid yw'n ddifrycheulyd, wrth gwrs, ond Cymraeg pwy sydd?

Adolygiad, 'Taliesin', Cyfrol 11, Rhagfyr 1965

O GOED I GARCHAR

Roeddwn i'n un o'r tri neu bedwar cyntaf i gael y fraint o ddarllen *Pigau'r Sêr*. Hynny pan oeddwn i ar staff y Cyngor Llyfrau Cymraeg, yn darllen llawysgrifau wrth fy swydd.

Fe fu agos imi wneud smonaeth o bethau drwy awgrymu y gellid gwneud gwelliannau hyd yn oed mewn gwaith mor rhagorol. Fe fu agos i'r awdur, J. G. Williams, ddychwelyd y deipysgrif i'r drôr mewn siom. Wedi sylweddoli diffyg hunan-hyder y llenor disglair hwn, dim ond mewn pryd yr osgois i'r drychineb honno drwy sicrhau cyhoeddwr i'r gyfrol yn syth bin a dweud yn bendant wrth J. G. y cyhoeddid hi cyn gynted ag oedd modd.

Erbyn hyn fe ŵyr pob darllenydd Cymraeg cyson pa mor wych oedd y gyfrol honno a'r fath groeso a gafodd hi. Fe glodd Mr. Saunders Lewis ddarlith radio â chlod uchel iddi a dyfyniad ohoni. Fe werthodd yr argraffiad cynta'n llwyr mewn byr amser. Ac yn ei

145

ddoethineb fe roddodd Cyngor Celfyddydau Cymru ysgoloriaeth i J. G. Williams i'w ryddhau o'i swydd am hanner blwyddyn i sgrifennu dilyniant iddi.

Yn nodweddiadol gydwybodol, fe ragorodd yntau ar amryw ohonon ni a chwblhau'r gwaith o fewn amser rhesymol. Rai misoedd yn ôl fe gyhoeddwyd y dilyniant hwnnw, y bu cymaint disgwyl amdano.* Fe ŵyr sawl llenor Cymraeg mai coblyn o sialens yw sgrifennu dilyniant i lyfr a fu'n llwyddiant. Sut y byddai *Yn Chwech ar Hugain Oed* yn cymharu â *Hen Dŷ Ffarm, Y Rhandir Mwyn* â *Y Stafell Ddirgel, Tân yn y Siambar* â *Y Gŵr o Baradwys, Nadolig Gwyn* â *Y Foel Fawr* – ac enwi dim ond rhai?

Rydw i'n credu'i bod hi'n haws i ail gyfrol o atgofion lwyddo nag i ail nofel – o safbwynt y darllenydd cyffredin, o leia – am fod yr hanes yn wir: yn sylfaenol a chyffredinol wir, beth bynnag. Mae'r awdur, wrth reswm, yn gorfod ail lunio ymgom ac yn lliwio tipyn ar gymeriad a digwyddiad wrth syllu'n ôl arnyn nhw drwy niwl blynyddoedd lawer. Ond i'w ddarllenydd mae'r cynnwys yn bwysicach na'r grefft; y cofio sy'n diddanu, nid y creu.

Nid nad yw'r creu – neu'n hytrach yr ail greu, mewn cyfrol o atgofion – yn bwysig. Rhan fawr o hudoliaeth dwy gyfrol J. G. Williams yw ei fod mor amlwg yn ail fyw ei atgofion i'r eitha a'i fod, drwy'i Gymraeg idiomatig cyhyrog ac ystwyth, yn gwneud i ninnau weld a chlywed a theimlo fel y gwelodd ac y clywodd ac y teimlodd yntau. Fe all rithio awyrgylch mewn paragraff, llun mewn brawddeg, cymeriad mewn fflach o ddeialog.

Dyfais dda oedd honno a ddefnyddiodd yn *Pigau'r Sêr*: ail fyw ei atgofion yn yr amser presennol a chadw doe yn heddiw o hyd. Ac fe gadwodd yr un ddyfais ym *Maes Mihangel*. Nid bachgen ysgol mono bellach, ond prentis saer gyda'i dad ar stad Talhenbont yn Eifionydd. A dyma fo eto'n ail fyw ei lencyndod nerth ei bum synnwyr.

Mae'n hen gŵyn bellach ein bod yn nabod ein gilydd yn rhy dda yn y gymuned Gymraeg fechan a'i bod yn anodd inni ddweud y gwir di-flewyn-ar-dafod am waith ein gilydd. Yn yr achos hwn, fodd bynnag, mi deimlais i mai mantais bendant oedd nabod yr awdur a'i gynefin yn dda, am fod hynny'n help imi fesur llwyddiant neu aflwyddiant ei bortread o'i fro a'i gymdeithas a rhai o'i chymeriadau.

* *Maes Mihangel* gan J. G. Williams. Gwasg Gee, 1974.

Mi glywais innau stori 'neidar fawr' y cymeriad amheuthun hwnnw, Owen Thomas Owen Tŷ Lôn (OTO i weithwyr y stad), o'i enau ef ei hun, i gyfeiliant y rhowlio sigaret defodol, y seibiau llwythog a'r ystumiau niferus. Yn niffyg recordiad tâp neu ffilm, ni ellid cael y perfformiad hwnnw'n berffeithiach nag y'i ceir ar ddalennau 52 a 53 o *Maes Mihangel*.

Wedyn, dyna dad yr awdur, Jerry Williams: gŵr a wnaeth argraff ddofn ar lawer, cyffredin ac ysgolhaig, ond nad yw eto wedi cael y sylw dyladwy ond yn llyfrau'i feibion, Jack a Robin. Un o'r gwerinwyr mwya gwir ddiwylliedig y gallech obeithio'u cyfarfod, ond saer yn gyntaf oll, a chymeriad. Dyma fo, yng ngeiriau'i fab:

> . . . allan ar yr iard y bore yma dyma Nhad yn newid ei feddwl. Safodd cyn cyrraedd y gweithdy, gan stwffio'i fodiau o'r tu ôl i'w fresys. Edrych i fyny i'r awyr am ychydig. Crychu ei drwyn. Edrych i lawr ar flaenau'i esgidiau. Wedyn edrych arnaf fi.'

Yn yr ychydig symudiadau yna fe broffwydwyd y tywydd, fe setlwyd problem, fe gynlluniwyd gwaith diwrnod. A dyna Jerry Williams yn fyw drachefn.

Mi fedra i dystio hefyd fod hwyl a hudoliaeth y fro a'r gymdeithas yng nghylch Maes Mihangel wedi'u hatgynhyrchu yma'n gywir – ond yn llawer mwy na chywir, wrth gwrs. Wedi treulio rhai o hafau aur fy ieuenctid yn 'y fro rhwng môr a mynydd' ac ym Mlaen-y-wawr, hen gartre'r awdur ger Plas y Gwynfryn, fe ddaeth Eifionydd yn ail gynefin i mi. Ac am Flaen-y-wawr mi allwn i ddweud, a benthyca ymadrodd o'r *Mabinogi*, 'gorau cartref yn y byd oedd': cartref oedd nid yn unig yn ffynnon ddihysbydd o chwedlau a chwerthin a thrafod deallus a doethineb oesol ond hefyd yn lletty cyson agored i 'betha ifanc' fel fi fy hun ar dramp ac yn hafan y byddai enwogion cenedl yn galw ynddi am 'paned a sgwrs. Mae'r cartre hwnnw hefyd wedi'i bortreadu ym *Maes Mihangel* mor wrthrychol ag y gallai un o'i blant wneud hynny, ac mae'i gyfaredd yma'n gyflawn.

Mae profiadau cofiadwy'r llyfr yn rhy niferus i'w rhestru yma i gyd: y llanc, yn y bennod gynta, yn gorfod treulio tridiau ar ei ben ei hun yn peintio stafell yn yr hen blasty, mewn arswyd parhaus rhag yr ysbryd sy'n llechu yn y lle; y disgrifiad meistraidd o'r storm fellt a tharanau ddychrynllyd, a'r dychymyg ifanc wedi'i droi'n frwydr rhwng tri chawr; yr alanas wedi'r storm, a nifer o bontydd y fro wedi'u golchi i ffwrdd gan afonydd wedi drysu; pennod y capel yn llosgi (mor addas yn deitl i hon fyddai 'Moreia'n Dân'!); afiaith y gwaith ar y caeau ac yn y coedydd gyda 'fflei-giang' y stad, neu yn y gweithdy'n trin coed marw (os oes y fath bethau) neu wrth fwrdd yn tynnu lluniau coed byw . . .

Coed. Fel yn *Pigau'r Sêr*, mae coed eto ymysg prif gymeriadau *Maes Mihangel*, yn fodau byw i'r awdur ac yn fodd i fyw iddo. Un peth a gollais i yn y gyfrol hon oedd y darluniau bach du-a-gwyn o'r fro goediog a roddodd ar ddalennau *Pigau'r Sêr*. Mae coed J. G. Williams yr arlunydd mor ddadlennol â'r coed y mae'n sgrifennu amdanyn nhw, yn enwedig eu gwreiddiau mawrion, cyhyrog, cordeddog sy'n crafangu daear ei fro. Heb na phregethu nac athronyddu mae wedi dweud mwy am hanfodolrwydd gwreiddiau nag a ddywedodd odid neb.

Yna, yn gwbl ddirybudd, fe'n chwipir ni o glydwch cartref a chymdeithas Gymraeg wâr i anwarineb carchar estron. Yn ddirybudd, ond nid yn ddigynllun. Mae pennod 16 yn agor:

> 'Profiad diddorol yw deffro'r bore a methu'n lân â dod i wybod ym mha le y mae dyn. Deffrois rŵan a theimlo'r caledwch rhyfeddaf oddi tanaf.'

Mewn pabell y mae, yn gwersylla heb fod nepell o lan y môr, a diwrnod afieithus o'i flaen. Ond, yn gelfydd, dyma agor pennod 17 â'r un geiriau'n union:

> 'Profiad diddorol yw deffro'r bore a methu'n lân â dod i wybod ym mha le y mae dyn. Deffrois rŵan a theimlo'r caledwch rhyfeddaf oddi tanaf.' (Ond yn awr am y sioc). 'Codi ar fy eistedd ar yr ystyllod pren a syllu ar y plisman yn sefyll yn y drws ac yn dal yr hambwrdd yn ei law . . .'

Dydi'r awdur wedi sôn dim am Ryfel 1939-45 cyn hyn. Dim gair am ei argyhoeddiadau cenedlaethol Cymreig nac am dribiwnlys gwrthwynebwyr cydwybodol. Ond, yn gelfydd gynnil eto, yn y bennod flaenorol mae wedi syllu oddi ar lethrau'r Graig Goch ar y Boda'n gwibio i lawr o'r entrych i gipio creadur bach diniwed ac wedi teimlo 'rhyw ofn mawr': yr un ofn ag a deimlodd wrth wrando'r saint ar weddi yn diolch i'r Hollalluog o hyd am ein cadw *ni*. Ac mewn cyffelybiaeth ddeifiol mae'n cofio Boda dridiau ynghynt yn cipio cwningen yn ei grafangau, 'gan adael y cwningod eraill i ddiolch am eu cadw'.

Ar ôl 'Tri Penyberth', y Cymry cyntaf i fynd i garchar dros eu hargyhoeddiadau gwleidyddol oedd J. G. Williams a nifer bychan dewr o'i genhedlaeth. Bron yn niwedd y gyfrol hon, yn ystod dadl ysgubol ag un o warderiaid y carchar, mae'r awdur yn atgofio brawddegau o'i ddatganiad i'r tribiwnlys: *'Yr wyf yn gwrthod cydnabod hawl Llywodraeth Lloegr i osod gorfodaeth filwrol ar Gymru . . . gwrthodaf ymuno â lluoedd Brenin Lloegr.'* Doedd dim gobaith i safiad y bechgyn gael sylw yn y wasg ddyddiol: roedd sensoriaeth tymor rhyfel ar honno. Doedd dim sôn amdanyn nhw ar y radio; roedd honno dan sensoriaeth hefyd. A doedd dim teledu. Fe aeth y rhain i garchar heb gynulliad brwd o ffrindiau i'w hebrwng i mewn nac i'w derbyn allan, a hynny yn un o gyfnodau anterth jingoaeth Brydeinig, pan oedd hyd yn oed eu cyd-Gymry'n canu *There'll Always Be an England* a llawer o genedlaetholwyr Cymreig yn mynd i'r rhyfel 'am fod rhaid trechu Hitler gynta'. Tybed ydyn ni wedi llwyr anghofio arwriaeth unig y carcharorion cynnar hyn?

Ond does dim chwerwedd, dim oll, yn nisgrifiadau J. G. Williams o galedi'r carchar. Dim ond cronicl cytbwys, maddeugar o'r cyfan, gydag ambell gyffyrddiad teimladwy fel ei ofal am 'Feibl Olwen J.E.' a gawsai ganddi cyn mynd i mewn, portreadau gwych o'r warderiaid a'i gyd-garcharorion, a llawer o hiwmor. Yn gynnil iawn y mae'n sôn am effaith yr amgylchedd ffiaidd ar ei feddwl sensitif a'r artaith yr aeth drwyddo gyda'r crach hyd ei goesau. Ei foneddigeiddrwydd naturiol, nid taeogrwydd, sy'n peri iddo roi 'Mr.' o flaen enw pob warder, gwâr ac anwar. Gofyn yr oeddwn i: pa fath drefn oedd hon, a allai daflu hyd yn oed Grynwyr nobl a graslon i gell am fethu dwyn arfau? Ond dydi J.G.W. ddim yn gofyn cwestiynau nac yn eu hateb: dim ond yn tynnu llun manwl annileadwy o'r cyfan, gan adael i'r gwrthgyferbyniad rhwng erchyllter oer y carchar a chynhesrwydd gwâr y 'tawel gwmwd' y bu'n rhaid iddo'i adael lefaru drosto'i hun.

Llyfr ysgytiol, heb os. Cymar teilwng, a dweud y lleia, i *Pigau'r Sêr*. Os felly, mae yntau'n Llenyddiaeth ag 'Ll' fawr.

Adolygiad, 'Taliesin', Cyfrol 29, Rhagfyr 1974

COFIO TEGLA[1]

Min nos yn Aberystwyth. Dau yn sefyll yn neuadd Coleg Diwinyddol y Presbyteriaid. Meddai Eirian Davies,
'Dere gen i weld Gwynn.'

Mi wnes ryw esgus. Dydw i ddim yn cofio beth. Gwaith, ymrwymiad arall, rhywbeth. Ond rydw i'n credu mai rhyw fath o swildod – arswyd, hwyrach – a'm cadwodd i rhag mynd. Y noson honno.

Ches i ddim cyfle arall. Yn fuan wedyn fe fu farw T. Gwynn Jones.[2] Doeddwn i erioed wedi'i weld, ond o bell. Erioed wedi torri gair ag o. Chawn i ddim mwyach. Yn drist edifar yr es i, gyda nifer bach o 'nghydfyfyrwyr llengar, i'w angladd o.

Roedd Capel Salem, os iawn y cofia i, yn rhwydd lawn. Ar flaen yr oriel yr oedden ni'n eistedd, yn syllu'n synfyfyrgar ar un o actau'n Hanes, yn ymwybod i'r byw ag ymadael llong hardd arall parth ag Afallon, ac un o'n brenhinedd ni ar ei bwrdd. Doedd Cymry ifainc y dyddiau hynny ddim mor ddewr; roedden nhw'n barotach i wrhau i'w mawrion.

Does gen i ddim llawer o go am y gwasanaeth. Ond gan nad oes dim yn ddiflas yn y cofio, mae'n rhaid ei fod yn briodol, yn gwbl chwaethus. Ond yng nghanol y niwlen mae un darlun hollol glir. Tegla yn y pulpud. Yn sefyll fel y byddai bob amser yn sefyll mewn pulpud, yn dalsyth, hardd, ddisymud, un llaw wedi'i chroesi'n ofalus dros y llall. Ei wyneb main gwyn, dan ei gwmwl crychwallt arian, yn dal dau lygad mawr glas oedd yn dilyn y llong dros bennau astud y gynulleidfa. A'r llais tenau, undonog, cyfareddol hwnnw'n adrodd ei gyfeillgarwch â T. Gwynn Jones.

Y noson fawr honno, er enghraifft, pan oedd o'n aros ar aelwyd y Gwynn, a hithau wedi troi hanner nos, a'r bardd yn estyn llawysgrif 'Madog' ac yn dechrau'i darllen, a thoc yn ei gyffro'n codi ar ei draed i ymafael â'r dymestl ar fwrdd Gwennan Gorn. Ac yna, wedi tewi, yn eistedd. A'r ddau, Tegla ac yntau, yn gwrando ar ddistawrwydd syfrdan ei gilydd.

Dyna, hyd y cofia i, y tro cynta imi weld Tegla. Roedd o y pryd hwnnw'n tynnu am ei ddeg a thrigain, ac am a wn i nad oeddwn i'n disgwyl y byddai yntau cyn hir yn dilyn ei gyfaill. Bychan

---

[1] Bu Tegla farw 9 Hydref, 1967.
[2] 7 Mawrth, 1949.

feddyliais i y prynhawn hwnnw y down i'n fuan i'w nabod o'n dda, ac y cawn i ymddiddan a gohebu ag o'n gyson am fwy na phymtheng mlynedd.

Yn blentyn, roeddwn i wedi darllen *Hunangofiant Tomi*, wedi chwerthin lond perfedd uwchben castiau Nedw ac wedi darllen, yn llai afieithus, *Y Doctor Bach*. (Doeddwn i ddim wedi hidio rhyw lawer am yr hen daid yn poeri'n gyson i'r un llecyn yng nghornel sêt y capel nes ei wneud yn dwll; ddim wedi dysgu gwerthfawrogi celfyddyd y portread; ddim wedi magu stumog at realaeth.) Ond ar wahân i'r tri llyfr yna, a *Gyda'r Glannau a Dechrau'r Daith*, mae'n gywilydd gen i ddweud mai ychydig o ddim arall ddarllenaswn i o'i waith o. Wedyn, yn ystod blynyddoedd ei nabod o, y darllenais i doreth y pentwr.

Ond fe fu gen i un cysylltiad anuniongyrchol ag o, yn ddiarwybod iddo, pan oeddwn i'n bur ifanc. Bachgen ysgol un ar bymtheg oed oeddwn i, ac yn ysgrifennu nofel. Roeddwn i eisoes wedi sgrifennu un fer yn Saesneg. Rhad arni! Doedd yr un Gymraeg ronyn gwell, am wn i, ond fy mod i, fel y byddar-ddegyn yn fflamio gan ei ryfeddod newydd ei hun, yn tybio'i bod hi'n gampwaith. Fe fu agos i 'Nhad ei lladd hi hefyd, pan oeddwn i'n llechu yn y tŷ un prynhawn braf yn lle mynd i'r cae i senglu maip. 'Esgus ydi'r hen sgwennu 'ma o hyd,' meddai'n ddigon ffrom. Ond mi lwyddais i, a'r nofelét, i ddal y ddyrnod honno. Mae'n deg imi ddweud nad oedd neb balchach na 'Nhad pan ddechreuais i gyhoeddi llyfrau. Yn wir, roedd o'n rhy barablus falch o ddim rheswm wrth gymdogion a dieithriaid er fy nghysur i. Ond dyna fe; yn ôl y llên gwerin deuluol roedd o wedi dweud uwchben fy nghrud i: 'Waeth gen i be arall fydd o, os bydd o'n fardd.' Sef oedd hynny, wrth gwrs, bardd-bregethwr. Wele f'enw i.

Ond yn ôl at y nofelét. Roedd Llyfrau'r Dryw'n cynnig canpunt o wobr am nofel. Gwobr a gipiwyd yn rhwydd gan y Dr. Kate Bosse-Griffiths am *Anesmwyth Hoen*, nofel a roddodd wefr i mi pan gyhoeddwyd hi.

Prun bynnag, Tegla oedd y beirniad. Chafodd fy nghampwaith i ddim llawer o ganmoliaeth ganddo. Fe ddwedodd yr hyn yr oedd rhaid ei ddweud, mai nofel anaeddfed oedd hi am garwriaeth ystrydebol rhwng llanc o ffarmwr cyffredin a merch y plas, a bod y *deus ex machina* – dyna pryd y dysgais i'r ymadrodd – wedi ffwndro'i diwedd hi. Chofia i ddim erbyn hyn pa ddiawlineb wnaeth y duw â'i beiriant, ond rydw i'n ofni i'r Bod flino amryw o'm nofelau eraill i hefyd, pan ddylswn i wybod yn well.

Ymhen blynyddoedd wedyn mi soniais wrth Tegla. Meddwl y caen ni'n dau chwerthin yn ddifyr uwchben y peth. Er syndod imi, fe aeth yn dawedog, braidd yn drist felly – er nad oedd o'n cofio dim, wrth reswm, am y nofelét arswydus honno. Ai tybed mai cofio'r oedd o fel y clwyfwyd yntau gan feirniaid, a meddwl y gallai hwyrach fod wedi torri impyn ifanc cyn iddo ddechrau blaguro? Mae arna i ofn yn fy nghalon, pe bawn i wedi digwydd nodi f'oedran ar lawysgrif y nofel, y byddai wedi rhoi rhyw damaid o'r wobr imi er mwyn fy nghalonogi. Roedd rhoi hwb i lenorion ifainc yn genhadaeth ganddo.

Mae llenorion cydnabyddedig yn amrywio'n ddybryd yn eu hagwedd at lenorion ifainc. Er enghraifft, pan oeddwn i'n fyfyriwr fe'm cynghorwyd gan un llenor amlwg[3] i beidio â chyhoeddi dim nes 'mod i'n ddeugain oed. Pe bawn i wedi gwrando ar y cyngor, fyddwn i hyd yma wedi cyhoeddi dim. Efallai mai hynny, ar lawer cyfri, fuasai orau.

Ond arall hollol oedd ymagwedd dau lenor amlwg yr ydw i'n ddwfn yn eu dyled. Un ydi'r Athro T. J. Morgan,[4] a'm cymhellodd i sgrifennu i'r *Llenor* cyn i'r cylchgrawn mawr hwnnw ddarfod amdano, ac a roddodd imi drwy eiriau tra charedig yr hyder i feithrin hynny o rwyddineb ysgrifennu a roed imi. Dydw i ddim yn credu y byddwn i wedi cyhoeddi cyfrol o ysgrifau oni bai am yr Athro Morgan. Y llall, wrth gwrs, oedd Tegla.

Chyhoeddais i'r un llyfr heb i Tegla sgrifennu llythyr maith ata i yn ei drin a'i drafod. Gorganmol y byddai bob tro, ac mi fentrais ddweud wrtho wedi cael ei lythyr yn gorganmol fy nofel gynta' mod i braidd yn siomedig na fyddai wedi beirniadu tipyn arni: y buasai hynny'n fwy o help. Bid siŵr, dyma lythyr arall, yn dweud yn y geiriau coetha'i fod wedi cribinio'r llyfr am feiau, ac mai'r unig fai y gallai feddwl amdano oedd fy mod i hwyrach wedi cynnwys ynddo ormod o Saesneg. Mi sgrifennais innau'n ôl i ddiolch yn fawr iddo am ddangos y bai ac i ddweud 'mod i'n cytuno. Does bosib yn y byd mai dyna'r unig fai welodd o yn y nofel. Ond dyna Tegla. Trin y prentis yn dyner: ei symbylu i ragorach gwaith drwy ganmol ei rinweddau a thewi am ei gamgymeriadau. Dyna, medd rhai addysgwyr cyfoes, ydi addysg dda.

[3] Syr Thomas Parry-Williams oedd y llenor amlwg.
[4] Yr oedd yr Athro Morgan yn fyw pan gyhoeddwyd yr ysgrif hon.

Mi wn nad fi oedd yr unig gyw llenor a gymhellwyd ac a feithrinwyd ganddo fel hyn. Dyna brofiad Catrin Lloyd Rowlands, y gynta o'n hawduresau ifainc cyfoes i ennill gwobr y nofel yn yr Eisteddfod Genedlaethol. Tegla roddodd y wobr iddi hi, ynghyd â geiriau caredig iawn, yn Eisteddfod Llangefni ym 1957. Pan ddeallodd ei fod wedi gwobrwyo merch ifanc un ar hugain oed roedd ei lawenydd yn heintus. Y seren newydd oedd pwnc ei ymgom am wythnosau.

Roedd Catrin arall yn agos iawn at ei galon, sef Catrin Puw Morgan, merch y nofelydd Elena Puw Morgan, nofelydd na chawson ni ddim ond dwy nofel[5] yn dyst o'i dawn. Pan oedd y Catrin hon yn cipio prif wobrau yn Eisteddfod Genedlaethol yr Urdd roedd Tegla uwchben ei ddigon, ac yn darllen inni dameidiau o'i llythyrau byrlymus hi at 'Yncl Tegla': prawf ei fod yn dyfal feithrin hyder llenor ifanc arall.

Tebyg yw profiad John Rowlands. Mae un o ddoniau llenyddol disgleiria'r Gymru ifanc, Eigra Lewis Roberts, wedi datgan ei dyled hithau i Tegla. Ac mae'n siŵr fod eraill a allai dystio i werth y llythyrau sbardunol, y seiadau, a'r diddordeb tadol, craff. Ond nid y to ieuenga'n unig.

Un o storïau mawr Tegla oedd honno am y ffordd y daeth un ferch i'w fywyd am yr ail waith. Fe ŵyr pawb hyddysg fod iddo dri phlentyn: yr ieuenga, Gwen; y mab, Arfor; a'r hynaf, Dyddgu – neu, fel yr oedd ei thad ac y mae pawb o'i ffrindiau'n ei galw hi, Dydd.[6] Ond roedd Dyddgu arall ym mywyd y teulu pan oedden nhw'n byw yn Llanrhaeadr-ym-Mochnant. Fe gollwyd cyswllt â hi am flynyddoedd. Ond un dydd, pan oedd Tegla – yn heneiddio bellach – ar grwydr ym Maldwyn, fe'i gwelodd hi ar ddamwain.

'Pum munud arall, ac mi faswn wedi'i cholli hi,' meddai, 'hwyrach am byth'.

Felly y daeth Dyddgu Owen yn ôl i fywyd Tegla a'i deulu. Pan fyddai Tegla'n aros ar ymweliad â'i modryb a hithau yn Ysgol Cyfronnydd – ysgol i blant araf yr oedd Dyddgu'n brifathrawes eneiniedig arni – a minnau'n weinidog ifanc yn Llanfair Caereinion, dyna'r pryd y byddwn i'n ei weld. Ar un o'r ymweliadau hynny y des i i'w nabod o gynta, a chael siarad ag o wyneb yn wyneb.

---

[5] Fe gyhoeddodd fwy na dwy.
[6] Nid oes yr un o'r tri yn fyw heddiw.

Dyna'r pryd, hefyd, y dechreuodd Dyddgu Owen ysgrifennu. A chyhoeddi, mewn olyniaeth gyflym gyffrous, dair nofel antur i Gymry ifainc: *Cri'r Gwylanod, Caseg y Ddrycin* a *Brain Borromeo.* Nid damwain, rydw i'n siŵr, oedd mai wedi ailadnabod Tegla y daeth Dyddgu Owen i adnabod ei dawn lenyddol ei hun.

Pa atgofion sydd am y seiadau cynnar hynny gyda Tegla ym mharlwr rhiniol Ysgol Cyfronnydd ac ar ein haelwyd ninnau yn Llanfair?

Un. Tegla yng Nghyfronnydd, o'i go las. Newydd gael *Y Faner* ar fore Mercher, ac yn ei dweud hi'n enbyd. Hysbyseb hanner tudalen yn *Y Faner* – i gwrw. Oni allai papur cenedlaethol Cymraeg ymgynnal heb ymostwng i hysbysebu diod feddwol, oedd o'n werth ei gadw o gwbl? Minnau'n mentro ateb: roeddwn i'n derbyn y rhan helaetha o 'nghyflog o Gronfa Ganolog fy enwad, ac roedd fy enwad i'n buddsoddi'n drwm ar y pryd mewn *War Loan* a *Defence Bonds.* Roeddwn i, felly, yn byw ar enillion arfau rhyfel. Os na allai gweinidogaeth Tangnefedd ymgynnal heb broffid arfau rhyfel, oedd hi'n werth ei chadw o gwbl? Mi gredais y byddai'r ddadl honno'n lleddfu llid yr heddychwr mawr. Nid felly. Dydw i ddim yn cofio beth fu diwedd y ddadl, ond rydw i'n siŵr o un peth: nad fi gafodd y gair ola. Roedd ymennydd Tegla fel ellyn diwrnod oed. Chafodd o ddim diwrnod o addysg prifysgol, ond roedd angen mwy na gradd gyffredin mewn athroniaeth fel oedd gen i i droi llanw'r rhesymeg Degleaidd.

Atgof arall. Tegla'n fy holi, yn Llanfair y tro yma, am y 'cwrs gorffen' gawson ni yng Ngholeg y Bala. Digon diddorol, meddwn i, a dechrau sôn am y diweddar Brifathro Griffith Rees. A dyfynnu'i gyngor imi wedi imi dderbyn galwad i Lanfair (yn Saesneg, bid siŵr): 'When you walk down the high street in Llanfair Caereinion, remember that you are a man of God.' Gweld y tân glas yn cynnau yn llygaid Tegla. A chlywed y llais deifiol: 'Os ydech chi'n ŵr Duw, oes angen ichi gofio hynny ar ganol stryd Llanfair Caereinion?'

Un atgof eto. Uned allanol y B.B.C. wedi dod i Lanfair i recordio Pobl yr Ardal, ac yn cael te gyda ni. Tegla'n digwydd bod yno. Am Iesu Grist yr oedd y sgwrs, a Tegla oedd yn llefaru. 'Yr Arglwydd' oedd ei enw ar Iesu Grist bob amser. Ond yn hytrach na'r anghysur y byddech chi'n ei ddisgwyl wrth drafod pwnc mor ddelicet mewn cwmni mor gymysg, roedd pawb mor gysurus ddigyffro â phe byddid yn sôn am y tywydd. Hyd yn oed pan ddyfynnodd Tegla 'Fe safodd fy Mrenin ei Hunan', a'i lais yn anwastad gan deimlad, ni theimlodd neb mai amhriodol oedd siarad felly wrth fwrdd te. Mi welais ac mi glywais rai ar aelwyd yn cythru i weddi neu i ddarllen o'r Ysgrythur fel bustych ar eu cythlwng, gan yrru brodyr gwannach i'w cregyn. Tegla oedd yr unig un i mi'i glywed yn sôn am 'Yr Arglwydd' heb i'w wrandawyr sylwi, bron, fod y pwnc wedi newid.

Mae'n deg imi ddweud i Tegla ymdrechu'n galetach na neb i 'nghadw i yn y weinidogaeth – neu, fel y mae'n well gen i ddweud, yn y fugeiliaeth ffurfiol. Fe geisiwyd cadw'n gyfrinach pwy oedd awduron Portreadau'r *Faner*, ond cyn bod wedi darllen hanner dwsin o linellau mi wyddwn mai Tegla oedd awdur fy 'mhortread' i. Roedd ei arddull yn un o'r rhai hawsaf i'w nabod. A'i frawddeg allweddol oedd, 'Yn y weinidogaeth y mae ei le'. Roedd hynny 'mhen sbel wedi imi adael y barchus arswydus, ac yn dangos gymaint ei siom mod i wedi gollwng cyrn yr arad.

Roedd yn amlwg hefyd mai Tegla oedd awdur y Portread o'r Dr. Tecwyn Evans. Roedd cryn dipyn o grafu yn y portread hwnnw, ond dim cymaint ag yn ei ysgrif goffa i Tecwyn. Mi fûm i'n myfyrio'n hir uwchben honno, yn methu deall sut y gallai cyfaill sgrifennu mor finiog am gyfaill marw.

Ond roedd rhyw bethau na allai Tegla mo'u goddef o gwbl oll. Mae'i ysgrifau'n dyst i'r casbethau i gyd: hunanbwysigrwydd, pomp, anghysondeb, gwanc dynion bychain am swydd a safle a sylw. A doedd dim gobaith i bregethwr poblogaidd cyrddau mawr – cyfaill neu beidio – ddianc rhag y fflangell. Oherwydd i Tegla doedd a wnelo hwyliau mawr cyfarfodydd pregethu ddim oll â gwir bwrpas pregethu.

Mi wn i pwy oedd ei ffefrynnau ymysg Cymry amlwg heddiw. Mi wn i hefyd pwy yn eu mysg oedd yn golledig yn ei olwg. Dwy restr oedd ganddo: un wen ac un ddu. Fe allai wneud i mi deimlo'n euog, oherwydd mae gen i restr ganol lwyd ac arni enwau amryw byd o Gymry sy'n dra gwerthfawr er nad ydw i ddim yn hoff ohonyn nhw'n bersonol (petai hynny o unrhyw bwys), neu'n hoff gen i er nad ydyn nhw'n dda i ddim i'w gwlad nac i'w heglwys nac i neb na dim arall, hyd y gwn i. Ond i Tegla, gwamalrwydd fyddai rhestr o'r fath. Iddo fo, fel i'r Mudiad Efengylaidd a Chymdeithas yr Iaith, roedd defaid ac roedd geifr, a byth nid âi'r ddeuryw'n un.

Mae deunydd cyfrolau yn Tegla: yn y dyn, yn yr apologydd

Cristnogol mawr, yn y llenor. Ond ysgrif ydi hon, a rhaid crynhoi.

Dydw i ddim wedi ceisio cloriannu'i gyfraniad llenyddol yma. Barn amryw o'n beirniaid, o dair cenhedlaeth, yw nad oedd yn llenor o bwys. Rydw i'n anghytuno â'r farn honno, er 'mod i'n sylweddoli bod y pwysau beirniadol ar yr ochr arall.

Rydw i'n credu y dylwn i ddweud hyn. I farnu'n deg gyfraniad Edward Tegla Davies i lenyddiaeth Cymru mae'n rhaid darllen oddeutu deugain o lyfrau. Tipyn o ddarllen! Fe ellir wfftio *Gyda'r Glannau* neu wneud ceg gron uwchben *Gŵr Pen y Bryn* neu dynnu trwyn ar *Y Foel Faen* neu droi *Y Ffordd* heibio gydag 'Ie, wel . . .' Ond nid llenor a gofir oherwydd un llwyddiant llachar mo hwn. Mae dyfarnu Tegla'n eilradd ar sail unrhyw ddau neu dri o'i lyfrau yn union fel barnu Daniel Owen yn ôl *Offrymau Neilltuaeth* neu Rowland Hughes yn ôl 'Y Ffin' neu W. J. Gruffydd yn ôl 'Sionyn'.

Beth bynnag fydd consenssws y farn lenyddol yng Nghymru ymhen canrif eto ar waith Tegla – a bwrw bod consenssws o unrhyw fath yn bosibl byth mewn gwlad mor Geltaidd â hon – fe fydd yn amhosib sgrifennu hanes llenyddiaeth Gymraeg heb roi lle go helaeth iddo. A hynny am reswm eitha syml. Llenor i ddadlau'n ddiderfyn yn ei gylch yw Tegla. Ni ellir rhoi'r caead arno am byth fel y gwnaed ar Marie Corelli. Ychydig, efallai, fydd yn barod i ddadlau mai *Gyda'r Blynyddoedd* yw hunangofiant Cymraeg gorau'r ugeinfed ganrif, ond mae *rhywun* yn mynd i ddweud hynny mewn cenhedlaeth ar ôl cenhedlaeth. Mae *rhywun* mewn to ar ôl to yn mynd i ddotio ar *Tir y Dyneddon*. Mae *rhywun* yn mynd i fwynhau *Nedw*. Mae *rhywun* yn mynd i ryfeddu eto at eglurebau meistraidd y cyfrolau ysgrifau ac at ddeifioldeb didrugaredd *Rhyfedd o Fyd*.

Os peidir â sôn am Tegla fe beidir â sôn, yn sicr, am Brutus; yn bur debyg, am Emrys ap Iwan; ac efallai, hyd yn oed, am Ellis Wynne a Jonathan Swift.

Prun bynnag, mae'n rhaid i unrhyw feirniad a ddarllenodd y deugain llyfr, neu hyd yn oed nifer rhesymol ohonyn nhw, gytuno ar un peth: faint bynnag fydd gwerth creadigol parhaol toreth ei waith, fod Tegla'n un o'r tri neu bedwar ymennydd llenyddol galluocaf a ddefnyddiodd y Gymraeg yn ein canrif ni.

'Taliesin', Cyfrol 16, Gorffennaf 1968

DYFALIADAU YNGHYLCH YR ANRHYDEDDUS YMARFERIAD O FEIRNIADAETH LENYDDAWL NEU DRAETHIAD AR SAFLE'R GERBYDES

Mae rhyw gwyn wirion i'w chlywed yn awr ac eilwaith ar barciau eisteddfodol Cymru ac wrth ei lleoedd tân teils liw nos, sef 'nad oes dim cymeriadau i'w cael heddiw fel y byddai 'slawer dydd,' neu 'fod yr hen gymeriadau i gyd wedi mynd'.

Wel, wrth gwrs fod yr hen gymeriadau wedi mynd. Mynd y byddwn i gyd yn hwyr neu'n hwyrach. Does neb yn byw i oedrannau anhygoel ond mewn mannau fel Georgia, U.G.S.S. – lle mae tystysgrifau geni, mae'n dra thebyg, cyn brinned ag aur. Wrth gwrs fod yr *hen* gymeriadau wedi mynd, ac yn dal i fynd. Fe goll'som fynwentiaid go helaeth ohonyn nhw eleni, ac mae llygad unrhyw Gymro gwerth yr enw yn dal i leithio wrth gofio'u colli. Ond, gogoniant fo, cymeriadau newydd sydd. A thra deil y 'garreg fyw' Gymreig – neu Geltaidd, os mynnwch chi – ei thir yn erbyn llanw llwyd undonog fôr yr Eingl-Sacson, cymeriadau newydd fydd.

Enghreifftier. Beth ond 'cymeriadau' y galwech chi Charles Williams, Ifan Gruffydd, Bob Carmel, Eirwyn Pontsiân, Wil Sam (a'i fywgraffydd dawnus, Guto Rhos-lan, o ran hynny), Thomas y Fet a Dai Davies y Garddwr, heb sôn am loywon cylch y Cilie, hen ac ifanc, a llawer eraill o'u bath? Wel, nage; dim ond un sydd o'i fath: dyna'r pwynt. A dydi'r byd academaidd – cyn belled ag y goddefir i'r anialdir hwnnw fod yn *Gymreig* – ddim hebddyn nhw chwaith. Mae Doctor Gareth (Ifans) lawn cymaint o gymeriad ag oedd Doc Tom; dau o'r un fro, gyda llaw, sy'n beth diddorol.

Wel ie, meddech chi, ond cymeriadau cenedlaethol yw'r rhain; y rhai lleol sy'n prinhau. Digon posib hynny, a da, mewn ffordd. Onid yw amlhau o'i chymeriadau *cenedlaethol* yn dangos bod Cymru o'r diwedd yn ymdebygu i genedl? Ac os yw'r cymeriadau lleol yn prinhau, dim ond yn yr ardaloedd lle mae'r môr marw Eingl-Sacsonaidd wedi bwyta'r garreg fyw, ac nid yn unig wedi seisnigo tafodau'r trigolion ond wedi teledrwytho a bingosocian a thabloideiddio'u meddyliau hefyd – yn yr ardaloedd hynny y mae'r 'cymêr' yn mynd yn brin a phrintio *postage stamps* Daniel Owen yn mynd rhagddo ar garlam brawychus.

Ac eto, fe all hyd yn oed yr anwareiddio hwn gynhyrchu ambell gymeriad-o-chwith, megis y Gwir Anrhydeddus George Thomas –

fel petai'r garreg fyw a erydwyd hyd ei bôn yn dial yn chwithig ar y llanw a'i llyncodd drwy daflu i'w wyneb undonog ambell wawdlun o'i waith.

Ond pam y rhagymadroddi amherthnasol hwn ar 'gymeriadau'? Nid mor amherthnasol. Oherwydd un o gymeriadau'r Gymru gyfoes yw awdur y llyfr hwn.[1] Ond atolwg, onid yn ddifrifol iawn y dylid trafod cyfrol o feirniadaeth lenyddol, a'r beirniad llenyddol sy'n awdur iddi – os ei drafod ef o gwbl? Onid math ar gabledd yn erbyn ysgolheictod yw hyd yn oed grybwyll – yn y cyswllt pwysfawr hwn – y cymeriad D. Tecwyn Lloyd, y chwedleuwr diddan, y cyfarwydd celfydd, y wit a'r wàg y bydd yn rhaid ryw ddydd ysgrifennu compendiwm o'i ryfedd ddamcaniaethau a Mabinogi ei gampau a'i ddirdynnol ddigrif gastiau, a barodd fomentau o wir wewyr i rai cyfeillion a dryswch haeddiannol i ambell fiwrocrat mân?

Wel, rhyngoch chi a'ch rhagfarnau am hynny. Mae'n annichon i mi hollti Tecwyn Lloyd yn ddau a rhwygo'r beirniad oddi wrth y cymeriad. A hynny am nad oes hollt ynddo. Yng ngeiriau cyntaf un ei lyfr, sef ei deitl – *Safle'r Gerbydres ac Ysgrifau Eraill* – mae'n taflu awgrym gweddol eglur ei fod yn mynd i dynnu coes os bydd galw am hynny: coes Ceiriog neu (gwyliwch!) eich coes chi. I drafod Llenyddiaeth nid yw'n diosg ei sbortscot ac yn gwisgo'i ŵn du hirllaes (od oes peth felly ganddo). Yma, fel ym mhobman bob amser, mae am fod yn ef ei hun. Nid di-arwyddocâd yw iddo roi cymaint o sylw yn erthygl gynta'r llyfr i'r pwys a rôi Daniel Owen ar fod yn *true to nature*.

*　　*　　*　　*

Mae'n ymddangos i mi, sy'n edrych ar y byd beirniadol o'r tu allan, fod dau fath o feirniad llenyddol yn y Gymru Gymraeg. Nid dwy ysgol; fyddwn ni yng Nghymru byth yn sôn am 'ysgolion' yn y cyswllt hwn, er 'mod i'n gweld perygl gwirioneddol y bydd sôn am 'Ysgol Aberystwyth' ac 'Ysgol Bangor' mewn blynyddoedd a ddaw. Nid dau gategori; dydi'r gair haearnaidd hwnnw ddim wedi rhyw gydio'n dda iawn yma chwaith, diolch am hynny, er bod rhaid i'n hathronwyr wrtho ac er bod cryn gyhwfan arno weithiau yn y gobaith y bydd iddo gorlannu rhyw haid annelwig o rywbeth.

[1] *Safle'r Gerbydres ac Ysgrifau Eraill*, gan D. Tecwyn Lloyd. Gwasg Gomer, 1970.

Na, dau *fath* o bopeth sydd i bawb a fagwyd ar y *Rhodd Mam*[2]; neu ddwy linach, efallai. Gydag iawn, fe fyddai'n rhaid olrhain y llinachau'n ôl i berfeddion y ganrif ddiwetha, ond fe fodlonwn ni ar gychwyn rywbryd wedi'r rhyfel byd cyntaf.

Beth petawn i'n galw'r math cyntaf 'y beirniaid trwm', a'r ail fath 'y beirniaid trwm-ac-ysgafn'? Neu, os mynnwch chi, y Beirniaid Llenyddol a'r beirniaid llenyddol – yn union fel y byddwn ni'n sôn am Y Nofel a'r nofel.

Fe ddylai'r math cynta fod wedi tarddu o'r Almaen, a'r ail o Ffrainc. Ysywaeth, dydi pethau ddim mor syml â hynny. Dydyn nhw byth yng Nghymru. Diau fod yr hadau'n ymddrysu yn y llen Seisnig ar y ffordd ac yn croesffrwythloni'n ddisberod o'r herwydd. Wel, does mo'r help.

Fe aeth yn amhosibl bellach sôn am unrhyw beth ac arno aroglau llenyddiaeth Gymraeg heb enwi Mr. Saunders Lewis. Mae hynny'n anochel. Mae'r ymennydd anferth hwn wedi'i brintio'i hun yn annileadwy ar holl barwydydd ein llên. Ac ef, ddywedwn i, yw archdeip y Beirniad Llenyddol (sylwer ar y priflythrennau) yn ein Cymru ni.

Heb fod nepell oddi wrtho, dacw Mr. Aneirin Talfan Davies, yn dethol ac yn sylwadu ac yn myfyrdodi â difrifwch mawr iawn. A ger Llanbadarn Fawr wedyn, wele'r Dr. Bobi Jones, megis rhyw Ddoctor Lewis Edwards cyfoes – a mwy cynhyrchiol, fe ddichon – (nid meddwl am y safbwynt diwinyddol yn unig yr ydw i) yn arllwys arnom gyfrolau ac erthyglau fesul bwcedaid ddoeth a ddeallus. Mr. R. Gerallt Jones yntau, yn nhre Llanddyfri a chyn mynd yno, yn cloriannu'n ddifrifddwys ac yn ysgrifennu 'Mene Tecel' terfynol ar draws ambell un ohonon ni. A dacw'r Dr. Derec Llwyd Morgan, megis Boanerges persain, yn cyhoeddi ym mhebyll ein llên hyd a lled y ffurf hon a'r broses acw – yn cael ei wahodd i wneud hynny, chware teg iddo, fel yr eglurodd yn ddiweddar.

Ymysg y gwyrda hyn, mi dybiwn i, yr oedd y diweddar hoff Wenallt. A Mr. Alun Llywelyn-Williams, tybed? A beth am Mr. Hugh Bevan, a glywir yn rhy anfynych erbyn hyn? Ac y mae eraill.

O, ceir, fe geir ambell ffraetheb gan rai o'r Beirniaid Llenyddol. Ond ffraethebion miniog, oerion, gan amlaf, a'r rheini'n amlach ar

---

* Y cwestiwn yn y *Rhodd Mam* gynt:
   'Pa sawl math o blant sydd?'
   'Dau fath; plant da a phlant drwg.'

lafar nag ar lyfr. Busnes tra difrifol yw Beirniadaeth Lenyddol gyda phriflythrennau.

'Nawr, trown at y lleill. Fel yr oedd Emrys ap Iwan i'r Doctor Lewis Edwards, felly y mae'r beirniaid llenyddol i'r Beirniaid Llenyddol.

Er nad beirniaid llenyddol mo'r Dr. R. T. Jenkins a'r Dr. Thomas Richards, yr oedd a wnelo'r ddau yn helaeth iawn â llenyddiaeth mewn llawer modd. Roedd y ddau'n llenorion i ddechrau, ac R.T. yn llenor o bwys. Roedd y ddau mor gyfarwydd â *chynnwys* llenyddiaeth Gymraeg, a llenyddiaethau eraill, ag odid neb sydd, neu a fu, yn ymhel â beirniadaeth lenyddol yn y Gymru Gymraeg. Er hynny, ni fyddai'r un o'r ddau yn honni bod yn feirniad llenyddol, ac nid gwyleidd-dra'n unig mo hynny. Fe wnaeth Dr. Thomas Richards gaff gwag go arw wrth ddyfarnu *Creigiau Milgwyn* yn gyfartal â *Traed Mewn Cyffion* yn Eisteddfod Castell-Nedd ym 1934, fel y dangosodd y Dr. T. J. Morgan yn fuan wedyn yn *Y Llenor*. Ond cofier, fe all pawb fethu weithiau.

Eto i gyd, er na fyddai'r ddau 'gymeriad' hyn yn honni mai beirniaid llenyddol – hyd yn oed â 'b' ac 'll' fach – mohonyn nhw, ynddyn nhw, rywfodd, ac yn y cymundeb a'r cyfeillgarwch gwefreiddiol ddoniol rhyngddyn nhw, yr ydw i'n gweld tarddiad y feirniadaeth lenyddol arall – neu'i hailddarddiad diweddar, o leiaf.

Dros graig solet ysgolheictod y ddau hyn fe fyrlymai ffrydiau o hiwmor iach, yn gellwair ac yn ffraethineb ac yn dynnu coes a gadwodd y ddau yn iraidd eu hysbryd hyd ddiwedd eu hoes – a iacháu llawer ysbryd arall a ymrwbiai â nhw hefyd. Fe ellir dannod, wrth gwrs, fod y cellwair hogynnaidd hwn yn dadlennu methiant i ymboeni â chyflwr y genedl ac ati. Ond petai pob Cymro'n cario ymddatodiad Cymru a dadfeiliad ei hiaith fel arch ar ei gefn o ddydd i drymllyd ddydd, rydw i'n ofni mai cyflymu'r ymddatod a'r dadfeilio a wnâi hynny yn hytrach na'i atal.

Rhinwedd fawr y gwŷr hyn oedd eu bod yn medru chwerthin nid yn unig am ben prydyddiaeth sâl neu ryddiaith rwysgfawr neu ddamcaniaeth fympwyol, sigledig, ond am eu pennau'u hunain hefyd – ac am bennau'i gilydd heb ddigio nac ennyn dig. I R.T., nid R.T. oedd y gair olaf ar unrhyw agwedd ar hanes Cymru; i Doc Tom, yr oedd ateb yn bosibl i Doc Tom. Ffureta pob ffaith berthnasol o'i thwll, bid siŵr, a gwirio ac ail wirio pob ffaith a ffigur a dyddiad hyd yr oedd modd, a phrofi pob damcaniaeth hyd y carn hyd y gellid. Ond drwy'r cyfan, cydnabod ffaeledigrwydd,

160

bod yn barod am feirniadaeth cyfaill ac yn barod i ffraeo'n asbrïol yn ei chylch hi. A chael hwyl. A pham lai? Doedd cyfraniad y 'cymeriadau' hyn ddim un iot yn llai gwerthfawr nac yn llai diogel am eu bod nhw'n ddau wág. Mae 'cyfrifol' yn odli – yn ddwbl hefyd, *pace* Dr. Peate[3] – â 'difrifol', ond damwain yw hynny.

Mae'n amlwg fy mod i'n gweld Tecwyn Lloyd yn y llinach hon o feirniaid yn hytrach nag yn y llall. Ond cyn sôn amdano fo, mi garwn ddweud bod yn dda calon gen i weld y llinach yn parhau, ac yn wir yn mynd o nerth i nerth mewn beirniadaeth lenyddol Gymraeg. Yn y llinach hon yr ydw i'n gweld Bedwyr Lewis Jones – pa un ai achos hyn ai ei effaith yw ei fod wedi byw cymaint yng nghwmni Morysiaid Môn, fedra i ddim dweud. Yn y llinach hon hefyd y mae Dafydd Glyn Jones, a dydi'r cawr ifanc ysgubol ddoniol hwnnw ddim yn ymestyn am borthiant o gypyrddau beirniadol gwledydd 'derbyniol' Gorllewin Ewrop yn unig, ond yn gwibio draws Iwerydd neu y tu hwnt i'r Llen Haearn cyn ystwythed ag y mae'n plymio i lawr siafftiau traddodiad ei lên ei hun. (Y fo'n ddiamau fydd y cynta i wfftio'r ddelwedd athletaidd a braidd yn gymysglyd hon.)

Mae'r rhain eto yn 'gymeriadau'. Mae hynny rywfodd yn berthnasol bob tro. Rydw i'n methu lleoli Thomas Parry, T. J. Morgan na John Gwilym Jones; rydw i'n eu gweld nhw weithiau yn y naill achres, weithiau yn y llall. Ond diolch fod categorïau'n chwalu. A fynnwn innau er dim fod wedi dweud un gair terfynol di-nacâd am feirniadaeth lenyddol ein dydd; cynnig argraffiadau gŵr oddi allan, â phob gwyleidd-dra, yr ydw i.

Ond dyma gyrraedd eto at David Tecwyn Lloyd. Nid na all yntau fod yn ddeifiol ddifri ac ymferwi gan ddicter cyfiawn pan fo galw, fel y dangosodd ei nodiadau golygyddol ysgubol yn y rhifyn diwethaf o'r cylchgrawn hwn (Haf, 1970). Ond pan fo gŵr mwyn, llawn hiwmor a direidi, yn cydio mewn chwip, mae'n dychryn Philistia'n fwy o lawer nag y gwna sgrafellu a sgriffinio cyson ceintachwyr di-wên. Am ei arabedd y cofir Llwyd o'r Bryn gan y miloedd, ond yr oedd craig yn y gŵr hwnnw, fel yn ei dad a fu'n un o ferthyron y Rhyfel Degwm. A chyw o'r brîd yw Tecwyn Lloyd.

Wel, at *Safle'r Gerbydes ac Ysgrifau Eraill*. Fe fydd y mwyafrif o ddarllenwyr hyn o lith eisoes wedi darllen y llyfr. Mae'r ffaith imi

[3] Cyfeiriad at yr 'odlau dwbl' yng ngherddi Iorwerth C. Peate.

weld ei deitl yn siart lyfrau *Y Cymro* droeon er pan gyhoeddwyd ef yn braw fod cryn werthu arno.

Os ydych chi heb ei ddarllen eto, fydd dim rhaid ichi ddarllen ymhellach na'r paragraff hwn i wybod f'ymateb i iddo, os yw hwnnw o unrhyw bwys. Sef hynyma: un o'r llyfrau difyrraf – ac yn sicr ddigon, y llyfr *trwm* difyrraf – a ddarllenais i ers amser go faith. A pham na ddylai beirniadaeth lenyddol fod yn ddifyr?

Efallai y goddefir imi adrodd fod i'r llyfr dair adran: Yr Hen Ganrif; Intermezzo; Ein Canrif Ni. Wel, ie, yr 'Intermezzo' yna. Pwy ond Tecwyn Lloyd a feddyliai am osod pennawd mor ysgafnfryd ac eto mor briodol uwchben trafodaeth ar y cefndeuddwr rhwng dwy ganrif a'u llenyddiaethau? Pwy, efallai, ond ei hen athro R. T. Jenkins? Nid yw 'Symffoni Amwythig'[4] wedi tewi. Mae'r gair *intermezzo* yn dweud cryn dipyn yma: am hoffter Tecwyn Lloyd o fiwsig clasurol, am ei gyswllt â'r Eidal a'r Eidaleg, am ei ysgafalwch creadigus, efallai. Ond ar wahân i hynny, pa air mwy addas am yr hyn a fu rhwng y ceffyl-a-thrap a'r car modur, rhwng Golyddan a Williams Parry, rhwng Eisteddfod Fawr Llangollen ac Eisteddfod fwy Cynan? Ai saib o ryw fath a fu? Ai chwyldro? Ai beth? Cymerwn ninnau saib, beth bynnag, i ystyried y dirgelwch, ac yn ystod y saib gwrandawn ar beth bynnag sydd i'w glywed. *Intermezzo.*

Yr hyn a glywir, yn annisgwyl ysgytiol, yw pwffian a chwibanu a haearn yn taro haearn. Twrf trên. Ac nid trên chwaith, ond *cerbydres.* A dyma ni'n gweld ac yn clywed y trên nid fel cyfleustra prin a braidd yn anghyfleus bellach sy'n prysur ddiflannu a thewi o'n tir, ond fel rhyfeddod technegol newydd cyffrous yn deffro Cymru â'i 'bwffiol syrwrw' ac yn ei synnu â'i demlau heyrn ffug-othig a'i offeiriadaeth o swyddogion lifreiog. (Bid siŵr, ni fyddai cad o feirdd mor Anghydffurfiol yn sôn am 'demlau' ac 'offeiriadaeth' yn y cyswllt hwn; yr erthygl ryfeddol hon a'm prociodd i i'w henwi felly.)

Mae Mr. Lloyd wedi casglu llu o enghreifftiau o gerddi 'relweddol' a ganwyd – os canu yw'r gair – rhwng 1850 a diwedd 'Yr Hen Ganrif,' ac mae helaethrwydd y deunydd ynddo'i hun yn syfrdanol. A dehongliad Mr. Lloyd o'r cyfan yn wefr i'w ddarllen. Haearn, glo, ager, mawredd Prydain Victoria – hyn oll drwy lygaid

---

[4] 'Symffoni: "Amwythig",' un o ysgrifau enwocaf R. T. Jenkins, a luniwyd yn bedair adran dan y penawdau *Scherzo, Rondo Allegro, Adagio, Andante.* Cyhoeddwyd hi gyntaf yn *Y Llenor,* ac eilwaith yn *Casglu Ffyrdd,* Wrecsam, 1956.

beirdd o Gymry a ysgytiwyd o'r hen fywyd bugeiliol i ganol yr hunllef beirianegol newydd gan yr 'haiarnfarch gloew' neu'r 'agerfarch' neu'r 'tan-farch' (yn ôl ffansi ieithyddol y prydydd), y rhyfeddod a

> 'Chwyrnella fel mellten trwy'r twnel a'r pynt
> Gan herio y dymestl a hollti'r gwynt . . .'

Ond nid hunllef mo'r wawr dechnegol a gododd arnyn nhw, ond breuddwyd pêr digymar. Ni biau'r hunllef.

Wrth gwrs, o gerdd adnabyddus John Ceiriog Hughes y cafodd Mr. Lloyd deitl yr ysgrif ac – yn briodol ddireidus – teitl y gyfrol.

> 'Yn araf i safle'r gerbydres gerllaw
> Y rhodiai fy mam gyda'i phlentyn . . .'

'Sentimentaliaeth rwydd ei chyfnod'? Nage ddim, meddai Mr. Lloyd: 'Odid mawr na sgrifennodd Ceiriog erioed gân fwy ingol ddirfodol na hon.' (Tud. 121.) Sut felly? Mae'r tri thudalen ysgytiol sy'n dilyn y gosodiad hwn yn egluro sut felly. Anghytunwch os mynnwch; ond dilorni'r thesis hon sy ganddo ni all neb mwyach. Darllener, ac ystyrier.

Fe'm synnwyd i fod cystal pethau yn y domen drystfawr haearnllyd hon o ganu 'relweddol'. Yn enghraifft, yr englynion a ddyfynnir o awdl J.J., Tynbraich, Dinas Mawddwy i 'Ager' ym 1878. Nid crensian cytseiniaid yn unig a wnâi hwn wrth geisio cynganeddu'r trên. Roedd ganddo lygad at drosiad:

> 'Noda'i lwyd anadl hir – y ffordd yr a,
> Y ffurf y rheda rhaffa'r frodir.'

Clust hefyd:

> 'Efo'i roch a'i ddirfawr ru – dychrynllyd
> Bron na ddetyd y bryniau o ddeutu.'

A dawn delwedd (y trên yn fwytawr pellterau):

> 'O! y wlad o oludoedd – a ddygodd,
>   Ddegau o filltiroedd,
>   Ugeiniau, ie, gannoedd,
>   Ar un daith – fel dyrnaid oedd.'

O'i chymharu â'r enghreifftiau yna o waith y J.J. hwn ac eraill, prin fod ymdrech farddonawl Golyddan yn haeddu'r hanner can tudalen a mwy a rydd Mr. Lloyd iddi, na'r drafferth a olygodd y cyfan iddo. Ni chefais i eto achos i newid fy nghred mai ychydig iawn o brydyddiaeth rydd y ganrif ddiwetha – ac eithrio Islwyn ar ei orau a Cheiriog ar ei orau prin yntau a'r emynau – sy'n werth sylw fel llenyddiaeth, ond bod yna gryn dipyn o ganu caeth y cyfnod a gododd (yn ddamweiniol, reit siŵr) uwchlaw'r cyffredinedd ofnadwy am fod y gynghanedd wedi gorfodi 'meddylddrychau' graffig ar rai beirdd na fyddai eu hawen hesb ac anhyffordd byth wedi taro arnyn nhw ohoni'i hun.

Ond wrth gwrs, nid unrhyw rinwedd yng ngwaith Golyddan a ddenodd sylw a llafur Mr. Lloyd, ond y prydydd ifanc trasig ei hun a'r *milieu* rhyfedd a'i creodd. Meddyg ifanc, mab i Weirydd ap Rhys, yn bwriadu gwneud marc fel bardd Saesneg ond, ar ddamwain megis, yn cyfansoddi epig Gymraeg a achosodd un o gwerylon eisteddfodawl hyllaf y ganrif. Ac, at hynny, pwnc yr epig, sef angau, ac obsesiwn y bardd-feddyg ifanc, ac obsesiwn ei gyfnod, â'r ffenomen honno.

Mae troednodion Mr. Lloyd, a'i grwydradau oddi ar briffordd yr ymdriniaeth a fflachiadau'i chwilolau sydyn, treiddgar i gonglau mwy diddorol y goedwig ddu y mentrodd iddi – mae'r rhain yn codi'r erthygl drymaf yn y llyfr i lefel ddifyrrach y gweddill ohono. Ni phery ddim yn hir yn ddu Schillerog nos. Mae fel petai ffliwt hud Mozart yn mynnu canu'i phill pan dau am funud gyrn a thabyrddau arswydlon Wagner. Profiad felly yw darllen 'Golyddan ac "Angau" '.

Hyd yn oed petai gen i'r ysgolheictod i wrth-ddweud dim a ddywed Mr. Lloyd, anfynych iawn, mi greda i, y medrwn i wneud hynny. Ac mae'n dda gen i iddo ymwrthod, ar y cyfan, â'r duedd feirniadol gyson i geisio eglurhad gor-gymhleth ar ffaith ddigon syml.

Fe ddigwyddodd hynny, efallai, mewn un lle. Yn ei erthygl gymwynasgar, 'Gwen Tomos: Nofel yr Encil', mae ganddo ddau osodiad fel hyn (fy rhifau i):

(i) 'Mae'n werth sylwi cymaint o gymeriadau ieuainc Daniel Owen sy'n ddi-briod . . .'

(ii) 'Mae'n syn gymaint o gymeriadau unig sydd yn y nofelau.'

Fe wêl Mr. Lloyd berthynas organig rhwng (i) a (ii); felly, o leiaf, y darllenais i. Ond tybed? Onid yw'r rheswm am y nifer o gymeriadau dibriod yn un syml iawn? Fe welodd Mr. Lloyd fod Daniel Owen wedi lladd Bob Lewis am fod hwnnw'n debyg o 'gyrraedd enwogrwydd mewn byd dieithr fel diwydiant', ac na allai Daniel a'i brofiad cyfyng mo'i ddilyn i fyd felly. Iawn. Ond dyna, yn ddigon siŵr, yr eglurhad ar yr holl gymeriadau dibriod hefyd. Dibriod a di-blant oedd Daniel Owen ei hun, a di-dad hefyd er ei blentyndod cynnar, ac felly heb brofiad o fywyd priodasol o unrhyw fath o'r tu mewn. Fe allai fentro cyn belled â'r ymddiddanion rhwng Denman neu Gapten Trefor a'u gwragedd, heb ddim ond cyfalaf sylwadaeth a llog dychymyg ar y cyfalaf hwnnw, ond fe fyddai darlun cyflawn cymhleth o fywyd priodasol ifanc yn ormod iddo'i fentro – gan mai Daniel Owen ydoedd. Fe ddywedwn i mai sgwarnog feirniadol y gellir gadael iddi fynd yw hon: arwyddocâd 'unigrwydd' cymeriadau dibriod Daniel Owen. Ac yn ddoeth iawn, ar ôl ei chodi, gadael iddi fynd a wna Mr. Lloyd.

Am weddill y gyfrol gyfoethog hon, digon yw dweud i mi gael goleuni ym mhob rhan ohoni, a chyfaredd: yn yr ymdriniaethau â'r Bardd Newydd gynt, â Je Aitsh *Y Brython*, Williams Parry, Tegla a Gwenallt. Ai math o dwyll yw i feirniad llenyddol sgrifennu mor rhiniol – ydi, mae'r llyfr hwn yn *llenyddiaeth* – ac mor ddawnus ddifyr nes suo cyneddfau gwrthddadleuol ei ddarllenydd i gysgu? Wel, fe ellir darllen y llyfr eto. Ac mi wn y bydda i'n ei ddarllen eto. Lawer gwaith.

Adolygiad, 'Taliesin', Cyfrol 21, Rhagfyr 1970

Darnau o 'Llais Llyfrau'

Bu Islwyn Ffowc Elis yn olygydd 'Llais Llyfrau', cylchgrawn Cyngor Llyfrau Cymru, o 1968 hyd 1971, ac wedyn o hydref 1988 hyd haf 1990. Isod cyhoeddir detholion o'i golofn olygyddol yn y ddau gyfnod.

DECHRAU WRTH EI DRAED

Mewn ychydig dros ddeugain mlynedd ar y ddaear yma mi ddysgais i beidio, mwyach, â gwneud addewidion mawrion nad ydw i'n debyg o'u cyflawni.

Felly, pe gofynnai rhywun imi faint o lyfrau newydd yr ydw i'n bwriadu eu sgrifennu a'u cyfieithu – neu beri eu sgrifennu a'u cyfieithu – yn fy swydd newydd hon, mae'n siŵr y câi ateb digon annelwig. Ateb, hwyrach yn dechrau â'r ymadrodd digon cyfarwydd bellach, 'Wel, mae'n dibynnu . . .'

Braint gwleidyddion yw 'addo pethau gwych i ddyfod' (yn amlach na pheidio, fe ellir gorffen y cwpled); difyrrwch mandariniaid byd busnes yw pennu norm a gosod targed. Ond peth digalon yw methu cyrraedd targed. Melysach gen i gyngor yr hen law hwnnw i'r crwt wrth hel cerrig gynt: 'Dechrau wrth dy draed.'

Dechrau, mewn geiriau eraill, â'r sefyllfa fel y mae. A sut y mae hi?

Fe welodd y blynyddoedd diwetha gynnydd syfrdanol yn nifer y llyfrau Cymraeg newydd a gyhoeddwyd – diolch i'r cyhoeddwyr, yr awduron, dyrnaid o siopau llyfrau Cymraeg rhagorol, yr ymgyrchoedd llyfrau a drefnwyd am flynyddoedd gan yr Urdd ac wedyn gan y Cyngor Llyfrau, y Cymdeithasau Llyfrau, a mintai fechan ond ffyddlon o brynwyr cyson, cydwybodol. Ac ynghanol y berw hwn, ac yn fwy na rhannol gyfrifol amdano, yr oedd ac y mae Cymro rhyfeddol o'r enw Alun R. Edwards, a chyfenw iddo, sef Trefnydd presennol y Cyngor Llyfrau, Alun Creunant Davies.

Cynnydd mawr yn nifer y llyfrau newydd. Ond cynnydd na all gynyddu llawer mwy. A dyma'r unig nodyn trist, am wn i, y gall rhywun ei daro mewn dyddiau mor gyffrous. Mae'r cyhoeddwyr yn cyhoeddi hyd eitha'u hadnoddau. Fe allen nhw *argraffu* llawer mwy, fe garen nhw *gyhoeddi* mwy, ond mae'r farchnad bron yn llawn. Dydi nifer y prynwyr llyfrau ddim wedi cynyddu i gyfateb i nifer y llyfrau.

Ond rhaid cael rhagor o lyfrau Cymraeg, oherwydd er bod y cyhoeddwyr yn cyhoeddi cynifer o lyfrau ag y gellir eu gwerthu, does dim digon i ddarllenwyr eu cael. Mae'r llyfrgelloedd yn gofyn am fwy, ac eto fwy.

Dyna pam y cafodd y Cyngor Llyfrau y syniad disglair o gynhyrchu argraffiadau cyfyngedig o lyfrau ar gyfer llyfrgelloedd. Ffordd hwylus o gael mwy o lyfrau i gwrdd â'r galw heb dorri cefnau'r cyhoeddwyr a heb orlenwi'r siopau â silffeidiau o gyfrolau a all sefyll yno am flynyddoedd.

Ond sut i *gael* y llyfrau newydd poblogaidd hyn? Fe awgrymwyd i mi wneud dau beth y dechreuodd y Cyngor Llyfrau'i wneud eisoes – drwy haelioni'r awdurdodau lleol sy'n ei gynnal – sef procio mwy o awduron i sgrifennu mwy o lyfrau poblogaidd gwreiddiol, a threfnu cyfieithu mwy o lyfrau poblogaidd o ieithoedd eraill i'r Gymraeg. Ar nofelau y mae'r pwyslais penna, a does dim rhaid imi fanylu ar hynny.

Gair at ein nofelwyr yn gynta – y rhai sy wrthi eisoes a'r rhai a allai fod wrthi a'r rhai sy wedi bod wrthi ond sy wedi cloi eu cynhyrchion anghyhoeddedig mewn drôr. Mae gen i le i gredu bod amryw nofelwyr wedi digalonni oherwydd gwerthiant isel eu gwaith neu oherwydd ei wrthod gan gyhoeddwyr (am *fod* y gwerthiant mor isel).

Os bydd hyn o ryw gysur, fe'm defnyddiaf fy hun yn enghraifft o'r cwymp mewn gwerthiant. Fe werthodd fy nofel gynta 3,000 o gopïau yn y tri mis cynta. Fe werthodd fy chweched ryw 1,800 yn ei thri mis cynta hithau. Pe bawn i'n cyhoeddi nofel heddiw mi fyddwn yn ffodus iawn petai'n gwerthu mil. Hyn oll am y rheswm a nodais yn barod: cynnydd yn nifer y nofelau heb gynnydd cyfatebol yn nifer y prynwyr. Ond yn awr fe *all* nofelydd gael argraffu'i nofel – os ydy hi'n flasus – a chael tâl am ei drafferth. Pan oeddwn i'n nofela doedd dim sôn am grantiau i awduron. Heddiw, fe all awdur y derbynnir ei nofel gael hyd at £150 gan y Cyngor Llyfrau. Mae cannoedd o nofelwyr ifainc yn Lloegr yn cyhoeddi nofelau heb gael prin ddimai amdanyn nhw. Fe fydden nhw'n dra diolchgar petai yna Gyngor Llyfrau Saesneg i roi rhywbeth yn eu pocedi. Peidied neb â dweud 'mod i'n siarad drwy fy het, achos rydw i'n aelod o'r Gymdeithas Awduron Brydeinig – nes sefydlir un Gymreig – ac yn gwybod yn bur dda beth yw'r sefyllfa yn Lloegr.

Ond at y cyfieithiadau. Ffordd arall o gynyddu'r ffrwd o nofelau yw cyfieithu rhai o ieithoedd tramor. Ac ar hyn o bryd, beth bynnag, fe drefnir i gyfieithu nofelau sy heb eu cyfieithu i'r Saesneg. Gan fod llawer iawn o rai felly, peth ffôl fyddai gwario arian ar drosi ac argraffu nofelau y gall Cymro neu Gymraes ddwyieithog eu prynu neu'u benthyca o'r llyfrgell mewn fersiwn Saesneg. (Brysied y dydd, wrth gwrs, y cawn ni holl glasuron y byd hefyd yn yr iaith Gymraeg.)

Ond mae angen cyfieithwyr. Mae rhai wrthi eisoes. Mi gefais afael ar eraill sy wedi addo cyfieithu. Ac o wythnos i wythnos fe ddaw enw rhywun neu'i gilydd a all wneud.

Mae'r cyfieithwyr yn ymrannu'n ddau ddosbarth. Mae yna rai sy'n medru iaith dramor ac sy hefyd yn llenorion Cymraeg. Ond mae croeso hefyd i rai sy'n medru rhyw iaith dramor yn hollol rwydd ond heb fedru sgrifennu Cymraeg yn rhyw loyw iawn. Fe all rhai felly wneud cyfieithiad llythrennol gyda nodiadau ac fe allwn ni roi'r gwaith i ŵr neu wraig sy'n ysgrifennu Cymraeg yn dda i'w droi'n waith Cymraeg derbyniol, gan gadw mewn cysylltiad, wrth gwrs, â'r cyfieithydd i ofalu bod y cyfieithu'n ffyddlon i'r gwreiddiol.

Mi garwn apelio'n arbennig yma at fyfyrwyr sy'n astudio iaith dramor ar gyfer gradd neu waith ymchwil. Gan ei bod yn arfer gan lawer o fyfyrwyr bellach gymryd rhyw waith yn ystod eu gwyliau, pam nad ennill £50 neu fwy wrth drosi nofel i'r Gymraeg, a thrwy hynny gael ymarfer gwerthfawr yn yr iaith sy'n bwnc coleg iddyn nhw? Fe ddewisid nofel i'w chyfieithu ac anfon copi ohoni; rhamant weddol ysgafn neu iaslyfr (*thriller*), efallai, yn cynnwys ieithwedd gyfoes a thipyn o slang y byddai'n dda i fyfyriwr ymgydnabod ag e'.

Mae angen 'darllenwyr' hefyd: gwŷr a gwragedd sy'n darllen iaith dramor yn hollol rwydd ac yn cael blas ar ei darllen, ond heb amser i gyfieithu eu hunain. Mae gan y Cyngor Llyfrau gyfarwyddwyr ar ieithoedd tramor sy'n darllen, ac wedi darllen, llawer o lyfrau yn y gwreiddiol. Ond mae nofelau'n dod oddi wrth gyhoeddwyr ar y Cyfandir sy'n fynych yn gofyn am ddyfarniad ymhen rhyw fis neu ddau. Ac mae'n amhosib i un darllenydd byth ddarllen y pentwr o nofelau mewn iaith dramor a all ddod gyda'i gilydd, mewn amser mor fyr.

Fe fyddai gofyn i 'ddarllenwr' wybod beth sy'n debyg o apelio at y cyhoedd Cymraeg: naill ai nofel y mae'i thema o ddiddordeb arbennig i Gymry, neu stori ddiddan neu gyffrous y gellid bod wedi'i gosod mewn unrhyw ran o'r byd, nad yw'n dibynnu gormod ar gefndir lleol. Fe fyddai gofyn i ddarllenwr hefyd fod â syniad go dda am werth llenyddol gwaith, medru'i ddarllen yn gyflym a dychwelyd y copi'n brydlon gydag adroddiad arno a fyddai'n help i ni benderfynu a ddylid ei drosi ai peidio. Ond alla i ddim cynnig tâl am ddarllen namyn y pleser o wneud hynny, a'r boddhad o gael rhan mewn gweithgarwch diddorol a phwysig.

Wrth gwrs, i sicrhau bod y llyfrau a gynhyrchir yn lân ac yn ystwyth eu hiaith, mae angen panel o 'olygyddion' hyddysg, ac rydw i'n ffodus ryfeddol yn y rhai sy wedi cytuno i roi'u gwasanaeth. Unigolion sy'n gwybod beth sy'n gywir mewn Cymraeg llenyddol a Chymraeg Byw (yr awdur fydd yn dewis prun i'w ddefnyddio, nid fi na neb arall) ond sy hefyd yn awdurdodau ar ryw faes llenyddol ac yn medru ymdeimlo ag arddulliau personol, ac yn gwybod cystal â neb beth sy'n debyg o fod yn 'boblogaidd'.

Mi fûm i'n siarad yn ddiweddar ag awdures ifanc newydd gael cyhoeddi'i nofel gyntaf yn Saesneg. Fe fu'r nofel drwy ddwylo pedwar o ddarllenwyr cyn ei derbyn; y pedwar yn cydgyfarfod i bwyllgora uwch ei phen, gofyn i'r awdures wneud cyfnewidiadau, hithau'n cytuno ac yn ysgrifennu ail ddrafft – ac felly 'mlaen. Onid oedd anfanteision mewn 'nofela drwy bwyllgor'? gofynnais iddi. Nac oedd, meddai hi; roedd y profiad yn amhrisiadwy.

Ar wahân i feirniadaeth go fanwl mewn cystadleuaeth, ac yn nesaf peth at gael bod yn fyfyriwr llên wrth draed Mr. J. Gwilym Jones neu Dr. Bobi Jones, y peth gorau y gallwn ei gynnig i nofelydd ifanc (o unrhyw oedran) yn Gymraeg heddiw yw cael ysgrifennu nofel mewn ymgynghoriad ag un o'n golygyddion ni, a fedrai awgrymu sut i gryfhau cymeriad neu ystwytho deialog neu wneud sefyllfa'n fwy gafaelgar, cwtogi neu lenwi, 'tynnu yma i lawr a chodi draw', fel y byddai'r nofel yn sicrach ei gafael ar ddarllenwyr.

Ys dywedid gynt, 'gofod a balla' imi sgrifennu mwy ar hyn o bryd. Ond mi garwn glywed oddi wrth unrhyw un a garai gynnig ei wasanaeth neu gael help i sgrifennu, mewn unrhyw un o'r ffyrdd a nodais. Fy nghyfeiriad: Ucheldir, Penymorfa, Llangynnwr, Caerfyrddin.

Rydw i'n credu bod yr hen law hwnnw gynt yn ddoeth yn ei gyngor i'r crwt wrth ddechrau hel cerrig. Yn hytrach na hoelio'i olygon ar bellafoedd y maes: 'Dechrau wrth dy draed.'

'Llais Llyfrau', Haf , 1968.

O herwydd galwadau eraill bu raid i Mrs. Enid Morgan roi'r gorau i olygu'r cylchgrawn hwn. Hi fu'n gyfrifol amdano o'i gychwyn, ac fe roddodd ei stamp ei hunan arno mewn modd digamsyniol.

Mae cynneddf y newyddiadurwr gan Mrs. Morgan. Roedd hynny'n eglur yn ei dewis o erthyglau a nodweddion ar gyfer *Llais Llyfrau* ac yn y penawdau y byddai'n eu rhoi iddyn nhw a'i syniadau am glawr a phatrwm tudalen.

Does ryfedd ei bod wedi cytuno i olygu'r *Cloriannydd,* papur wythnosol Cymraeg Môn. Ac fel y gellid disgwyl, mae golwg a chynnwys yr hen newyddiadur parchus hwnnw'n newid eisoes dan ei dwylo hi.

Y gorchwyl wythnosol yna'n bennaf a barodd fod rhaid iddi ollwng ei gafael yn *Llais Llyfrau.* Ar ran holl ddarllenwyr y cylchgrawn yma mi garwn ddiolch iddi'n gynnes am ei gwasanaeth iddo o'r cychwyn, a dymuno pob rhwyddineb a llwyddiant iddi yn ei chyfrifoldeb golygyddol newydd.

Cymraeg Byw – A Lledfyw

Ers tro bellach mae gwrthwynebwyr 'Cymraeg Byw' wedi cael hwyl ar ei bastynu, a'i amddiffynwyr wedi encilio i'w cregyn.

Y gwir, fodd bynnag, yw na ŵyr yr ymosodwyr yn iawn ar ba beth y maen nhw'n ymosod. Mae'r cecru wedi bod yn debyg iawn i hwnnw a fu ynghylch yr 'Orgraff Newydd' yn negau a dau ddegau'r ganrif, ac fe fyddai'n ddiddorol cymharu'r ddwy frwydr.

170

Fe alwyd 'Cymraeg Byw' yn ymosodiad ac yn sarhad ar yr heniaith annwyl; fe welwyd honno'n dadfeilio'n fratiaith sathredig yn ffit i ddim ond i'w dysgu gan Saeson. Fe ofynnwyd sut y gallai neb ysgrifennu rhyddiaith o werth ym mhatrymau brawddegol *Cymraeg i Oedolion* – fel petai unrhyw un a'i fryd ar wneud hynny.

Unwaith eto fe ymddangosodd yr hen raniad hyll Gogledd-a-De, fu'n gymaint llestair inni ar hyd y canrifoedd: Gogleddwyr yn protestio yn erbyn dyrchafu 'Mae e' i'r iaith lenyddol, Deheuwyr yn gweld 'Rydw i' yn enghraifft arall o ormes y Gogledd.

Ond fu hyrwyddwyr 'Cymraeg Byw' chwaith ddim yn ddi-fai. Fe ruthrwyd i ddefnyddio'r ffurfiau llafar derbyniedig mewn cyfrol a chylchgrawn heb ystyried a oedd angen dethol a chymhennu rhywfaint. Ysywaeth, dydi popeth sy'n naturiol i'r glust ddim yn esmwyth i'r llygad.

Cymerer brawddeg fel hon: 'Fe lwyddodd e i gydio eto yn y rhaff oedd wedi llithro o'i afael e pan gwympodd e i lawr y clogwyn oedd dano fe.' Nid brawddeg ffug wirion mohoni; fe'm cefais fy hun yn ysgrifennu un debyg iddi dro'n ôl. Tair 'e' a 'fe'. Mae'n wir y bydden ni'n dweud yr holl ragenwau yna wrth siarad, ac mae'n anodd egluro pam y maen nhw mor dramgwyddus i'w darllen. Y tebyg yw bod y rhagenwau ar lafar yn taro mor ysgafn ar y glust fel mai prin y clywir nhw. Ond ar bapur mae pob un yn taro'r llygad â'r un nerth â'r geiriau o boptu.

Peth arall. Mae awduron storïau cyffrous wedi darganfod bod 'Neidiodd' yn fwy sydyn effeithiol na 'Fe neidiodd e', a bod 'Taniais ato' yn fwy dramatig na 'Fe daniais i ato fe'.

Ond dydi'r ffaith fod 'Cymraeg Byw' – neu Gymraeg Llafar Unol, a rhoi enw mwy priodol iddo – yn llai ystwyth mewn ambell achos na Chymraeg Llyfr Traddodiadol ddim yn rheswm dros ildio mor gynnar â hyn. Charwn i fy hun ddim dychwelyd i ogof yr 'eisteddasai' a'r 'gwybuasent', y 'meddant hwy' a'r 'byddwyf' a'r 'ni cheisiasoch chwi' – ond er mwyn awgrymu hynafiaeth. Fe sefydlwyd ffurfiau 'Cymraeg Byw' yn rhagorol iawn at ddysgu Cymraeg yn ail iaith. Y cam nesa fydd ystyried pa gyfaddasu neu ba oddefiadau fyddai'n ddymunol er mwyn ei wneud yn decach offeryn llenyddol.

Nid yn erbyn 'Cymraeg Byw' – neu Gymraeg Bywiocach – y bu'r chwythu bygythion mewn gwirionedd, ond yn erbyn rhai ffurfiau, neu'r gorarfer ar rai ffurfiau, ar bapur. Pan sylweddolwn ni hynny, a chytuno i drafod ac arbrofi ymhellach mewn gwir ysbryd arloesi, fe fydd ein traed yn ddiogel ar y ffordd tuag at UN Iaith Gymraeg ar gyfer yfory.

Yn Eisiau – Ponis Cymreig

Hynny yw, ponis llyfr.

Mr. Trefor Edwards, sy newydd symud o Lanfair Caereinion i fod yn bennaeth adran Gymraeg Ysgol y Berwyn, Y Bala, a dynnodd fy sylw i at yr angen.

'Ponis', meddai, 'ydi popeth i ferched Dosbarth 1 a Dosbarth 2. Does dim digon o storïau ponis iddyn nhw'u cael. Ac yn Saesneg maen nhw i gyd.'

Wnawn ni ddim ceisio plymio dyfnderoedd seicolegol y ffenomen yna ar hyn o bryd. Mae'n amlwg fod dyheadau llu o enethod yr arddegau cynnar wedi ymlynu wrth y ferch sy'n berchen merlen. Mae'r un mor amlwg nad yw gwlad y cob a'r ferlen fynydd – o bob gwlad – wedi medru manteisio ar y chwyldro llenyddol hwn.

Mae'n anodd gweld sut y medrwn ni awduron Cymraeg wneud fawr i droi'r llanw Enid Bleitonaidd sy'n prysur ysgubo'n plant oddi wrth eu treftadaeth lenyddol. Rhaid canmol Mrs. Beti Hughes am ei hateb effeithiol i'r *Five* a'r *Seven* gyda'i *Wyth Esgid Ddu* a'i *Wyth Pabell Wen*, sydd cystal, mi ddwedwn i, â dim o'u bath yn Saesneg.

Ysywaeth, nid ansawdd sy'n cyfri yn y frwydr hon, ond swm. Y tric yw bachu'r plentyn yn sownd ag un llyfr: wedi ei droi'n adict bach fe fydd yn mynnu gan ei rieni brynu cyfrol ar ôl cyfrol yn yr un gyfres – y cwbl am yr un arwr neu arwyr, wedi'u sgrifennu yn yr un arddull â'r un eirfa.

William Richmal Crompton oedd y cyffur pan oeddwn i'n grwt. Heddiw, amryfal greadigaethau y ddiweddar Miss Blyton – a phonis. A oes awdures Gymraeg sy'n ymhoffi mewn ffrwyn a chyfrwy a *jodhpurs*? A chyhoeddwr Cymraeg digon cefnog i gyhoeddi dau, tri, pedwar dwsin o storïau i farchogion bach rhwystredig Cymru Sydd?[1]

---

[1] Rhaid diolch yn hael i awduron dawnus megis Emily Huws a fu'n llenwi'r bwlch hwn er 1968, pan ysgrifennwyd yr uchod. Ac yn awr (1998) bwriedir cyhoeddi cyfres newydd o addasiadau dan y teitl *Cyfres Stablau'r Traeth* gan Wasg Gomer.

Ni'r Ieir

'Rydych fel ieir yn crafu am gynhaliaeth ar y lôn bost,' meddai Mr. Gareth Meils wrth lenorion Cymru yn y rhifyn diweddar o *Tafod y Ddraig*. Galwodd Mr. Meils ar lenorion Cymraeg i roi'r gorau i lenydda ac ymuno yn y Chwyldro sydd ar ddigwydd.

'Gwamalrwydd', meddai, 'yw llenydda a budrlenydda (cyfeiriad at *Lol*?) pan fo'n mam-wlad ar fedr cael ei difodi.'

Mae llawer i'w ddweud dros safbwynt Mr. Meils. Ond does dim yn wreiddiol yn yr apêl. Dros ugain mlynedd yn ôl mi glywais genedlaetholwr amlwg ac annwyl iawn yn dweud (mewn noson lawen, gyda llaw) mai da fyddai i lenorion Cymraeg 'roi heibio lenydda ac ymdaflu i'r frwydr nes enillir rhyddid i Gymru.'

Rydw i'n arswydo wrth feddwl beth fyddai'n cyflwr ni petai pob llenor Cymraeg wedi ufuddhau. Fe fydden ni wedi colli'r mwyafrif o ddramâu Saunders Lewis, John Gwilym Jones a Huw Lloyd Edwards, cryn dair o nofelau Kate Roberts, ei hunangofiant a rhai o'i storïau gorau, hunangofiant clasur D. J. Williams, y rhan fwya o gerddi Gwenallt a'r cwbl o waith Bobi Jones, heb sôn am amryw o nofelau a gweithiau eraill sy wedi gadael eu hôl yn drwm ar y genhedlaeth orau o Gymry Cymraeg ers canrifoedd. A does dim sicrwydd, wedi'r holl aberth, y byddai rhyddid ddiwrnod yn nes nag ydyw.

Yn wir, mae'n amheus a fyddai'r deffro Cymreig aml-ganghennog cyfoes wedi digwydd o gwbl oni bai am ddiwydrwydd llenyddol 1946-66.

Mae'n bosib fod Mr. Saunders Lewis (a ddyfynnir gan Mr. Meils) yn iawn: mai'r rheswm am nad oes cerddi ar gael o gyfnod Gwrthryfel Glyndŵr yw bod y beirdd wedi taflu'r ysgrifbin a chydio yn y cleddyf. Mae'r un mor bosib fod y beirdd wedi cau eu cegau i weld pa ffordd y chwythai'r gwynt neu fod llawysgrifau unrhyw gerddi a ganwyd yn y cyfnod wedi eu llosgi yn nhanau mawr a mynych y gwrthryfel.

Prun bynnag, dim ond am ddeng mlynedd, i bob pwrpas, y parhaodd y gwrthryfel. Fe fu beirdd a llenorion yn ymladd ym mhob rhyfel, megis rhyfel byr Sbaen a'r Rhyfeloedd Byd pedair blynedd a chwe blynedd, a manteisio'n llenyddol (y rhai a ddaeth yn ôl) ar eu profiad yn y frwydr.

Ond eisoes fe barhaodd y frwydr Gymreig bresennol am dros ddeugain mlynedd, ac fe all na fydd drosodd am ddeugain arall. A all Cymru, a all y Gymraeg, fforddio bod heb lyfrau, heb ddramâu, am gyhyd â hynny?

Nid yw *Llais Llyfrau* am dynnu unrhyw Gymro neu Gymraes ifanc o frwydr cydwybod. Yn wir, mae pob Cymro gwerth ei halen ynddi – nid o angenrheidrwydd yn yr un ffordd. Ond fe fynnwn i'n llenorion ifainc wybod y byddai'r un mor wrthun iddyn nhw roi'r gorau i lenydda ag a fyddai i amaethwyr roi'r gorau i godi bwyd neu i athrawon roi'r gorau i ddysgu Cymraeg er mwyn y Chwyldro.

'Llais Llyfrau' Gaeaf, 1968

VALÈRE DEPAUW
Ffrind Newydd i Gymru

Ychydig flynyddoedd yn ôl fe anfonodd yr ysgolhaig Llydewig Per Denez at Mr. J. E. Jones, Caerdydd, deipysgrif hynod. Trosiad Ffrangeg o nofel a sgrifennwyd yn yr iaith Fflemeg am Lydaw.

Anfonodd Mr. J. E. Jones y deipysgrif at Mr. John Edwards, yr athro a'r llenor a fu'n dysgu rhai o ieithoedd y Cyfandir ar ôl ymddeol, a'u dysgu mor drylwyr nes medru cyfieithu *Ar Gwr y Goedwig* o'r Ffrangeg a *Y Goruwchwyliwr* o'r Almaeneg: dwy gyfrol a gafodd groeso mawr pan gyhoeddwyd nhw. (Y llynedd fe gyhoeddwyd cyfieithiad arall o'i waith o'r Almaeneg, sef *Y Mab Ieuengaf*: hwn i lyfrgelloedd yn unig.)

Gŵr Difyr a Rhyfeddol

Ond yn ôl at y nofel Fflemeg. Ei theitl oedd *Breiz Atao*, enw mudiad cenedlaethol Llydewig rhwng y ddau ryfel. A stori am genedlaetholdeb Llydaw yw'r nofel. Y prif gymeriad yw gweddw Llydawr ifanc a saethwyd gan yr awdurdodau Ffrengig ar ddiwedd y rhyfel. Mae hi'n alltud ym Mharis, ac yn gwylio'r deffro newydd ymysg y to ifanc o Lydawyr o hirbell. Ond pam y sgrifennwyd nofel fel hon am Lydaw gan ŵr o wlad Belg, ac yn yr iaith Fflemeg? Dyma ddechrau ymchwilio, a'r ymchwil yn arwain at y gŵr difyr a rhyfeddol Valère Depauw.

Roedd yn rhaid anfon ato am ganiatâd i gyhoeddi cyfieithiad Cymraeg o'i nofel. Llythyr yn ôl ar unwaith: wrth ei fodd! Roedd cyfieithiad Almaeneg o'i nofel i'w gyhoeddi eleni ond roedd yn llawer pwysicach iddo, meddai fe, fod ei lyfr i ymddangos yn Gymraeg. Mewn cenhedloedd bach a'u hieithoedd a'u diwylliant yr oedd ei ddiddordeb, yn enwedig y Llydawyr, y Cymry a'r Basgiaid.

Ond pwy oedd y Valère Depauw hwn oedd mor frwd ei ddiddordeb ynom ni Geltiaid? Un diwrnod dyma gylchgrawn mawr, tew, lliwgar drwy'r post o'r enw *Panorama*. Nid un copi, ond dau. Edrych yn fanwl: roedd y ddau gopi yr un peth air am air, ond bod un yn Ffrangeg a'r llall yn Fflemeg, dwy iaith Belg. A'i brif olygydd? Valère Depauw.

200,000 bob wythnos

Syndod pob syndod, am Gymru yr oedd y brif erthygl yr wythnos honno. Ie, cylchgrawn wythnosol. A faint o gylchrediad sy iddo? Chredwch chi ddim. Dau gan mil o gopïau – bob wythnos. Yr argraffiad Fflemeg sy'n gwerthu fwya o lawer, gan fod y Belgiaid Ffrangeg eu hiaith yn tueddu i brynu'r wythnosolyn Ffrengig *Paris-Match*.

O hyn ymlaen, y llythyrau'n gwibio'n ôl a blaen rhwng Antwerp ac Aberystwyth fel gwennol gwehydd. Oedd gan Mr. Depauw ragor o nofelau y gellid eu trosi i'r Gymraeg? Oedd. Parsel yn cyrraedd.

Tybed a garai Mr. Depauw sgrifennu nofel am Gymru? Carai, yn fawr iawn. Fe drefnai i ddod drosodd i siarad â Chymry ac i gasglu defnyddiau cyn gynted ag yr oedd modd.

A garai Mr. Depauw ddod i Gymru i dderbyn y copi cyntaf o *Llydaw Am Byth* – y cyfieithiad Cymraeg o *Breiz Atao*? Ar bob cyfri. 'Nodwch y dyddiad a'r amser, ac mi ddof.'

Fe drefnwyd i gyflwyno copi anrheg hardd yng nghyfarfod hanner-blynyddol y Cyngor Llyfrau Ebrill 30. Un anhawster: Mr. Depauw yn siarad Fflemeg, Ffrangeg ac Almaeneg yn rhugl, ond dim Saesneg. A ellid cael rhywun oedd yn medru un o'r ieithoedd hyn i ofalu amdano a chyfieithu? A dyma Mr. Meic Stephens, sy'n siarad Ffrangeg, yn dod i'r adwy; mawr ddiolch iddo.

Seremoni Hanesyddol

I'r cyfarfod yn Aberystwyth fe wahoddwyd teulu a fu'n byw am chwe blynedd yn yr Iseldiroedd: Mr. a Mrs. Raymond Garlick a'u mab Iestyn, sy'n siarad pedair iaith. (Roedd y ferch, Angharad, yn gorfod bod yn yr ysgol y diwrnod hwnnw.) Am mai'r un iaith i bob pwrpas yw'r Iseldireg a'r Fflemeg fe ofynnwyd i Mrs. Elin Garlick – y cyhoeddwyd ei chyfieithiad o'r Iseldireg, *Fy Ffrind Oedd Wrwg*, rai misoedd yn ôl – drosglwyddo'r copi anrheg i Mr. Depauw. Ac fe wnaeth hynny, gydag araith fach addas iawn yn iaith yr awdur ei hun.

Fe wahoddwyd hefyd, yn naturiol, Mr. J. R. F. Piette o Lydaw, sydd ar staff Adran Gymraeg Coleg y Brifysgol, Aberystwyth. Fel rydyn ni Geltiaid yn gorfod siarad Saesneg â'n gilydd, roedd Mr. Piette a Mr. Depauw yn gorfod ymgomio yn Frangeg, sy'n 'iaith gormes' yn eu dwy wlad hwy.

Rhwng Cymraeg, Ffrangeg, Iseldireg/Fflemeg a thipyn bach o Saesneg, roedd y Cyngor Llyfrau Cymraeg y prynhawn hwnnw yn fychanfyd o'r Cenhedloedd Unedig. Trueni na fuasai rhai o 'ryng-genedlaetholwyr' cul Cymru yno i glywed.

Ond ni ddywedwyd mo'r hanner eto am Valère Depauw. Beth yw hanes y gŵr hoffus, siriol ac anhygoel ddiwyd hwn?

Fe'i ganwyd mewn tre fechan o'r enw Ronse yn Fflandrys ym 1912. Ei deulu'n wehyddion. Yntau, yr ieuengaf o'r plant, yn dysgu'r grefft. Ond y busnes teuluol yn dod i ben, a Valère yn troi at newyddiadura.

Brwydr Iaith

Fel y dywedwyd, mae dwy iaith ym Melg fel sydd yng Nghymru. Yn y gogledd (Fflandrys), Fflemeg; yn y de (Walonia), Ffrangeg. A phan oedd Valère yn fachgen, Ffrangeg oedd yr unig iaith swyddogol drwy'r wlad.

'Roedd ein hiaith ni (Fflemeg) yn llawer is ei phen nag yw'r Gymraeg heddiw,' meddai. 'Rydw i'n cofio mynd i'r brifddinas, Brwsel, a theimlo cywilydd mod i'n siaradwr Fflemeg. Taeogion oedden ni: wedi'n gwneud felly.'

Ond roedd hedyn y deffroad ynddo o'i febyd. Siaradwr Fflemeg oedd ei dad ond Ffrangeg oedd iaith ei fam. Er hynny, er mai hi oedd yn siarad iaith swyddogol y wlad, fe benderfynwyd mai Fflemeg fyddai iaith y plant.

Yn ddyn ifanc, fe chwaraeodd Valère ran fywiog ym Mudiad yr Iaith Fflemeg. Am baentio arwyddion Ffrangeg a gweithgareddau eraill fe'i carcharwyd dair ar ddeg o weithiau, am gyfanswm o 18 mis.

176

Ond dyma'r rhyfel, a Belg dan lywodraeth yr Almaen: peth a unodd y siaradwyr Fflemeg a'r siaradwyr Ffrangeg dros dro. Am ei wrthwynebiad i'r Natsïaid fe gipiwyd Depauw i garchar yn Awstria, lle y bu am flwyddyn.

Wedi'r rhyfel, dychwelyd i'w wlad ac ail gydio mewn crefft. Ond yr ysfa lenyddol yn rhy gryf, a throi eto at ysgrifennu. Methu cael cyhoeddi'i lyfrau am fod ei enw'n adnabyddus fel cenedlaetholwr Fflemig. Dechrau cyhoeddi dan ffug-enw, a gweithio am sbel yn ddarllenwr i gwmni cyhoeddi ym Mrwsel.

Heddlu'n Cipio'i Ysgrifbin

Ond oherwydd ei ran ym mrwydr yr iaith roedd y gyfraith ar ei drywydd o hyd. Ym 1949 – dim ond ugain mlynedd yn ôl – fe ddaeth yr heddlu i'w dŷ a mynd â phob copi o'r llyfrau yr oedd wedi'u cyhoeddi, a hyd yn oed ei ysgrifbin.

Ond roedd y llanw eisoes yn troi. Roedd y Ffleminiaid cyffredin yn dechrau ymfalchïo yn eu hiaith, yn mynnu'i siarad hi ym mhobman ac yn hawlio safle swyddogol iddi.

> 'Heddiw,' meddai Depauw, 'rydyn ni wedi gorchfygu. Mae'r Fflemeg yn iaith swyddogol gydradd â'r Ffrangeg drwy'r wlad, yn iaith bob dydd at bob pwrpas pum miliwn o Ffleminiaid ac yn gwthio'r Ffrangeg yn ôl. Ni yw'r mwyafrif 'nawr.'

Wrth gwrs, fe fu'r pris yn uchel. Mae Belg wedi'i hollti, a'r unig ateb posib i'r sefyllfa, meddai Depauw, yw ei rhannu'n ddwy dalaith, un yn Fflemeg ei hiaith a'r llall yn Ffrangeg.

Oni allwn ni yng Nghymru osgoi sefyllfa felly, gyda'n traddodiad llenyddol llawer hŷn a chyfoethocach, a'n cefndir mwy heddychlon a'n tuedd i gamu'n fwy pwyllog mewn awyrgylch mwy democrataidd? Roedd Depauw yn cytuno y gallen ni lwyddo'n well i adfer ein hiaith heb rwygo'n gwlad.

Oedd Mr. Depauw yn dal i frwydro heddiw?

> 'Na, rydw i'n rhy hen i gario brws paent a martsio nawr!' (57 yw ei oedran). 'Ond mae fy mab yn parhau'r gwaith. Fe fu yntau yng ngharchar am ei ran yn yr ymladd dros wneud Leuwen yn Brifysgol Fflemeg-yn-unig. Ond mae'r frwydr honno'n llwyddo hefyd.'

Fe gyhoeddodd Valère Depauw 39 o lyfrau hyd yn hyn. Efallai mai'i nofel am Gymru fydd y deugeinfed.

Helpu'r Cymry

Fe ellid dweud mai fe yw Alun R. Edwards Fflandrys: yn byrlymu gan syniadau ac yn cael maen ar ôl maen i'r wal. Mae ganddo Gymdeithas Lenyddol yn yr ardal lle mae'n byw, ac un aelod ohoni, y Dr. L. Philipsen, yn ŵr 'tra chyfoethog'.

Eisoes mae'r Gymdeithas hon, drwy haelioni'r Dr. Philipsen, wedi sefydlu 'Gwobr Lenyddiaeth Ewropeaidd' o ryw £400 y flwyddyn, i'w rhoi am y gwaith rhyddiaith teilyngaf, ym marn y beirniaid, a gyhoeddwyd yn ystod y tair blynedd flaenorol. Ac mae Depauw yn awyddus iawn i ystyried llyfrau a sgrifennwyd mewn ieithoedd 'lleiafrif', fel y Gymraeg, am y wobr hon. Ond byddai'n rhaid cyflwyno'r gwaith mewn cyfieithiad Ffrangeg, Almaeneg neu Isalmaeneg er mwyn i'r beirniaid fedru'i ddarllen.

Mae ganddo ddau gynllun arall ar waith. Un yw cyhoeddi casgliad o storïau byrion o'r ieithoedd 'lleiafrif' (gair nad yw'n hoff ohono) a'r gyfrol gyfan i'w chyhoeddi ym mhob un o'r ieithoedd hynny, pob fersiwn i'w hargraffu yn Antwerp ac i'w gwerthu i'r gwledydd a gynrychiolir am bris gostyngol.

Y cynllun arall yw cyfres o lyfrau am y gwledydd bach – Cymru. Llydaw, Euzkadi (gwlad y Basgiaid), Tyrol y De, ac eraill: pob cyfrol i'w chyhoeddi ymhob un o'r ieithoedd ond yn cynnwys yr un darluniau – a fydd yn cadw'r gost i lawr, wrth gwrs.

> 'Dim ond dechrau yw hyn,' meddai Depauw. 'Ond rydyn ni, sy mor ffodus bellach yn Fflandrys, yn awyddus i helpu'ch cenedl chi a'r cenhedloedd bach eraill i adfywio'ch ieithoedd ac i wneud eich cyfraniad i ddiwylliant y byd.'

*   *   *   *

Cyhoeddwyd Llydaw Am Byth (Valère Depauw, cyf. John Edwards) gan Wasg y Brython.

GWENALLT

Wedi i'r rhifyn diwethaf o 'Llais Llyfrau' fynd i'r wasg fe ddaeth y newydd fod y Dr. Gwenallt Jones wedi'i daro'n ddifrifol wael. Cyn hir wedyn fe adawodd fyd y storm a'i stŵr i fodio llawysgrifau'r ne'.

Am ddeng mlynedd ar hugain bu Gwenallt yn gydwybod i Gymru. Fe'n helpodd i'n hadnabod ein hunain, i ffieiddio'n taeogrwydd a'n materoliaeth a'n gweld y gogoniant a allai fod petaem ni'n mynnu'n rhyddid a hwnnw'n wyn gan Grist. Ein gwae yw bod y bersonoliaeth annwyl wedi'n gadael. Ein gwynfyd yw bod y farddoniaeth eneiniedig yn aros.

Cydymdeimlwn yn ddiffuant â'i weddw a'i ferch yn eu galar. Diolchwn am y rhodd fawr fu Gwenallt i Gymru.

NEWYN AM LYFRAU CYMRAEG

Os ydych chi'n derbyn *Barn* yn rheolaidd fel y dylech (dim ond hanner coron y mis ac yn werth pob dimai) fe welsoch erthygl ddramatig Rheinallt Llwyd yn rhifyn Hydref dan y teitl 'Newyn '69.'

Y Newyn

Sôn y mae am y flwyddyn a dreuliodd yn llyfrgellydd ardal yn Neau Ceredigion. Ac meddai:

> 'Bu'n brofiad iachusol ac yn agoriad llygad, oherwydd 'doeddwn i 'rioed o'r blaen wedi amgyffred beth oedd newyn. Newyn am lyfrau Cymraeg.'

Mae'n dosbarthu'r benthycwyr llyfrau Cymraeg yn ei ardal, ac mae'r dosbarthu hwn yn llawer mwy diddorol na'r pôls gwleidyddol sy wedi mynd yn gymaint o fwrn erbyn hyn. Tri dosbarth sydd, yn fras:

Y rhai sy'n benthyca o'r fen nifer bychan o lyfrau bob mis, rhyw bedwar Saesneg neu bedwar Cymraeg neu ddau o bob un; y rhai sy'n benthyca nifer helaeth o rai Cymraeg a rhyw ddau neu dri o rai Saesneg; a'r rhai sy'n benthyca nifer sylweddol o rai Cymraeg yn unig neu rai Saesneg yn unig.

Yna mae ganddo dair enghraifft drawiadol:

(a) Gŵr wedi ymddeol, yn barod i ddarllen popeth bron, sy'n benthyca 15 o lyfrau Cymraeg bob mis: 180 mewn blwyddyn. (b) Gwraig ganol oed sy'n cymryd 12 o lyfrau Cymraeg bob mis ac yn achwyn pan ddaw'r fen heibio ei bod hi wedi gorffen y cwbwl ers talwm. (c) Ffermwr ifanc sy'n benthyca, bob mis yn y gaeaf, 15 o nofelau Cymraeg a rhyw dri llyfr Saesneg ar bysgota.

Cydymdeimlwn â'r Llyfrgellwyr

Pwrpas yr erthygl, wrth gwrs, yw dangos y prinder affwysol o lyfrau Cymraeg poblogaidd i ateb i'r galw, a'r boen ar lyfrgellydd teithiol o orfod dweud wrth ei 'gwsmeriaid' am ryw naw mis o bob blwyddyn nad oes ganddo ddim byd newydd ar eu cyfer.

Er enghraifft, mae 55% o'r llyfrau Cymraeg a fenthycir yn nofelau, ond dim ond 14.5% o'r llyfrau a *gyhoeddir* sy'n nofelau.

Dyna faint y bwlch rhwng yr angen a'r cyflenwad. Ond nid dyna'r stori i gyd.

''Does ar y rhan fwyaf (o'r darllenwyr) ddim isio nofel drom, uchel-ael,' meddai Rheinallt Llwyd. "Mae'r gofyn yn ddieithriad am nofelau serch, antur a ditectif." '

Felly, hyd yn oed o'r 14.5 y cant o'r llyfrau newydd sy'n nofelau, dim ond cyfran sy'n pasio prawf hallt y benthycwyr.

Wel, fe ddylen ni fod yn ingol boenus ymwybodol o'r *angen*, o leia, erbyn hyn, wedi clywed cymaint amdano ers blynyddoedd. Ac fe ddylen ni fod yn llawn cydymdeimlad â'r llyfrgellwyr, yn enwedig y llyfrgellwyr teithiol, gan mai nhw sydd yn y llinell flaen, yn gorfod wynebu beirniadaeth y darllenwyr siomedig fis ar ôl mis ar gerrig eu drysau.

Anniwall

O Geredigion y daw'r gŵyn fynychaf, am mai yng Ngheredigion y mae'r gwasanaeth llyfrgell trylwyraf. Os pery pethau i fynd ymlaen fel hyn, cyn hir efallai y bydd men lyfrau yn galw wrth bob drws yn y sir! Mae'r llyfrgell ryfeddol hon wedi cynhyrchu corff o ddarllenwyr Cymraeg anniwall, a thrwy hynny wedi gloywi dyfodol yr iaith Gymraeg yn ddirfawr mewn un rhan o Gymru. Mae hi hefyd, wrth gwrs, wedi creu angen na allwn ni ar hyn o bryd mo'i ddiwallu.

Dro'n ôl fe ddaeth galwad i mi gwrdd â phedwar o lyfrgellwyr teithiol Ceredigion i glywed am angen y Sir. Fe gawson ni gyfarfod hynod ddiddorol, ac mi glywais farn y brodyr brwd a diwyd hyn ar y math hwn a'r math arall o lyfr. Fe roddwyd y Cyngor Llyfrau'n deg ar y carped, yn enwedig fi fy hunan fel cyfarwyddwr y cynllun cyfieithu a chynhyrchu. Ble *roedd* y dwsinau o nofelau ysgafn addawedig? Mi es o'r cyfarfod ag angen darllenwyr Ceredigion wedi'i serio'n wynias ar fy nghalon.

Ac yna, ar y ffordd adref yn y car, fe'm trawyd gan ddigalondid. Am ryw awr a hanner roedd pedwar llyfrgellydd teithiol amser llawn wedi dweud y drefn wrth un awdur rhan-amser am brinder llyfrau poblogaidd yn Gymraeg. Dyma awdurdod lleol yn medru cyflogi pedwar gŵr i fynd â llyfrau Cymraeg at y bobol ond yn methu cyflogi cymaint ag un i sgrifennu'r llyfrau hynny.

Hipi Parchus

Nid beio Cyngor Sir na Llyfrgell Ceredigion yr ydw i, wrth reswm. Mae'r llyfrgell odidog hon yn gwneud ei gwaith hyd yr eitha, a brysied y dydd y gall hi ddyblu nifer ei llyfrgellwyr ardal. Y ffaith yw nad ydi'r gyfraith ddim yn caniatáu iddi gyflogi awdur ar ei staff i sgrifennu llyfrau, ni waeth faint yr angen. Llyfrgellwyr a chlercod llyfrgell, ie; ond nid awdur. A dyna'r aflwydd. Dyna fentaliti'r wladwriaeth Brydeinig. A dyna, ysywaeth, fentaliti'r cyhoedd hefyd.

Mewn gwladwriaeth faterol, ffilistaidd fel Prydain, spif ydi awdur: rhyw fath o hipi mwy parchus y mae'n rhaid ei oddef oherwydd fod angen am ffrwyth ei ddychymyg a'i chwys, ond na ddylid ar unrhyw gyfri mo'i gynnal ar bwrs y wlad. Fe ellir cynnal miloedd o'r biwrocratiaid mwyaf aneffeithlon i beidio â gwneud dim, ond cymerwch ofal na chynhaliwch chi ddim un awdur i ddiddanu ac ysbrydoli'r werin a gwneud iddi feddwl.

Y Creadur sy'n Creu

Mewn geiriau eraill, mae cymdeithas yn dweud wrth yr awdur: 'Fe'ch cynhaliwn chi fel athro, fel darlithydd, fel trefnydd, fel gweinyddwr, hyd yn oed fel gweinidog (ond ichi fod yn barod i weld eich plant yn llwgu) ond nid, byth, fel awdur. Eich dyletswydd chi yw sgrifennu'r math o lyfrau sy arnon ni'u heisiau, wrth y dwsin – a'n braint ni yw dweud pa fath o lyfrau – ond rhaid ichi wneud hynny yn eich oriau hamdden, pan yw'r gweddill ohonon ni'n chware, neu ar wyliau, neu'n cysgu.'

Mae'r cyhoeddwyr yn gyhoeddwyr amser llawn, yr argraffwyr yn argraffwyr amser llawn, y rhwymwyr yn rhwymwyr amser llawn, y llyfrgellwyr yn llyfrgellwyr amser llawn, y siopwyr llyfrau yn siopwyr llyfrau amser llawn. Yr awdur yn unig, y creadur sy'n creu'r stwff, sy'n gorfod byw ar wneud rhywbeth arall.

Sut y byddai hi, tybed, petai'r cyhoeddwyr yn cyhoeddi (fel y mae ambell un, mae'n wir) yn eu horiau hamdden? A'r argraffwyr, y rhwymwyr, y llyfrgellwyr, y siopwyr, i gyd yn cynhyrchu neu'n dosbarthu neu'n gwerthu yn eu horiau hamdden fel rhyw hobi fach ar ddiwedd dydd a phrynhawn Sadwrn?

Teg yw dweud mai rhan gymharol fechan o faes llafur y bobol dda hyn i gyd yw llyfrau Cymraeg fel y cyfryw, ond mae'r ffaith yn aros bod llyfrau Cymraeg yn rhan o'u gwaith beunyddiol ac nid yn hobi ddiwetydd. Dyna'r gwahaniaeth.

181

Bellach, drwy drugaredd, mae nifer o wŷr da wedi deffro i'r sefyllfa ac yn ymdrechu i'w diwygio, a hyd yn oed y wladwriaeth ffilistaidd ei hun wedi teimlo ychydig bigiadau cydwybod ac yn estyn i'r cynghorau celfyddydau rywfaint o arian i'w rhannu'n grantiau ac yn wobrau ac yn ysgoloriaethau i awduron. A da iawn, o'r diwedd, ydi hyn.

Ysywaeth, pan roir cymorth ariannol i awdur mae cymaint o utganu ynghylch y peth a chymaint o ganmol ar haelioni'r nawddogaeth nes gwneud i'r awdur druan – sy'n fynych yn fwy sensitif wrth natur na phobol eraill – deimlo'i fod yn byw ar gardod anhaeddiannol ac y dylai ddweud diolch yn fawr tua Meca bum gwaith y dydd.

Os ydi awdur yn cynhyrchu, neu wedi cynhyrchu'n helaeth am flynyddoedd, a oes rhaid iddo deimlo'n swil o ddiolchgar am dipyn o bres llenyddol, fwy na'r cannoedd o bobl eraill sy'n ennill eu bara ym myd llyfrau? Wedi'r cwbwl, oni bai am awduron, fyddai dim siop lyfrau na llyfrgell mewn bod; fyddai dim angen Cyngor Llyfrau, a fyddai dim angen hanner y gweisg. Oni bai am awduron.

Compiwtar

Ond tybed? Tybed a *oes* angen awduron? Rydw i wedi bod yn meddwl: os dim ond nofelau serch, antur a ditectif sydd eisiau, beth am brynu compiwtar? Fe ellid bwydo'i gof electronig â rhyw 30 o blotiau a chant o enwau cymeriadau a stoc o ddisgrifiadau parod ac ebychiadau fel 'Rwy'n dy garu di,' 'A finnau di,' 'Ga i'r ddawns nesa, cariad?' 'Ydych chi'n mynd i'r Ysgol Sul, blodyn?' 'Mi dynna i dy lygaid di'r llyffant!' A'r cyffelyb.

Pan fyddai'r stoc yn mynd yn isel, y cyfan fyddai'n rhaid ei wneud fyddai mynd at y cyfrifiadur a gwasgu botymau i ddethol plot, set o enwau, nifer o ddisgrifiadau a dialog addas. A dyna nofel ysgafn newydd yn barod i'r faniau. A phawb yn hapus.

Wel, meddech chi, os yw llunio nofel ysgafn mor syml â hynna, pam na fyddai ciw o awduron wrth eich drws yn cynnig eu llawysgrifau?

Yr ateb yw y gallai cyfrifiadur (o'i iawn hyfforddi, wrth gwrs) gynhyrchu nofel mewn hanner awr, ond bod yr un gwaith yn costio i awdur hanner blwyddyn – o oriau hamdden. Ac, a barnu yn ôl yr ymateb yr ydw i'n ei gael fel cyfarwyddwr cynllun cynhyrchu a chyfieithu'r Cyngor Llyfrau, mae oriau hamdden awduron a chyfieithwyr Cymru'n drychinebus o brin.

Cnoi Ewinedd

Ond rhaid bod yn deg â biwrocratiaeth hefyd. Tipyn o fenter yw nawddogi a chyflogi awduron. Dydi sgrifennu nofel ddim cweit yr un peth â'i chysodi neu'i gwerthu neu'i chatalogio. Ac eithrio'r ychydig iawn o sgrifenwyr cwbwl beiriannol a all lathennu traethiad a dialog wrth fformiwla sut bynnag y bo'r hwyl a'r tywydd, mae'r mwyafrif o lenorion y gwn i amdanyn nhw mor dymherus â phŵdls. Dyna pam y maen nhw'n llenorion.

Er iddyn nhw wybod y grefft o A i Y, os nad yw'r amgylchiadau'n ffafriol a'r awen yn cyniwair (fe gewch chi wawdio faint a fynnoch chi ar yr awen, ond ceisiwch chi sgrifennu 50,000 o eiriau diddorol hebddi) y tebyg yw mai cnoi eu hewinedd mewn segurdod blin y byddan nhw. A fedrwch chi ddim disgwyl i unrhyw noddwr dalu i bobol am gnoi'u hewinedd.

Ond petai yna hanner dwsin o awduron yn byw ar sgrifennu yn Gymraeg a'r cyhoedd yn dod i arfer â'r sefyllfa ryfedd? Petai rhywrai'n cychwyn *traddodiad* o ennill bywoliaeth drwy sgrifennu? Petai cwrs i hyfforddi nofelwyr ifanc yn elfennau'r grefft a phosibilrwydd gyrfa weddol gysurus iddyn nhw wedyn yn ei hymarfer hi? Wel, ie. Petai.

Pethau'n Gwella

Does dim amdani ond dal i geisio gwella pethau o dipyn i beth. Mae pethau yn gwella; does gen i ddim amheuaeth am hynny. Diolch i'r Cyngor Llyfrau, mae nifer llyfrau Cymraeg newydd wedi cynyddu. Diolch i'r Cyngor Celfyddydau, mae'u diwyg nhw'n gwella. A diolch i ambell siop a llyfrgell dda, mae mwy o alw amdanyn nhw ac am fwy ohonyn nhw.

Meddwl yr oeddwn i y dylid dweud gair o blaid ein hawduron. Peth iachusol yw i bawb gael 'bwrw'i fol' 'nawr ac yn y man. Da yw i ambell gyhoeddwr gael ein hatgoffa ni am ei aberth ei hun a chwipio cybydd-dod y cyhoedd. Da yw i'r siopwr gael dwrdio arafwch rhai o'r cyhoeddwyr adeg y Nadolig. Da yw i'n llyfrgellwyr gael dweud eu cwyn am y prinder. Mae pawb yn teimlo'n well ar ôl cael tanio ergyd.

Ond Dim Gwyrthiau

Am yr un rheswm, mi deimlais y byddai'n hawduron ni hefyd yn teimlo'n hapusach pe gellid egluro'u sefyllfa hwythau. Peth peryglus yw maldodi awduron a gwneud iddyn nhw deimlo'n bobol sbesial. Ond peth cwbwl ddi-help yw eu hystyried yn 'beiriannau sosej,' ys dywedodd Dr. Kate Roberts rywdro, neu'n fwncïs hyrdi-gyrdi i berfformio am gardod yn ôl y gofyn. Hyd y gwn i, does dim awduron gwyrthiol ar gael.

R. T. Jenkins

Ar y deuddegfed o Dachwedd fe ddaeth gyrfa lenyddol arall o bwys i ben. Fe'n gadawodd y gŵr a'n dysgodd drwy ddiddanwch am hir flynyddoedd, gan adael inni goflaid o drysorau llenyddol.

Roedd R. T. Jenkins yn un o'm hoff lenorion i, ac er mai dim ond unwaith y cefais i dorri gair ag o, rydw i'n teimlo imi'i nabod o drwy'i lyfrau lawn cystal ag yr ydw i'n nabod amryw o'm ffrindiau. Roedd ei gyfaredd lenyddol yn un gwbl arbennig ac anodd ei dadansoddi. Rhyddfrydwr oedd o ym mhopeth – gwleidyddiaeth, diwinyddiaeth, chwaeth lenyddol a hyd yn oed hanes, ei briod faes ei hun.

Roedd o'n ddogmatig o annogmatig, a hyn, rywsut, sy'n gwneud ei lyfrau a'i erthyglau a'i ysgrifau mor ogleisiol bryfoclyd ac ar yr un pryd mor hoffus.

Y safbwynt yna, yn ogystal â'i arddull hamddenol, lwythog o ddiwylliant clasurol (*urbane* yw'r gair a ddefnyddiwyd lawer gwaith) oedd yn gwneud ei waith mor estron i'r to ifanc heddiw. Doedd ganddo ddim o'r *urgency* mewn nac argyhoeddiad nac arddull sy'n ddeniadol iddyn nhw.

Ond i unrhyw un a anwyd cyn 1939, a fwynhaodd gwmni'r hen do o Gymry diwylliedig ac a fagwyd ar *Y Llenor*, ni ellir meddwl am noson felysach o ddarllen na *Ffrainc a'i Phobl* neu *Yr Apêl at Hanes* neu *Casglu Ffyrdd*.

Roedd o'n gwybod be' oedd be' mewn llenyddiaeth yn ddigon da i fentro o'i faes ei hun i sgrifennu dwy nofel fer lwyddiannus ond hollol wahanol i'w gilydd: *Orinda* hyfryd, a (dan ffugenw) *Ffynhonnau Elim*. Fe fydd yn rhaid meddwl am eu hail argraffu.

Dyled

Mae'n dyled ni'n drwm i Glwb Llyfrau Cymraeg Llundain a barodd gasglu a chyhoeddi'n gyfrolau *Casglu Ffyrdd* ac *Ymyl y Ddalen*, ac yn briodol iawn, y llynedd, yr hunangofiant nodedig *Edrych yn Ôl*. Gobeithio i'r gwerthiant a'r derbyniad rhagorol a gafodd hon, cyfrol olaf R. T. Jenkins, fod yn gysur i un o'n llenorion coethaf a difyrraf yn nherfyn eitha'i oes.

'Llais Llyfrau', Gaeaf 1969

COLLI DEUNAW

Mewn rhifynnau blaenorol o'r cylchgrawn hwn fe roddwyd gair o goffâd am un Cymro amlwg a fu farw – dim ond un ar y tro.

Gwyn fyd nad felly fyddai hi yn y rhifyn hwn. Ond yn y chwe mis er pan gyhoeddwyd y rhifyn diwetha fe gwympodd ein cedyrn ym mhob cyfeiriad – cynifer ohonyn nhw fel na ellir ond eu henwi.

Dyma'r colledion a nodwyd yn fy nyddlyfr i yn unig (fe fu eraill) gan ddechrau ar y 3ydd o Ionawr eleni:

Trefor Morgan. Gŵr a ddefnyddiodd ei fasnach er mwyn Cymru yn hytrach nag fel arall; sefydlydd Cwmni Yswiriant Undeb a Gwasg Undeb, Cronfa Glyndŵr ac Ysgol Glyndŵr.

D. J. Williams yr *Hen Wynebau* a'r *Hen Dŷ Ffarm.* Yr anwylyn cadarn, llawen, na ellid ei grynhoi mewn llyfr, chwaethach mewn paragraff. Llywydd Adran Gymraeg yr Academi Gymreig.

Gwilym Gwalchmai, yn 49 oed. Ni fydd yr eisteddfod na'r gymanfa ganu byth yr un fath heb ei ddawn a'i serchogrwydd mawr.

Syr Ifan ab Owen Edwards. Crëwr yr Urdd a phopeth a olygodd hi i Gymru a'r Gymraeg, gan gynnwys y cylchgronau amhrisiadwy a'r ymgyrch lyfrau a'r cychwyn a roddodd i lenorion ifainc.

Cynan. Yr Eisteddfod Genedlaethol ei hun. Cydnabyddwn hynny. A bardd na flinir ar ei ddarllen, na'i adrodd, na'i ganu, tra pery'r Gymraeg.

F. G. Fisher. Sais a ddysgodd ein hiaith a sgrifennu dramâu arobryn ynddi. Enaid Theatr Fach Llangefni.

Y Parch. J. P. Davies. Nid llenor, hwyrach, ond llên-garwr mawr. Cymro a Christion mawr. Tad y llyfrgellydd Miss Llinos Davies.

Meirion Jones. Golygydd *Hwyl* ac awdur i blant. Y Gymraeg ar wefusau plant y Bala heddiw'n gofeb wefreiddiol i'w prifathro.

Iorwerth Roberts, Llangollen. Prifathro Cymreig dygn arall. Ysgrifennydd Ariannol ac yna Trysorydd Undeb Cymru Fydd.

Hywel Hughes, Drws-y-Coed, Porthaethwy a Bogotá, Colombia. Miliwnydd o Gymro a wnaeth beth anarferol: rhoi cryn swm o'i arian i helpu gwlad ei dadau.

Dr. T. I. Ellis. Awdur pump o lyfrau Crwydro'r Siroedd a chofiannau. Ysgrifennydd Undeb Cymru Fydd. Un o ffrindiau gwerthfawrocaf Cymru.

Dr. Hywel Emmanuel. Llyfrgellydd Coleg Aberystwyth.

J. R. Morris. Y llyfrwerthwr amhrisiadwy a werthodd ni ŵyr neb faint o lyfrau Cymraeg yn y Bont Bridd yng Nghaernarfon. Ac englynwr at hynny.

Nan Davies. Mamaeth, yn ei gwaith fel cynhyrchydd radio, i ugeiniau o sgyrsiau ac ysgrifau a storïau byrion gan ein prif lenorion.

Jack Jones. Nid yn Gymraeg y sgrifennodd y nofelydd hoffus a'r cymeriad godidog hwn, ond mor Gymreig â neb a sgrifennodd yn Saesneg. Llywydd Adran Saesneg yr Academi Gymreig.

J. E. Jones. Awdur *Tro i'r Yswisdir* a'r *Llyfr Garddio*. Gwelodd gyhoeddi'i hunangofiant, *Tros Gymru*, cyn marw. Ysgrifennydd Cyffredinol Plaid Cymru am 32 flynedd. Bu farw ynghanol y frwydr.

Yr Athro J. R. Jones. Awdur *Yr Argyfwng Gwacter Ystyr*, *Prydeindod* a *Gwaedd yng Nghymru*. Proffwyd ac athronydd disglair didostur y deffro cenedlaethol.

Y Parch. D. J. Davies. 'Capel Als' fel gradd wrth ei enw hyd y diwedd. Bardd cadair yr awdl 'Mam.'

Deunaw mewn dim ond hanner blwyddyn. Deunaw o golofnau'r Gymru Gymraeg. (Roedd Cymraeg Blaenau Morgannwg ar enau Jack Jones yntau.)

I'ch helpu i amgyffred maint y golled, meddyliwch am Loegr yn colli dros dri chant o'i henwogion mewn chwe mis. Dyna'r cyfartaledd.

Y gwahaniaeth yw y gallai hi fforddio colli cynifer â hynny heb ysigo dim ar ei bywyd.

'Llais Llyfrau', Haf 1970

YR ARIAN NEWYDD

Dyma'r tro olaf, mae'n debyg, y bydd *Llais Llyfrau'n* defnyddio'r llythrennau cysegredig £.s.d. Erbyn mis Chwefror fe fyddwn ni – a chithau, os oes gennych chi ofal am newid cywir – wedi dysgu adio arian mewn dwy golofn yn lle tair.

Cyn eu hanghofio'n llwyr, gadewch inni'n hatgoffa'n hunain mai £.s.d. yw llythrennau cynta'r geiriau Lladin *Librae, Solidi, Denarii.* O'r gair Lladin *solidus* (lluosog, *solidi*) y daeth 'swllt' yn Gymraeg. Felly, roedd gan y Gymraeg ryw fymryn bach mwy o hawl ar y llythrennau cyfrin na'r Saesneg, gan nad yw'r geiriau *pounds, shillings, pence* yn perthyn dim i'r geiriau Lladin.

Ond gyda hyn, £.p. fydd popeth. £.c. yn Gymraeg, cofiwch. Cyn gadael yr £.s.d. am byth, fodd bynnag, gadewch inni wneud un sym olaf gyda nhw.

£.s.d. Cymreictod

Faint, tybed, y mae'n ei gostio i fod yn Gymro teyrngar heddiw? O ran diddordeb ichi, dyma gyllideb un Cymro Cymraeg am 1970:

	£	s.	d.
Cymdeithas Theatr Cymru	1	1	0
Yr Urdd	3	0	0
Y Cymmrodorion	2	0	0
Llys yr Eisteddfod Genedlaethol		10	6
Cronfa'r Eisteddfod Genedlaethol	2	0	0
Aelodaeth Cymdeithasau	5	0	0
Aelodaeth U.C.A.C.	3	7	6
Y Cymro	1	19	0
Y Faner	1	14	8
Eto, Cronfa'r *Faner*	2	0	0
Wythnosolyn enwadol	1	14	8
Barn	2	8	0
Y Genhinen		12	0
Taliesin		15	0
Y Traethodydd		15	0
Planet	1	10	0
Poetry Wales	1	0	0
Cylchgronau eraill	1	10	0
12 llyfr Cymraeg (dyweder)	8	0	0
Cyfanswm	40	17	4

Eglurodd y Cymro hwn fod prisiau'r cylchgronau'n cynnwys cludiad drwy'r post, ond ei fod yn cael yr wythnosolion o'r siop – a'i lyfrau hefyd.

Dydw i ddim yn datgelu cynnwys yr 'Aelodaeth Cymdeithasau' na'r 'Cylchgronau Eraill', er bod gen i le i gredu bod *Tafod y Ddraig* a'r *Ddraig Goch* ymysg yr olaf. Ond mi wn nad yw'r deugain punt y flwyddyn y mae'r cyfaill yn ei wario ar 'Gymreictod' yn ddim ond cyfran.

Fe ddywedodd fod ei gyfraniad (hael) at ei blaid wleidyddol yn rhan o'i wario ar Gymreictod. Mater o farn yw hynny, ond yn sicr, fe ddylid cynnwys ei gyfrannu mynych at ffair a garddwest ac apêl at achosion Cymreig, beth bynnag am arian tocynnau eisteddfod a noson lawen ac achlysuron Cymraeg eraill.

Yn ôl fy mras gyfrif i, fe wariodd y cyfaill swm a oedd yn nes at £70 nag at £40 ar 'Y Pethe' yn ystod eleni. Dyn cefnog, meddech chi. Nage. Mae'n ennill llai na dwy fil y flwyddyn: tua'r un faint ag ugeiniau o filoedd o Gymry Cymraeg. Yn ffodus, mae yna ychydig gannoedd sy'n debyg iddo, yn rhoi'r un gwerth ar eu treftadaeth.

Pe gellid troi'r ychydig gannoedd yn filoedd, fe synnech mor las fyddai awyr Cymru.

Llyfr Cymraeg o U.D.A.

Peth annisgwyl y dyddiau hyn yw gweld llyfr Cymraeg wedi'i argraffu a'i gyhoeddi dros y môr.

Ond dyma lyfr felly wedi'i gyhoeddi ym 1970: *Cyfarwyddiadur Awduron Cymraeg Cyfoes,* wedi'i olygu gan John Maxwell Jones, Jr., darlithydd yn y Glassboro State College, New Jersey. Llyfr solet o 80 tudalen ymron, yn cynnwys manylion am fywyd a gweithiau dros gant o sgrifenwyr Cymraeg heddiw, ynghyd â mynegai manwl a geirfa Gymraeg-Saesneg ar gyfer darllenwyr di-Gymraeg.

Sut yn y byd, meddech chi, y llwyddodd y gŵr diwyd hwn, a ddysgodd Gymraeg mewn gwlad bell, i gasglu cymaint o ddeunydd gwerthfawr a chywir? Mewn ffordd ymarferol iawn: drwy anfon holiadur manwl at bob llenor Cymraeg y gwyddai amdano.

Ond mae enwau amlwg iawn yn eisiau. Does dim sôn yn y llyfr, er enghraifft, am T.H. nac Amy Parry-Williams, John Gwilym Jones, Eigra Lewis Roberts, Derec Llwyd Morgan, Jane Edwards,

T. Glynne Davies, Dyddgu Owen na Waldo Williams. Ai esgeulustod neu anwybodaeth ar ran y golygydd sy'n cyfri am y bylchau dirfawr hyn mewn cyfrol mor werthfawr?

Nage, ddim. Meddai Mr. Jones mewn llythyr: 'Methodd amryw gyhoeddwyr ag ateb fy ngheisiadau am gyfeiriadau awduron; dim ond y pump a restrir yn y Rhagair (Gomer, Gee, Cymdeithas Lyfrau Ceredigion, y Brython a'r Dryw) a atebodd. Yn yr ail le, anfonais allan tua 170 o holiaduron, a derbyniais yn ôl ddim ond 110 ohonynt, gyda phedwar o ymddiheuriadau.'

O wybod am awduron Cymru – sy'n ddigon tebyg, am wn i, i awduron pob gwlad – fe ddywedwn i fod Mr. Jones wedi cael ymateb gwyrthiol bron. Fe atebodd dros 60% ei holiadur. Rydw i'n siŵr y byddai'r Gymdeithas Awduron Brydeinig yn fodlon iawn ar gystal ymateb oddi wrth ei haelodau i'w holiaduron hi.

Meddai Mr. Jones am yr awduron mud a amharodd ar gyfanrwydd ei Gyfarwyddiadur: 'Yr wyf yn gobeithio y byddant yn anfon y manylion o'u gwirfodd pan welant adolygiadau o'm llyfr.'

'Goddrychol iawn yw'r cwestiwn o beth sydd neu beth na sydd yn llenyddiaeth,' meddai'r Rhagair, ac mae'n siŵr y bydd llawer llenor a beirniad Cymraeg yn anghytuno â barn Mr. Jones nad yw bywgraffiadau a llyfrau taith, er enghraifft, ddim yn llenyddiaeth, o wybod am ein hamryw glasuron yn y meysydd hynny.

Beth bynnag, rhaid edmygu'n fawr iawn ei ddiwydrwydd, gloywder ei Gymraeg a'i barodrwydd i wario mor drwm o'i boced ei hun ar gynhyrchu llyfr fel hwn mewn gwlad lle mae argraffu a chyhoeddi'n ddychrynllyd o ddrud. Dyma lafur cariad, os bu'r fath beth erioed.

Mae ffeithiau diddorol yn ei lyfr, megis bod y Parchedig Robert Owen wedi perthyn i'r Home Guard yn ystod y rhyfel, a bod Mr. Tecwyn Lloyd yn aelod o'r Gymdeithas Asiatig Frenhinol a'r Sefydliad Eremotig Cymreig ac yn cael difyrrwch mewn saethu ffesantod ac adeiladu.

Ac nid y Cyfarwyddiadur yw unig gyfraniad y golygydd. Fe gyhoeddodd yn Saesneg – eto ar ei gost ei hun – dri llyfryn poced ar dri nofelydd Cymraeg cyfoes: Mr. Leslie Richards, Mr. Selyf Roberts, ac un arall na fyddai'n weddus imi'i enwi. Mae hefyd yn adolygu llyfrau Cymraeg i'r cylchgrawn Americanaidd *Books Abroad*.

Mae'n siŵr y maddeua Mr. Jones imi am ddyfynnu un paragraff eto o'i lythyr diddorol. Wedi datgan yn groyw fod ein llên yn dioddef dan deyrnasiad haearnaidd gweinidogion, sy wedi atal rhywioldeb naturiol mewn llyfrau Cymraeg, ebe fe:

'Fel sylwedydd pell ar ddigwyddiadau llenyddol yng Nghymru, y mae'n bosibl y gwelaf bethau sy'n anweledig i'r bobl yno, ac y mae'n amlwg i mi fod llawer o'n llenorion wedi colli golwg ar wir amcan llenyddiaeth, sef pleser. Mae *prestige,* enwogrwydd, a dilyn rheolau wedi cymryd lle ysgrifennu i ddifyrru'r darllenwyr – dylanwad yr Eisteddfod, mae'n debyg. Dogmatiaeth a mân-ddadlau yw marwolaeth llenyddiaeth dda.'

Bywgraffiadur

Pa mor denau bynnag yw ei lyfrgell, mae pob Cymro sy'n honni bod yn ddiwylliedig yn berchen copi o'r *Bywgraffiadur Cymreig,* y llyfr mawr tew a chyfareddol hwnnw sy'n llawn dyn dop o ffeithiau am gannoedd o Gymry enwog yr oesoedd. Y llyfr sy wedi lladrata mwy o f'amser i nag unrhyw lyfr Cymraeg arall erioed. Ac eithrio'r Beibil, efallai? Wel, pechadur wyf . . .

Os bydda i'n chwilio am hanes rhyw John Thomas neu John Williams yn y Bywgraffiadur, fe fydda i'n ddi-feth wedi darllen (am y ganfed waith) hanes pob John Thomas neu John Williams arall cyn llwyddo i gau'r llyfr. Mi fydda i'n ceisio osgoi darllen hanes unrhyw John Jones, rhag imi golli diwrnod cyfan o waith.

Ond roedd Y *Bywgraffiadur Cymreig* yn dod i ben yn y flwyddyn 1940. Ofer, felly, oedd chwilio ynddo am neb a fu farw wedi'r flwyddyn honno.

Eithr na thralloder. Dyma Anrhydeddus Gymdeithas y Cymmrodorion, cyhoeddwyr y Bywgraffiadur, yn dod i'r adwy ag atodiad iddo, sef Y *Bywgraffiadur Cymreig 1941-50.*

Yn hwn fe geir hanes oddeutu cant o Gymry a Chymryesau amlwg a fu farw yn ystod y deng mlynedd hynny. Y golygydd yw'n Cyn-Lyfrgellydd Cenedlaethol, Mr. E. D. Jones. Pa warant gwell o drylwyredd a graenusrwydd y gwaith?

Y pris yw £2. 5. 0. (Neu, erbyn y flwyddyn nesa, £2.25, wrth gwrs.) Bargen am y fath gyfoeth. OND. Nac adroddwch hyn yn Gath, ond mae'r trysor hwn ar gael i aelodau o'r Cymmrodorion am naw swllt yn llai, dim ond ei archebu rhag blaen. Beth? Dydych chi ddim yn aelod o'r Cymmrodorion? Wel, wel.

Gwyddoniadur

A dyma'r newydd hapus ar y radio pa ddiwrnod fod Mr. a Mrs. D. Gwyn Jones wrthi'n brysur yn paratoi enseiclopidia chwe chyfrol i blant. Yn Gymraeg, bid siŵr, a hyd y deëllais i, am Gymru yn bennaf.

Bwlch mawr arall yn cael ei lenwi. A myrdd o ddiolchiadau i'r ddeuddyn ddiwyd hyn am fynd i'r afael â'r fath dasg. Wedi cael y Bywgraffiadur, un o 'ngofidiau pennaf i oedd na fyddai cyfrol debyg am leoedd a sefydliadau a mudiadau a mwynau a chreaduriaid a phethau eraill yng Nghymru.

Ym mha flwyddyn y cafodd Biwmares siarter frenhinol? Pryd y diflannodd yr arth a'r blaidd o'n gwlad? Faint a gostiodd castell Caernarfon i'w adeiladu? Faint yn union o law *sydd* yn disgyn yn Ffestiniog mewn blwyddyn? Ble mae gwythïen galch Gogledd-Ddwyrain Cymru'n dechrau ac yn gorffen? Beth yw oedran Llanelli?

Her ichi ffeindio'r atebion i'r ychydig gwestiynau yna mewn awr, nac mewn diwrnod chwaith heb droi eich llyfrgell (os oes gennych chi un) yn strim-stram-strellach. Bach iawn o help gewch chi yn yr *Encyclopaedia Britannica* nac yn *Chambers*. Oedd, yr oedd angen ingol am enseiclopidia Cymreig.

Wrth gwrs, all yr un newydd hwn ddim cynnwys popeth, fel y dywedodd Mr. Gwyn Jones yn glir. A pha deitl a roir iddo? Ni phenderfynwyd eto.

Mae'r teitl 'Gwyddoniadur' wedi'i ddefnyddio unwaith. Da oedd y deg cyfrol hynny hefyd yn eu dydd. Fe gostiodd £20,000 i Thomas Gee eu cyhoeddi, medden nhw, y pryd hwnnw – a chael ei arian yn ôl hefyd. Roedd y set gyflawn gan fy nhaid, wedi talu amdanyn nhw fesul swllt neu ddau o'i enillion prin. Ond fe deimlwyd na fyddai 'Gwyddoniadur' yn deitl addas heddiw.

Ydych chi'n cofio *Gwybod*, ynte? Yr enseiclopidia darluniol difyr a buddiol hwnnw i blant mewn pedair cyfrol dan olygyddiaeth Thomas Parry a Curig Davies y dechreuwyd ei gyhoeddi'n rhannau misol cyn y rhyfel? Bachgen ysgol oeddwn i, yn mynd i'r siop-bapur-newydd leol am fy nghopi bob mis. Ysywaeth, dim ond un gyfrol a gyhoeddwyd: deuddeg rhifyn. Doedd Cymry'r dyddiau hynny, a ganmolir gymaint heddiw am eu cefnogaeth i lyfrau Cymraeg, ddim yn ddigon selog a hael i gefnogi'r fenter. A ble roedd yr Awdurdodau Addysg?

Ond mae pethau wedi goleuo mewn rhai cyfeiriadau erbyn hyn. Pob rhwyddineb i'r enseiclopidia newydd, beth bynnag ei enw.

191

Cyfroliadur?

Mewn erthygl mor '-adurol', mae'n demtasiwn bathu gair am lyfr sy'n cynnwys rhestr o lyfrau.

Mae'r Cyngor Llyfrau wedi cyhoeddi un felly: *Llyfrau Cymraeg Mewn Print*. Mae hwn yn rhestru yn agos i fil o lyfrau Cymraeg a oedd mewn print fis Ebrill eleni. Fe ellwch feddwl faint o lafur a olygodd llunio'r fath restr, ac yn y Rhagair mae Mr. Alun Creunant Davies yn datgan dyled:

> 'i Mr. a Mrs. William Lloyd, Llanilar, am baratoi set o gardiau, i Miss Marian Evans o Lyfrgell Sir Aberteifi (Llyfrgell Sir Fflint nawr) am olygu'r gyfrol a'i gweld drwy'r wasg, ac i staff y Cyngor Llyfrau am eu cyfraniad wrth baratoi'r gyfrol.'

Rhagoriaeth arbennig y gyfrol hon yw ei bod wedi'i rhannu'n dair, gan ddosbarthu'r llyfrau (a) yn ôl eu hawduron, (b) yn ôl eu teitlau, (c) yn ôl eu dosbarth. Fe fydd pob chwilotwr yn bendithio'r golygydd a'i chynorthwywyr diwyd am yr hwylustod hwn.

Huw T.

Yn ein rhifyn diwetha fe restrwyd deunaw o Gymry amlwg – bron i gyd yn llenorion neu'n llên-garwyr mawr – a fu farw yn ystod hanner cynta 1970.

Gwae ni, nid ataliodd y Pladuriwr ei law. A'r rhifyn hwn ar fin mynd i'r wasg, dyma newyddion am ragor o rwygo ar Gymru. Fe gollwyd **Mrs. Gwyneth Alban Jenkins**, a fu mor amlwg ac annwyl yn ein gwyliau cerddorol, Ac yna, yr un diwrnod, dyma golli **Mr. Geraint Edwards** o Lanuwchllyn ac Ysgol y Gader, Dolgellau, darn mawr o ddiwylliant Meirion, a **Mr. Arfor Tegla Davies**, mab Tegla, a gyfrannodd ysgrif i gyfrol deyrnged ei dad, a chyhoeddi dwy gyfrol Saesneg, os cofiaf yn iawn, ar hanes Uned Ambiwlans Cymdeithas y Cyfeillion. Roedd y tri hyn oddeutu eu hanner cant. Yn ei henaint y bu farw'r Dr. Huw T. Edwards, a chyhoeddwyd teyrngedau teilwng iddo, yn enwedig yn *Y Faner*, y papur a brynodd ac a nawddogodd mor lew mewn dyddiau mor anodd. Talwn ninnau'n teyrnged i'r ymladdwr mawr hwn dros werin Cymru. A gobeithio y bydd ei golli yn ein gyrru i ail ddarllen ei gerddi yn *Ar y Cyd*, a'i ddwy gyfrol atgofion gyfareddol, *Troi'r Drol* a *Tros y Tresi*. Ni fydd Huw T. – na Chymru ddoe – farw tra bydd darllen ar y rhain.

Siopau Llyfrau Newydd

Gwerthfawr yw protest ac aberth ein Cymry ifanc dros yr iaith. Nid llai gwerthfawr yw eu menter drosti ym myd masnach.

Yr hyn a wnaeth y proffwyd Jeremeia pan oedd ei genedl mewn perygl enbyd oedd prynu darn o dir ei wlad: gweithred o ffydd yn ei dyfodol hi. Fe ddaeth y dydd i ninnau Gymry feddiannu'n gwlad fesul erw a bwthyn a siop a ffatri, cyn ei llyncu'n llwyr gan siawnsfentrwyr o ddieithriaid.

Dyna pam y mae'n gymaint llawenydd clywed am Gymry ifainc yn mentro agor siop lyfrau Cymraeg, gan roi gwers arall eto i ni'r canol oed difenter sy wedi bodloni ar gasglu cyflog a chrynhoi pensiwn a phydru'n ysbrydol.

Fe fu gennym ers blynyddoedd hanner dwsin o siopau llyfrau Cymraeg gwir dda, a gariodd faich y fasnach bron yn llwyr eu hunain drwy'r dyddiau blin. Ond 'nawr, mewn olyniaeth gyflym, fe ymddangosodd Siop y Castell yn Aberteifi, Siop y Pethe yn Aberystwyth, Llên Llŷn ym Mhwllheli, Siop y Werin yn Llanelli, Siop Eifionydd ym Mhorthmadog, Siop yr Hen Bont ym Mhen-y-bont ar Ogwr. Mawr dda i'r bechgyn a'r merched hyn a welodd fwlch arall i sefyll ynddo.

Mae yna amryw drefi eraill yng Nghymru sy'n disgwyl am yr un gymwynas.

'Llais Llyfrau', Gaeaf 1970.

Dr. Kate

Braint ac anrhydedd o'r mwyaf – os cawn ni ddechrau'r nodion hyn ag ymadrodd mor ystrydebol, sy'n wir ac yn ddiffuant am y tro – yw cael rhoi teyrnged arbennig yn y rhifyn hwn o *Llais Llyfrau* i'r awdures fwyaf a gododd Cymru erioed.

Eleni mae'r Dr. Kate Roberts yn bedwar ugain mlwydd oed, ac yn dal i sgrifennu cystal – yn well, os yw hynny'n bosibl – nag erioed. Tyst o hynny yw'r storïau godidog yn ei chyfrol ddiweddaraf, *Prynu Dol a Storïau Eraill.*

Eleni hefyd fe gyflwynodd hi ei hen gartre, Cae'r Gors, yn rhodd i'r genedl Gymreig. Hi a agorodd Ffair Lyfrau Cymru ym Mangor, a hynny ag anerchiad di-flewyn-ar-dafod, nodweddiadol o'i hagwedd ddi-lol at lenyddiaeth, y byddai'n dda inni gnoi cil arno.

Bu'n cyhoeddi nofelau a chyfrolau o storïau am yn agos i hanner can mlynedd, ac nid yw'r cyfrolau hynny'n cynnwys ond cyfran o'r holl bethau a sgrifennodd hi ar gyfer papur a chylchgrawn a llyfr. 'Allwn ni ddim ond diolch yn wylaidd am y fath gyfoeth, am yr athrylith doreithiog hon a roed i'n cenedl ni a'i haberth hir, diymollwng yn parhau i sgrifennu drwy gyfnodau anodd yn ei bywyd ei hun ac ym mywyd ei chenedl.

Bylchau

Wrth droi eto at *Prynu Dol a Storïau Eraill*, dyma weld bod y llyfr wedi'i gyflwyno 'I Dr. Gwenan Jones.' 'Chafodd Dr. Gwenan ddim byw i weld yr anrhydeddu ar ei ffrind. Ond fe fynnwn ni gofio iddi hithau, yn ogystal â bod yn athrawes annwyl i'w llu myfyrwyr, fod yn ffrind gwych i lenorion ac yn olygydd cofiadwy i'r *Efrydydd* ac i gylchgrawn merched Undeb Cymru Fydd.

Fe gollwyd hefyd **Mrs. Cathrin Daniel**, a oedd ar ganol ysgrifennu cofiant ei phriod, y diweddar Athro J. E. Daniel – llyfr a fyddai wedi bod yn wefr ac yn ysbrydiaeth i'r rhai a gafodd y fraint o adnabod yr athrylith o Athro ac i'r rhai na chawson nhw mo'r fraint honno.

Eleni hefyd fe'n gadawodd yr actor a'r adroddwr **Oswald Griffiths**, a wnaeth gymaint â neb, efallai, i boblogeiddio gwaith T. Rowland Hughes. Pwy, er enghraifft, a all anghofio'i ddehongliad o bennod 'Y Lliain' (Cymun) yn *O Law i Law*: stori Twm Twm?

Ac **Elfyn Talfan Davies**, brawd hyna'r Talfaniaid: actor a storïwr godidog, cyfaill ffraeth a dewr, a wnaeth gymaint i roi Llyfrau'r Dryw ar fap Cymru pan oedd hi'n anos cyhoeddi llyfrau Cymraeg nag yw hi heddiw.

Tri

Tri arall y mynnwn eu cofio'n arbennig. **Ifan Gruffydd**, y gwyddid amdano yntau ers blynyddoedd fel actor ac adroddwr a Chymro hyd waelod ei enaid, ond a'n syfrdanodd ni i gyd yn ei ddyddiau aeddfed fel llenor o bwys â'i gyfrolau cyfareddol *Y Gŵr o Baradwys* a *Tân yn y Siambar*.

Y bardd **T. E. Nicholas**, a fu'n rhoi'i argoeddiadau a'i obeithion ar gân yn ogystal ag mewn darlith a phregeth ar hyd y ganrif gythryblus hon – yn Gomiwnydd o Gristion neu'n Gristion o Gomiwnydd, fel y mynnoch – a daflwyd i garchar gan 'Y Drefn' hurt dim ond am fod yr hyn ydoedd.

A **Waldo**. Y pererin sant nad oes neb dyn byth a all fesur ei hyd a'i led na'i uchder na'i ddyfnder. Gŵr a oedd yn enaid i gyd, yn ddoniol yn ogystal ag yn ddwys. Bardd un gyfrol (*Dail Pren*), ond un o'n beirdd mwyaf, er hynny. Ac yntau hefyd a aeth i garchar, am wrthod ei dreth fechan at roi bechgyn ifanc mewn lifrai milwrol, i'w llurgunio ym mlodau'u dyddiau.

Paid Digalonni

Mae tuedd ers tro i'r nodion hyn ymdebygu i golofn 'Y Rhai a Hunodd' yn rhai o'r hen gylchgronau erstalwm. Ond dyna'r peth olaf a fynnen ni.

Fe ddywedwyd mai 'gwaed y merthyron yw had yr Eglwys'. Fe fentrwn ninnau ddweud mai gwaith y rhai a'n gadawodd am fyd diofid yw ffynnon ysbrydiaeth llenorion ifanc sy'n dal i godi.

Dyma Alan Lloyd Roberts yn ennill y goron a'r gadair gyda'i gilydd yn Eisteddfod Pontrhydfendigaid. Coroni a chadeirio eto yn Eisteddfod Genedlaethol yr Urdd. A phwy, a glywodd yr adrodd gwefreiddiol ar 'y Gŵr sydd ar y Gorwel' Gerallt Lloyd Owen ac a ddarllenodd stori fer-hir fuddugol Siôn Eirian 17 oed, 'Trobwynt', a fentrai ddweud ei bod hi'n dywyll ar lenyddiaeth Gymraeg?

Ac mae rhagor i ddod. Anfonwyd 63 o storïau byrion i Eisteddfod Genedlaethol Bangor a naw o nofelau i gystadleuaeth ei Medal Ryddiaith, yn ogystal â'r holl ddeunydd arall, yn farddoniaeth a rhyddiaith. Fe ddywedwn i fod aeddfedrwydd a chrefftusrwydd newydd yng ngwaith ein beirdd a'n llenorion ieuengaf sy'n addo dadeni arall eto yn llenyddiaeth Gymraeg chwarter ola'r ugeinfed ganrif.

Adolygu

Wrth agor ein Ffair Lyfrau Genedlaethol ym Mangor fe roddodd y Dr. Kate Roberts ei bys yn deg ar un dolur yn y sefyllfa lenyddol gyfoes, sef yr adolygu prin a chwta a hollol annigonol ar lyfrau Cymraeg heddiw.

O gofio bod adolygu da yn hwb ac yn hyfforddiant i lenorion, ac yn llusern i ddarllenwyr llyfrau sy'n pendroni pa rai i'w prynu o blith y pentwr sydd ar gael bellach, rhaid dweud 'Amen' i'w chŵyn.

Ei hawgrym hi oedd cychwyn cylchgrawn newydd i'w alw *Yr Adolygydd*. Ofni'r ydw i mai cylchrediad bychan iawn a fyddai i gylchgrawn Cymraeg arall na fyddai'n gwneud dim ond adolygu llyfrau. Mae'n rhaid rywsut roi sylw mawr i lyfrau dan drwyn pobol sy'n barod i ddarllen am bopeth heblaw llyfrau.

Oni all y cylchgronau a'r papurau sy gennym eisoes adolygu mwy o lyfrau a'u hadolygu'n llawnach? Y B.B.C. a Theledu Harlech hefyd? A yw POB cyhoeddwr yng Nghymru yn anfon copi adolygu o BOB llyfr newydd i'r cylchgronau a'r papurau a'r golygyddion radio a theledu? Os yw cyhoeddwr Cymraeg yn neilltuo, dyweder, 40 copi o lyfr newydd ar gyfer adolygu a hysbysebu – heb dalu breindal i'r awdur ar y rheini – mae'n deg disgwyl i 40 copi fynd allan i'r union bwrpas hwn. Ond ai dyna sy'n digwydd?

Wrth gwrs, mae caethiwo ar ein cylchgronau a'n papurau gan brinder gofod a phrinder adolygwyr – o leiaf, adolygwyr sy'n feirniaid neu'n llenorion profiadol iawn ond sy'n rhy brysur i gloriannu pentyrrau o lyfrau newydd. Ond petai adolygwyr dibynnol yn cael tâl teilwng am adolygu'n rheolaidd, a phetai cyhoeddwyr – ac awduron – yn credu i dalu am HYSBYSEBU helaeth ar eu cynnyrch, fe allai'n papurau a'n cylchgronau chwanegu tudalen at eu maint, yn siŵr, neu ambell atodiad llyfrau.

Efallai y ceir gwelliant os gweithredir ar awgrym Mr. John Lewis yn y rhifyn hwn, sef taenu'r cyhoeddi ar lyfrau Cymraeg dros y flwyddyn gyfan yn lle'u cronni'n ddwy dagfa cyn yr Eisteddfod a'r Nadolig. Fe rôi hynny well cyfle i hysbysebu ac adolygu llyfrau unigol.

Wedyn – yn enwedig os pennir dyddiad cyhoeddi pendant ymlaen llaw a chadw ato – efallai y gwelwn ni *Heddiw* a'r *Dydd* yn dangos mwy o lyfrau newydd a'u hawduron. Ac os yw'r ddwy awr a hanner o Gymraeg ar y radio (diolch amdanyn nhw) ar nos Sul mor boblogaidd – yn enwedig *Rhwng Gŵyl a Gwaith* – ni fyddai'n ormod gofyn am adolygiad pum munud ar UN llyfr newydd bob nos Sul. Fe fyddai siawns felly i ryw 50 o leiaf o lyfrau Cymraeg newydd gael sylw go eang mewn blwyddyn.

'Llais Llyfrau', Haf 1971

Un o'r amryw byd o arwyddion gobeithiol fod Cymru a'r Gymraeg yn mynd i fyw er gwaetha pob rhwystr a dichell yn eu herbyn yw cynnydd y Cyngor Llyfrau Cymraeg mewn gweithgarwch a staff.

Cynnydd

Erbyn hyn, aeth stafelloedd unllawr y Cyngor yn Aberystwyth yn llawer rhy fach, a symudwyd i adeilad arall y drws nesa, a ddefnyddir bron i gyd gan staff y Cyngor. Rhwng ei adrannau gweinyddol a'r Ganolfan Lyfrau mae gan y Cyngor bellach ddwsin o staff amser llawn.

Eleni fe wnaed dau benodiad newydd o bwys mawr: Mr. Victor John yn Brif Olygydd, a Miss Elan Closs Roberts yn Swyddog Cyhoeddusrwydd. Fe fu nodwedd ar Mr. John yn ein rhifyn diwetha; fe ellwch ddarllen ymgom â Miss Closs Roberts yn y rhifyn hwn.

Cyngor Celfyddydau Cymru a wnaeth y ddau benodiad hyn yn bosibl gyda'i gymorth ariannol hael. Rhaid diolch i'r Cyngor Celfyddydau am wasanaeth mor ymarferol werthfawr. Gobeithio y gwelwn ni ddatblygu pellach ar y cydweithio rhwng y ddau Gyngor mewn cyfeiriadau eraill.

Llwyddiant arall syfrdanol yw llwyddiant y Ganolfan Lyfrau yn Aberystwyth. Bu'n rhaid symud hon hefyd i le mwy, a chododd y gwerthiant net o lyfrau drwyddi o £56,000 ym 1969-70 i £72,500 ym 1970-71. Ond nid dyma holl werthiant llyfrau Cymraeg a llyfrau Saesneg o ddiddordeb Cymreig mewn blwyddyn. Mae'r cyhoeddwyr, yn naturiol, yn anfon stociau sylweddol o'u llyfrau'n uniongyrchol i'r siopau llyfrau gorau ac nid drwy'r Ganolfan, ac fe ellir dweud yn weddol hyderus felly fod gwerth y fasnach lyfrau Cymraeg a Chymreig erbyn hyn ymhell dros £100,000 y flwyddyn. Un rhan o'r gyfrinach, wrth gwrs, yw llwyddiant yr Ymgyrch Lyfrau flynyddol. Eleni, dan ofal Mrs. Ellen ap Gwynn, fe gododd y nifer o lyfrau a werthwyd drwy'r ymgyrch o 16,500 i 20,000 a'u gwerth mewn arian o £7,000 i £8,300.

Fe fu mwy o gefnogaeth yn y siroedd i'r Cwisiau Llyfrau gan dimau Cymraeg-ail-iaith, ac roedd safon y timau a ddaeth i'r rowndiau terfynol yn hynod o uchel.

Blwyddyn, felly, o gynnydd gwych a gobeithiol. Ac i bwy y dylid rhoi'r clod pennaf am y cyfan ond i Gyfarwyddwr y Cyngor Llyfrau ei hun, Mr. Alun Creunant Davies? Fe, a gychwynnodd saith mlynedd yn ôl yn Drefnydd gydag un ysgrifenyddes, fu sylfaenydd a symbylydd y cynnydd hwn ar hyd y ffordd. I'w frwdfrydedd a'i ddycnwch a'i ddyfalbarhad cyson yn wyneb llu o anawsterau rydyn ni i ddiolch fod y sefyllfa mor loyw.

Teledu

Fel y dywedodd y bardd Mathonwy Hughes, y cyhoeddwyd cyfrol o'i gerddi eleni, ar y rhaglen radio *Llawr Dyrnu* dro bach yn ôl, pa obaith sy gan y llyfr Cymraeg yn erbyn y teledu Saesneg? Onid oes, gofynnodd, ormod o lyfrau Cymraeg ar y farchnad fel y mae hi, pan yw pobol yn rhy brysur yn gwylio'r teledu i ddarllen?

Nac oes, meddaf i. A thri rheswm sy gen i dros ddweud hynny.

1. Fe ddangosodd arolwg Mr. Creunant Davies yn y cylchgrawn hwn flwyddyn yn ôl fod darllen mawr ar lyfrau Cymraeg yng Ngogledd Ceredigion, a nifer helaeth o'r darllenwyr yn achwyn nad oes digon o lyfrau Cymraeg ar gael. Mae adroddiadau llyfrgellwyr flwyddyn ar ôl blwyddyn yn dangos cynnydd yn y benthyca ar lyfrau Cymraeg. Ac fel y dywedwyd yn y nodion hyn eisoes, mae cynnydd yn y gwerthiant cyfan hefyd. Er gwaetha'r teledu.

Ffefrynnau

2. Mae gen i ferch un ar ddeg oed sy'n gwylio gormod ar y teledu er ei lles, nid yn unig am fod cymaint ohono yn Saesneg ond hefyd am fod cymaint ohono mor sâl. Er hynny, mae hi'n darllen hefyd am awr neu ddwy bob nos yn ogystal ag yn yr ysgol. Ei ffefrynnau pendant ymysg llyfrau Cymraeg at ei hoedran yw *Dirgelwch y Traeth* Elfyn Pritchard, *Trysor Plas-y-Wernen* T. Llew Jones a *Y Ddau Indiad* Dafydd Parri. Ond am fod y rhain mor brin mae'i chwpwrdd llyfrau'n llawn o nofelau plant ac *annuals* Saesneg. Dydw i ddim yn gwahardd iddi'u darllen nhw rhag imi fagu protestwraig wrth-Gymreig. Yr unig feddyginiaeth yw mwy a mwy a mwy o lyfrau fel y rhai a enwais – a'r rheini'n isel eu pris. Fe fyddai'n siŵr o'u darllen – hi, a miloedd o blant tebyg iddi. Er gwaetha'r teledu.

3. Fe ddywedodd Arianwen Parry yn rhifyn diwetha'r cylchgrawn hwn fod mamau a neiniau a modrybedd yn llifo i'w siop yn barhaus i holi am lyfr Cymraeg i ryw 'Gareth' neu 'Siân' at ben-blwydd neu Nadolig. A phetai rhyw Arianwen Parry ym

mhob tre a phentre go fawr yng Nghymru fe ddigwyddai'r un peth yn y rheini hefyd: oedolion yn prynu llyfrau Cymraeg nid yn unig i blant ond iddyn eu hunain. Ac yn eu darllen. Er gwaetha'r teledu.

Wrth gwrs, dydi hyn ddim yn ddadl dros oddef y gorlif o deledu Saesneg sy'n gwanychu'n hiaith ar garlam, yn enwedig ymysg y rhai nad ydyn nhw *ddim* yn darllen – ac mae digonedd o rai na wnân nhw ddim darllen dim byd byth, mewn unrhyw iaith.

Y Sianel

Rhaid i deledu Cymraeg fod yn gynghreiriad i'r llyfr a'r papur a'r cylchgrawn a'r comic a'r record Gymraeg yn y frwydr dros adfer yr iaith. A dyna pam na allwn ni ddim sefyll o'r neilltu yn yr ymgyrch dros sianel deledu Gymraeg.

Fe wyddon ni bellach drwy brofiad nad oes dim rhaid gwrando ar y rhai sy'n dadlau y byddai gwasanaeth felly'n rhy gostus. Fe drechwyd y ddadl honno pan sefydlwyd 'Rhanbarth' Radio Cymru yn y tri degau, ac fe'i trechwyd yn nadl yr arwyddion ffyrdd. Os nad yw sianel deledu Eidaleg (pum awr bob nos) yn rhy gostus i hanner miliwn o siaradwyr Eidaleg yn y Swistir, dydi sianel Gymraeg ddim yn rhy gostus i *fwy* na hanner miliwn o Gymry Cymraeg.

Fe wyddon ni hefyd nad oes rhaid gwrando ar y rhai sy'n dadlau bod yr 'anawsterau technegol' yn rhy fawr. Druan o'n mynyddoedd bychain! Fe'u beiwyd am bopeth. Dydi'r Alpau a mynyddoedd 6,000 o droedfeddi Norwy a 7,000 o droedfeddi Ynys yr Iâ ddim yn rhwystr i bron bob copa walltog yn y gwledydd hynny dderbyn gwasanaeth teledu digonol gyda darlun crisial glir yn eu hiaith eu hunain. Diolch am hynny i ddyfeisgarwch eu technegwyr yn rhwydweithio rhaglenni drwy gannoedd o fân fastiau cymharol rad yn lle ychydig fastiau mawr cymhleth a chostus fel sydd yma.

Ac fe wyddon ni nad oes rhaid gwrando ar y rhai sy'n dadlau nad oes yn y Gymru Gymraeg ddigon o 'dalent'. Dyma'r ddadl wirionaf o'r cwbwl. Dydi'r genedl sy wedi cyfrannu cymaint at ganu Covent Garden a Glyndebourne – a La Scala, o ran hynny – ac i fydoedd busnes a diwydiant a thechnoleg a llenyddiaeth a gwleidyddiaeth Prydain (fel y dywedodd Bob Owen, Croesor, gynt: 'Mae 'na Gymry'n llywodraethu pob gwlad ond eu gwlad eu hunain'), dydi cenedl felly ddim yn brin o 'dalent', o bob peth dan haul.

Yn ôl Dr. Leopold Kohr, pedair miliwn oedd poblogaeth Lloegr pan gododd hi Shakespeare, Marlowe, Ben Johnson, Spenser a'r lleill. Wrth luosogi'i phoblogaeth ddengwaith dydi hi ddim wedi chwanegu ddengwaith at ei thalent. Yn hytrach, fel arall.

Fe ddylid gwneud erthygl ffeithiol fer Lili Thomas yn *Barn* mis Tachwedd, 'Teledu yn Ynys yr Iâ', yn ddarllen gorfodol i bob oracl sy'n debyg o ddoethinebu ar y pwnc hwn yng Nghymru yn ystod y misoedd nesa.

'Ond mae gwylwyr Ynys yr Iâ yn talu £12 am eu trwydded deledu,' meddai rhywun. Mae gwylwyr Prydain hefyd, os oes ganddyn nhw set deledu lliw. Peth dros dro yn unig yw cadw'r drwydded am set ddu-a-gwyn i lawr i seithbunt. Os penderfynwyd y byddai'n rhaid cyn bo hir godi'r drwydded deledu ym Mhrydain i £12, fe wnaed teledu lliw yn esgus dros hynny. Cyn gynted ag y daw teledu lliw i gyrraedd cyfran newydd o'r boblogaeth mae 'na ruthr Gadarenaidd yn y fro honno i brynu neu rentu set liw. Cyn hir fe fydd teledu lliw yng nghyrraedd pawb bron; fe ddiflanna'r drwydded seithbunt wedyn.

Wrth gwrs, mae'n bosibl, fel erfyn olaf, i'r Sefydliad gynnig sianel deledu ddu-a-gwyn yn unig i'r Cymry Cymraeg, a'u gorfodi i dalu £12 fel pawb arall. Rydw i'n cynnig y waredigaeth yna iddyn nhw, ond mae'n bur debyg eu bod wedi meddwl amdani'n barod.

Ond trech gwlad nag arglwydd fydd hi yn y diwedd. Os dengys y Cymry Cymraeg ddigon o benderfyniad, hyd at wrthod talu trwydded deledu am wasanaeth nad ydyn nhw'n ei gael, fe ddiflanna dadleuon y 'gost' a'r 'anawsterau technegol' a'r 'prinder talent' fel pob niwl politicaidd arall o flaen awel y deffroad.

Adolygu

Mae'n rhaid, fodd bynnag, dalu teyrnged i'n staffiau radio a theledu yng Nghymru am y gwelliant diweddar mewn sylw i lyfrau Cymraeg.

Fe awgrymwyd yn ein rhifyn diwetha y gallai'r radio a'r teledu yng Nghymru, hyd yn oed yn eu horiau prin presennol, roi mwy o hysbysrwydd i lyfrau Cymraeg newydd. Rhaid croesawu rhaglen newydd Harlech, *O'r Wasg*, yn gynnes iawn. Dyma chwarter awr bob wythnos i'n helpu ni, ac eisoes fe gafwyd adolygiadau praff ac ambell ymglyw ddiddorol ag awdur.

Da hefyd yw bod *Cylchgrawn* y B.B.C. (radio sain) wedi dod yn ôl, a cheir adolygu deallus a swmpus arni hithau. Yn anffodus, rhyw unwaith bob mis neu bum wythnos y clywir hon, ac felly dyma ail adrodd yr apêl at y B.B.C. i roi inni adolygiad pum munud (neu ymgom ag awdur) yn ystod eu dwy awr a hanner o ddarlledu Cymraeg ar nos Sul.

'Llais Llyfrau', Gaeaf 1971

LLYFRAU AR Y SGRÎN

Ers tair blynedd fe olygwyd *Llais Llyfrau* gan Mr. D. Geraint Lewis, Llyfrgellydd Ceredigion. Yn awr y mae wedi gadael cadair y golygydd. Fe ffarweliodd â ni yn rhifyn yr haf, a hynny'n raslon ac yn ddiolchgar i bawb, fel y byddem yn disgwyl. Dyn felly yw'r cyn-olygydd.

Byddwn yn colli gwelediad ac arweiniad Mr. Lewis ar y tudalen hwn. Ond dydw i ddim yn addo rhoi llonydd iddo chwaith. Fe'i poenwn am gyfraniad arall cyn hir. Yn y cyfamser, ar ran y Cyngor Llyfrau Cymraeg a holl ddarllenwyr *Llais Llyfrau*, diolch iddo am ei olygyddiaeth braff a graenus – a phryfoclyd weithiau – yn ystod y tair blynedd diwethaf. Mwynhaed ei ymddeoliad golygyddol. A diolch iddo am gadw'r gadair yn gynnes i mi.

Dyma'r ail dro i mi eistedd yn y gadair hon. Er pan adewais hi ym 1971 fe dyfodd staff y Cyngor Llyfrau, gan gynnwys y Ganolfan Lyfrau, o dri i fwy na deg ar hugain. Ac fe dyfodd *Llais Llyfrau*. Erbyn hyn mae'n gylchgrawn mawr darluniol yn cael ei gynllunio a'i ddylunio'n broffesiynol yng Nghastell Brychan. A finnau wedi sylweddoli'n sydyn na wna safonau 1968 mo'r tro ym 1988. Bu hynny'n dipyn o ysgytwad, coeliwch fi.

'Dwyn awduron'

Pan oedd yn Weinidog dros Faterion Cymreig fe ofynnodd yr Arglwydd Brecon i'r diweddar Alun R. Edwards pa un oedd bwysicaf, teledu Cymraeg neu lyfrau Cymraeg. Ateb Alun Edwards oedd: 'Mae angen y ddau, ond mae teledu'n tanseilio'n gwaith trwy ddwyn awduron.' Mae 30 mlynedd er pan lefarwyd y geiriau yna.

Byddai rhai yn dweud bod geiriau Alun Edwards yn fwy gwir heddiw nag oedden nhw ym 1958. O lawer iawn hefyd. Oherwydd fe fu cynnydd enfawr yn nifer yr oriau wythnosol o deledu Cymraeg. Bu cynnydd cyfatebol yn nifer y dramâu Cymraeg a'r ffilmiau Cymraeg a'r cyfresi comedi Cymraeg a'r rhaglenni nodwedd Cymraeg a deledir o flwyddyn i flwyddyn. Hyn oll oherwydd inni gael S4C, a'i chael trwy grefu ac aberth a bygwth ympryd a chynllunio a gwaith caled iawn gan ychydig wŷr a gwragedd o ffydd. Mae S4C yn un o'r bendithion mawr hynny a ddaeth i'r Cymry Cymraeg ar hyd y canrifoedd i bwmpio anadl newydd i'w hiaith.

Ond dyw dramâu teledu a ffilmiau a chyfresi comedi a rhaglenni nodwedd ddim yn disgyn fel ffigys aeddfed o'r nen. Rhaid cael rhywrai i'w sgrifennu. Sef awduron. Ond pwy yw'r awduron hynny? Byddai'r BBC a HTV a'r Teledwyr Annibynnol yn dadlau eu bod yn darganfod ac yn meithrin eu hawduron eu hunain. Mae hynny'n wir. Ond rhaid gofyn dau gwestiwn.

Os oes nofelydd gwir dalentog yn sgrifennu llyfrau llwyddiannus, onid yw'n dipyn o demtasiwn i gwmni teledu ddenu'r awdur hwnnw oddi wrth ei lyfrau i sgrifennu i 'ni'? Ac onid yw'n rhy hawdd i nofelydd gael ei demtio gan gyhoeddusrwydd mwy llachar a chynulleidfa fwy niferus y sgrîn fach, ac wedi cael blas ar ei phorthi hi, gadael y gwaith mwy llafurfawr o sgrifennu nofelau a throi'n awdur teledu?

Ateb digon rhesymol y cwmnïau teledu i'r cwestiwn cyntaf yw bod awdur yn rhydd i dderbyn cytundeb neu'i wrthod, ac nad ydyn nhw'n gwarafun i unrhyw un o'u hawduron sgrifennu llyfrau hefyd, os gallan nhw wneud amser i hynny.

Gelyn i'r Llyfr?

Mae Eigra Lewis Roberts yn y rhifyn hwn yn ateb yr ail gwestiwn ar ran ei chyd-awduron a hithau. Fe all awdur wneud y ddeubeth. Er mor brysur ydi hi yn sgriptio'i chyfres deledu boblogaidd *Minafon,* dydi hi ddim wedi cefnu ar sgrifennu llyfrau. Fel y dywed hi, 'Does dim byd tebyg i lyfr'. Amen, meddai *Llais Llyfrau.*

Cyn hir byddwn yn mwynhau ail gyfres *Jabas.* Da yw clywed y cyhoeddir ail lyfr *Jabas* i gydredeg â hi, a gobeithio yn wir na chollwn ni mo Mr. Penri Jones yn gyfangwbl i'r sgrîn fach. Fe gyhoeddwyd *Ysglyfaeth* Dr. Harri Pritchard Jones yn llyfr gryn amser ar ôl y ddrama deledu. Gobeithio nad hi fydd ei nofel olaf. A Siôn Eirian? Gobeithio nad yw *Bowen a'i Bartner* wedi llwyr lyncu awdur *Bob yn y Ddinas*. Am Mr. Wil Roberts, ar y llaw arall, sy'n olygydd sgriptiau teledu wrth ei swydd, fe gafodd ef yr egni creadigol i sgrifennu dwy nofel ffres iawn, ac rwy'n siŵr y cawn ni ragor ganddo.

Weithiau fe gyhuddir y teledu o ladd yr arfer o ddarllen ac o fod yn elyn i'r llyfr. Anodd iawn profi hynny. Mae llai o ddarllen Cymraeg heddiw nag oedd 30 mlynedd yn ôl. Mae'n ddiau fod peth o'r bai ar y teledu am hynny, ond nid y bai i gyd. Fe all teledu hybu'r arfer o ddarllen hefyd. Wedi mwynhau cyfres gyntaf *Minafon* a chael eu synnu a'u swyno gan *Tywyll Heno*, fe aeth llawer o wylwyr ati i ddarllen y llyfrau gwreiddiol. Ac mae'n bur debyg fod y portread ffilm ardderchog o Rhydwen Williams gan Selwyn Roderick wedi gyrru amryw i ddarllen neu ailddarllen cerddi a nofelau Rhydwen.

Wrth addasu nofelau, dramâu a storïau byrion a phortreadu awduron fe all y teledu ddirymu'r cyhuddiad yn ei erbyn ei fod yn fygythiad i lyfrau ac i'r arfer o'u darllen. Ond fe all wneud mwy.

Bu dwy ymgais ganmoladwy i drafod byd llyfrau ar S4C. Ysywaeth, roedd tipyn o anfodlonrwydd ar y gyfres *Llun Llyfrau*. Ac fe glywyd cryn feirniadu ar *Tudalen 88* am fod yn rhy wibiog a thameidiog.

Ond gadewch inni gydnabod yn ddiolchgar fod dau dîm o deledwyr wedi gweld yr angen ac wedi gwneud ymdrech i'w gyflenwi. Gadewch inni gydnabod hefyd fod eu tasg yn un anodd. Mae'r teledu'n arwyneboli popeth. Y camera, i raddau helaeth iawn, sy'n penderfynu'r cynnwys. Rhaid aberthu pob peth y mae perygl iddo fod yn anniddorol. Llyfrau? Wel . . . Oes gan wylwyr ddiddordeb mewn llyfrau? Ydi hi'n bosibl gwneud llyfrau, o bopeth, yn ddiddorol?

Yn ei bryder rhag i'w raglen ar fyd llyfrau fod yn anniddorol, mae perygl i'r cyfarwyddwr geisio bod yn rhy slic a gwneud campau teledol a fydd, efallai, yn difyrru gwylwyr nad ydynt yn ddarllenwyr ond yn diflasu'r rhai sydd â diddordeb gwirioneddol yn y pwnc. Gobeithio, fodd bynnag, na fydd beirniadaeth yn digalonni'r cynhyrchwyr, ac y bydd S4C yn cadw'r drws yn agored i gyfres arall eto ar lyfrau a chylchgronau. Wedi'r arbrofion a wnaed, mae rhaglen yn siŵr o ddod cyn hir a fydd yn bodloni'r rhai y mae llyfrau'n rhan bwysig o'u byd.

Radio Cymru

Ond mae gennym wasanaeth radio Cymraeg hefyd, a diolch yn fawr amdano. Yn wahanol i S4C, mae Radio Cymru'n darlledu o hanner awr wedi chwech y bore hyd hanner awr wedi chwech yr hwyr, ac eithrio ar y Sadwrn yn yr haf. O'r holl oriau hyn o ddarlledu Cymraeg mewn wythnos, mewn mis, mewn blwyddyn, pa sawl awr a roir i sôn yn benodol am lyfrau Cymraeg? Pa sawl hanner awr?

Flynyddoedd yn ôl roedd llyfrau a llenyddiaeth yn bur uchel ar restr cynllunwyr Rhaglen Cymru, fel y gelwid y gwasanaeth y pryd hwnnw. Coffa da am *Llais y Llenor, Llwybrau Llên, Cylchgrawn* ac eraill, a'u hadolygiadau (miniog weithiau) a'u cyfweliadau (difyr bob amser). Beth, tybed, a ddigwyddodd i gyfresi poblogaidd fel y rhain?

Rydyn ni'n ddiolchgar am bob crybwylliad am lyfr newydd ar raglenni cyffredinol. Mae sylw i lyfr newydd gan Hywel Gwynfryn yn ei ddull hapus, hwyliog ar *Helo Bobol* yn gystal 'hysbýs' â dim y gellir ei gael. Yn y rhifyn hwn mae Eleri Hopcyn yn crybwyll rhai o'n nofelau a'n storïau enwog a addaswyd ar gyfer y radio, a'r gyfres dra derbyniol *O Glawr i Glawr*. Yn ogystal â'r rhain, fe fu hi a'i chydweithiwr Richard T. Jones ym Mangor yn gyfrifol am lu o gyfresi yn ymwneud â llenyddiaeth, megis *Gwŷr Llên, Gwybod y Geirie, Pobol mewn Print* a *Lle yn ein Llên?* – rhaglenni sy'n cadw gwrandawyr i ymwybod â'r llenyddiaeth sy gennym ac sy wedi cymell ugeiniau i ailddarllen rhai o'n clasuron ac i ddarllen nofelau diweddar am y tro cyntaf.

Gobeithio y bydd rhaglenni fel y rhain yn parhau. Y peth sy'n ein poeni yw bod rhaglenni rheolaidd yn trafod byd llyfrau, yn enwedig llyfrau newydd, wedi diflannu oddi ar Radio Cymru ers rhai blynyddoedd. Mae dau reswm posibl am hynny.

Busnes bara-a-chaws

Un rheswm yn ddiau yw bod y nerfusrwydd sy'n cyflyru cynllunwyr teledu wedi ymledu i'r cynllunwyr radio hefyd. A oes gan wrandawyr ddiddordeb mewn llyfrau? Yn enwedig llyfrau Cymraeg? Onid peth sych, a pheth diarth i'r mwyafrif o'r Cymry Cymraeg yw llyfr? Ac onid oes perygl i drafodaeth ar lyfrau fod yn beth diflas felltigedig? Y peth diogelaf, felly, o grybwyll llyfrau o gwbl, yw eu gwneud yn ddeunydd cwis neu eitem fer fachog mewn rhaglen gyffredinol, a chân yn syth ar ei hôl i dynnu'r adflas.

Ond mae yna reswm arall, a hwn yw amddiffyniad cynllunwyr radio. Hawdd iawn yw i raglenni fel *Bookmark* ar BBC2 neu *Bookshelf* ar Radio 4 adolygu neu grybwyll llyfrau newydd yn boeth o'r wasg, a chryn hanner dwsin o nofelau newydd yn ymddangos yn Saesneg bob wythnos. Does dim digon o lyfrau newydd yn ymddangos yn Gymraeg bob mis, chwaethach bob wythnos, i gyfiawnhau adolygu rheolaidd ar y radio. A phan drefnir rhaglen arbennig i drafod llyfrau'r Eisteddfod neu lyfrau'r Nadolig, dyw'r mwyafrif ohonyn nhw ddim ar gael mewn pryd. Ond yn syth ar ôl y ddwy ŵyl mae pentwr rhy fawr o lyfrau newydd i raglen radio fedru trafod hyd yn oed ddetholiad ohonyn nhw'n ystyriol.

Ond mi garwn ddweud hyn. Mae llyfrau a chyfnodolion Cymraeg nid yn unig o ddiddordeb, ond yn fusnes bara-a-chaws i rai cannoedd o Gymry Cymraeg, yn awduron, cyhoeddwyr, llyfrwerthwyr a llyfrgellwyr. Ac yn destun diddordeb i filoedd eraill, yn ddarllenwyr, prynwyr a chasglwyr. Mae ar y rhain eisiau clywed, eisiau gwybod beth sydd ar gael, gan bwy, ac am ba bris. Efallai nad ydyn nhw mor niferus â garddwyr, naturiaethwyr, modurwyr a rhai lleiafrifoedd eraill y mae Radio Cymru'n eu gwasanaethu mor rhagorol – er nad ydw i'n rhy siŵr o hynny chwaith. Prun bynnag, maen nhw'n rhy niferus i'w hesgeuluso.

Erbyn hyn mae gan radio Cymru bennaeth newydd. Ac rwy'n sicr y bydd y Golygydd newydd, Mr. Lyn Jones, yn barod i wrando ar gais rhesymol. Ond ni fyddai'n deg disgwyl iddo ymateb i druth olygyddol fel hon yn unig. Nid digon dangos yr angen; rhaid i'r galw fod yn ddigon taer. Byddai tri neu bedwar dwsin o lythyrau byr yn dystiolaeth i'r galw hwnnw.

Ymhellach. Pe gallai pawb o'n cyhoeddwyr – fel y gall un neu ddau, pob clod iddyn nhw – gynllunio'u rhaglen a chyhoeddi llyfrau'n fwy cyson trwy gydol y flwyddyn, pennu dyddiadau cyhoeddi a chadw atyn nhw, byddai tasg cynhyrchydd rhaglen ar lyfrau yn haws ac yn fwy pleserus.

Mae gobaith felly. Ond fel y dywedai Ruth Parry: 'Da chi, sgwennwch!'

*   *   *   *

Wedi imi sgrifennu'r uchod, fe ddarlledwyd *Llyfrau'r Ŵyl* gan Radio Cymru ar drothwy Eisteddfod Casnewydd. Croeso iddi, a diolch amdani. Gobeithio ei bod yn ernes o gyfres newydd at y gaeaf.

'Llais Llyfrau', Hydref 1988

Braint oedd cael gwahoddiad i gynhadledd Undeb Cyhoeddwyr a Llyfrwerthwyr Cymru yn Aberystwyth ddiwedd Medi. Mae'r Undeb hwn yn dipyn o ryfeddod. Yn Lloegr ac mewn rhai gwledydd eraill mae cryn oerfelgarwch, os nad gelyniaeth, rhwng cyhoeddwyr a llyfrwerthwyr, a byddai'r rheini'n synnu o ddeall bod eu cytrasau yng Nghymru yn gyd-aelodau o'r un undeb ac yn medru cyd-drafod mor gyfeillgar.

Pwnc y gynhadledd eleni oedd 'y llyfr mawr', *Y Fasnach Lyfrau yng Nghymru: Ymchwil Farchnad ac Arolwg Cyffredinol*. Gwahoddwyd y panel a'i lluniodd i roi braslun o'i argymhellion ac i ateb cwestiynau. Gwnaeth Mr. Hywel Roberts o'r Coleg Llyfrgellwyr hynny ag arbenictod gloyw. Brynhawn Sadwrn fe ymatebodd Megan Tudur i'r adroddiad ar ran y llyfrwerthwyr a Myrddin ap Dafydd a Robat Gruffudd ar ran y cyhoeddwyr. Disgynnodd perlau oddi ar wefusau'r siaradwyr dawnus hyn. Ond roedd y trafod byrlymus ond difrif o'r llawr yn dangos gwir awydd i weithredu argymhellion yr adroddiad ac i wasanaethu darllenwyr yn well. Y Llyfr Cymraeg oedd yn bwysig drwy'r cwbl, nid clod ac elw.

Yn ystod y trafod bu peth beirniadu ar y Cyngor Llyfrau Cymraeg. Mae hynny'n naturiol. Yng Nghymru, pan sefydlir corff i weinyddu a gwasanaethu, mae tuedd i wneud bwch dihangol o'r corff hwnnw pan â'r peth lleiaf o'i le. Iawn yw beio'r Cyngor Llyfrau weithiau – mae *Llais Llyfrau*, fel y gwelir yn y rhifyn hwn, yn rhoi cyfle i gyhoeddwyr a llyfrwerthwyr wneud hynny'n agored - ond iawn hefyd yw cofio mai rhan o'r Cyngor Llyfrau yw'r Ganolfan Lyfrau a ganmolwyd gymaint yn y gynhadledd. Heb y naill ni fyddai'r llall yn bod.

Fel sylwedydd annibynnol – a gwrthrychol, gobeithio – medraf dystio bod staff y Cyngor Llyfrau, rhyw ddeg ar hugain i gyd, yn

206

gwneud gwaith trigain. Maen nhw'n cynnwys rhai o Gymry ifanc disgleiriaf ein hoes ni, a fyddai'n sêr yn y byd academaidd neu ym myd masnach. Mae eu gwaith yn drwm ac yn aml yn ddiflas. Argyhoeddiad pur sy'n eu gyrru; dim arall. I'r rhain nid swydd o waith am gyflog yw gwasanaethu cyhoeddwyr, llyfrwerthwyr, llyfrgellwyr a darllenwyr Cymraeg, ond cenhadaeth. A does neb yn fwy poenus ymwybodol o unrhyw ddiffyg neu fethiant yn eu gwaith na nhw eu hunain, Diolchwn amdanyn nhw.

Yr Wythnosolyn Newydd

Croeso – braidd yn ddiweddar, rwy'n ofni – i *Golwg*. Bu heipio helaeth ar yr wythnosolyn newydd hwn cyn iddo ymddangos. Rhannwyd miloedd o gopïau o rifyn arbennig ohono yn Eisteddfod Casnewydd yn rhad ac am ddim. Gwych o raghysbysebu.

Aed ymhellach. Fe hysbysebwyd un rhifyn ohono ar S4C. Dywed amryw siopau fod pob copi o'r rhifyn hwnnw wedi'i sgubo oddi ar eu cownteri cyn pen deuddydd. Nid dwy a dimai yw cost hysbyseb ar y teledu. Llongyfarchiadau i berchnogion *Golwg* am fentro, a llwyddo.

Mae'n rhy gynnar eto i fynegi barn ar *Golwg*. Ond gallwn ddweud ei fod yn fywiog, yn flasus ac yn ergydiol, ac mae'r defnydd dychmyglon o'r coch ar y clawr a'r ddalen ganol yn rhoi lliw iddo. Cwyn rhai yw ei fod yn rhy dameidiog a'i nodweddion yn rhy fyr. Darllenwyr yw'r rheini sy wedi arfer ag erthyglau hwy, er nad oes nodweddion hir mewn unrhyw wythnosolyn seciwlar Cymraeg. Cwyn arall yw bod gormod o ofod ynddo i lyfrau a'r cyfryngau. Ond fe ddylid cofio'i fod wedi cael nawdd penodol i roi sylw i'r pethau hynny, a rhaid iddo ufuddhau i amodau'i noddwyr.

Bu cryn dipyn o ddarogan stormus y byddai *Golwg* yn lladd *Y Faner*. Ni ddigwyddodd hynny hyd yma. Mae'r *Faner* wedi bywiogi drwyddi, ei phapur yn loywach a'i chynnwys yn fwy difyr. Mae'r *Cymro* yntau, er teneued ydyw, wedi sionci'n ddirfawr; mae mwy o gic yn ei benawdau a hyder newydd yn ei golofnau. Beth bynnag ein barn am gystadleuaeth mewn diwydiant a masnach, mae'n amlwg i'r cystadlu rhwng ein hwythnosolion Cymraeg fod yn llesol.

Hyd yn hyn mae llawer o brynwyr *Golwg* yn ansicr sut orau i'w gefnogi. Ai ei archebu trwy'r post er mwyn i fwy o arian y pryniant fynd i goffrau'r cylchgrawn? Ynte'i brynu yn eu siop bapurau newydd er mwyn dangos i'r siop fod 'mynd' arno a denu cwsmeriaid eraill, gobeithio, i godi copi? Miloedd o archebion drwy'r post a fyddai'n sicrhau dyfodol y cylchgrawn. Ond rhaid ceisio deall penbleth y rhai sydd eisoes yn gwario'n drwm ar gylchgronau a llyfrau Cymraeg, a hynny o ddyletswydd ac yn aml ar incwm digon bychan. Tipyn o beth i'r rhain yw rhoi archeb werth £38 y flwyddyn am gylchgrawn arall eto, heb fod yn siŵr y bydd y cylchgrawn hwnnw wrth eu bodd.

Ynfyd, wrth gwrs, yw bod unrhyw Gymro neu Gymraes yn gorfod wynebu'r fath benbleth, a bod tri neu bedwar o wythnosolion Cymraeg yn cydymgiprys am yr un tair mil o brynwyr. Fe allai *Golwg, Y Faner, Y Cymro, Yr Herald Cymraeg* a *Herald Môn*, heb sôn am y papurau enwadol, fod â 5,000 o brynwyr yr un, a mwy, heb i'r un prynwr orfod prynu mwy nag un ohonyn nhw, ond o ddewis. Mae yna ddigon o brynwyr posibl yn medru darllen Cymraeg o hyd. Os gall poblogaeth fechan Reykjavik gynnal saith papur *dyddiol* Eislandeg, beth sy'n bod arnom ni Gymry Cymraeg, sy'n llawer mwy niferus, na allwn gynnal yr un nifer o bapurau *wythnosol* Cymraeg?

Mae yna resymau masnachol, addysgol, gwleidyddol a seicolegol am y sefyllfa wrthun yr ydym ynddi. Mae'r rheini'n ddeunydd 'llyfr mawr' arall. Yn y cyfamser, cynydded *Golwg*, a pharhaed ein hwythnosolion eraill hyd y flwyddyn 2000 o leiaf. Dim ond un mlynedd ar ddeg sy tan hynny.

'Llais Llyfrau', Gaeaf 1988

GODRO MASNACHWYR

Beth fyddai'ch ymateb chi petaech yn gweld llyfr Cymraeg yn eich siop lyfrau a hysbyseb ar ei glawr cefn i'r Banc sy'n Gwrando neu Yr Un Gymdeithas Adeiladu Fawr â'i Gwreiddiau yng Nghymru? A phe gwelech wedyn, wrth droi'r dail, y geiriau hyn ar gefn y tudalen teitl: 'Noddwyd y llyfr hwn gan . . .' y cyfryw Fanc neu Gymdeithas Adeiladu neu Gwmni Busnes?

Nac ofnwch. Does dim perygl ichi weld y fath beth am gryn amser – os peth i'w ofni yw 'Sbonsoriaeth'. Dyna deitl gogleisiol erthygl Siân Ithel yn y rhifyn hwn. A gadewch inni ddymuno'n dda i Siân ar newid swydd. Fe roddodd wasanaeth diflino i Adran Gymraeg yr Academi am rai blynyddoedd, yn gynorthwywraig i'r Trefnydd ac yna'n Drefnydd ei hunan. Bydd yn chwith gan aelodau'r Academi ar ei hôl. Erbyn hyn mae hi wedi ymuno â'i chwaer Rhian a'i brawd-yng-nghyfraith Berwyn mewn busnes cyfieithu newydd. Mawr dda i'r cwmni ar ddechrau'i yrfa.

Gochelgar iawn yw mawrion diwydiant a masnach wrth ystyried 'sbonsoriaeth'. Noddi tîm pêl-droed proffesiynol: iawn. Bydd enw'r cwmni ar gefnau un ar ddeg o fechgyn cyhyrog cyflym am awr a hanner ar gae cyhoeddus yn sicr o'i argraffu'i hun ym mhenglogau hygoelus y gwylwyr – gwylwyr *lawer* os teledir y gêm. Noddi'r Cynghrair cyfan ar hyd y tymor: gwell fyth. Drud, wrth gwrs. Gambl go fawr, yn wir. Digon i suddo'r Cwmni i waelodion ebargofiant pe methai. Ond gambl werth ei mentro, mae'n amlwg ddigon.

Noddi twrnamaint tenis, dartiau, bowls, snwcer – yn enwedig snwcer, a miliynau o ferched o Gaergybi i Gaerefrog yn llosgi'u llygaid hyd yr oriau mân am wythnos gron wrth ddilyn llanciau'r wasgod a'r tei-bo o gylch y ford werdd. Noddi cwmni opera? Wel . . . un perfformiad, efallai. Cyngerdd yn yr Eisteddfod Genedlaethol? O'r gorau. Bydd y cyngerdd ar y bocs, a'r arweinydd trwsiadus – a golygus, gobeithio – yn datgan oddi ar y llwyfan, 'Fe noddir y cyngerdd heno gan . . .' Fe'i mentrwn ni hi.

Ond dowch at lyfrau. Ac at lyfrau Cymraeg. 'Mr. Trydan De Cymru, hoffech chi noddi Nofel Gymraeg y Flwyddyn?' 'Noddi *BETH*?' 'Dim ond deng mil o bunnau . . . fe fyddai *pum* mil yn help . . .' 'Dacw'r drws. Bore da.'

Mr. Alwminiwm Môn . . . Mr. Telecom Prydain . . . Mr. Banc y Ceffyl Du . . . Mr. Mitswbishi . . . Mr. Awdurdod Dŵr Cymru? 'Hoffech chi noddi Cystadleuaeth Cyfrol Farddoniaeth y Flwyddyn?' 'Pob cydymdeimlad, ond . . .' Mr. bob un. Petai yna Mrs. neu Miss – neu Ms, pam lai? – yn Gadeirydd y Cyfarwyddwyr, hwyrach y byddai gwell gobaith. Ac eto, ellwch chi ddim bod yn siŵr o ddim y dyddiau hyn.

A ydi penaethiaid diwydiant a masnach yng Nghymru mor galongaled â hyn'na? Y gwir yw na wyddom ni ddim. Efallai fy mod yn siarad ar fy nghyfer, a bod rhywun eisoes wedi anfon llythyr neu droedio'r carped trwchus at y drws cyfrin i ofyn am arian at gyhoeddi cyfrol neu noddi gwobr am lyfr Cymraeg. Ond os do, chlywais i ddim am y peth. Mae yna un enw masnachol, wrth gwrs, sy'n disgleirio yn y tywyllwch philistaidd. Cwmni HTV yw hwnnw, a fu'n hynod hael ei nawdd i'n llenyddiaeth, yn arbennig wrth noddi Gwobr Goffa Daniel Owen yn yr Eisteddfod Genedlaethol ers deng mlynedd. Wrth reswm, mae cwmni teledu dipyn yn wahanol i fanc neu gymdeithas adeiladu, dyweder. Y mae a wnelo teledu â llenyddiaeth – weithiau.

Dydw i ddim yn anghofio bod mudiadau a sefydliadau o bob math – undebau llafur a phleidiau gwleidyddol, hyd yn oed – wedi rhoi gwobrau yn yr Eisteddfod Genedlaethol ac eisteddfodau eraill ers amser maith. Gwobrau am lenyddiaeth hefyd, ar dro. Ond rhywbeth ychydig yn wahanol sydd yn fy meddwl i. A chystal egluro pam y bydd yn rhaid inni wyntyllu'r mater yn hwyr neu'n hwyrach.

Nid derbyn Cardod yr ydym

Y Llywodraeth fu prif noddwr llenyddiaeth Gymraeg ers blynyddoedd bellach, er pan estynnodd y grant bychan cyntaf hwnnw o £1,000 yn nechrau'r chwedegau. Nid yw pawb yn hapus ynglŷn â'r sefyllfa hon, er bod arian y Trysorlys wedi'i hidlo'n ddigon iachus trwy Gyngor y Celfyddydau a'r Cyngor Llyfrau Cymraeg. Er mai o'r trethi a dalwn ni y daw cymhorthdal y Llywodraeth at lyfrau a chylchgronau Cymraeg – nid derbyn cardod yr ydym – ac er ei bod yn ddyletswydd ar bob gwladwriaeth noddi pob diwylliant o fewn ei therfynau, byddai'n dda gan lawer petai'r diwydiant cyhoeddi yng Nghymru yn gwbl annibynnol ar lywodraeth 'estron', yn hunangynhaliol iach.

Fe fu'n annibynnol hyd at chwarter canrif yn ôl. Ond 'roedd yr ysgrifen eisoes ar y mur. Gyda chostau o bob math yn entrychu a'r farchnad bosibl yn crebachu, fe wyddai'r cyhoeddwyr na allai busnes cyhoeddi llyfrau Cymraeg ddim para'n annibynnol yn hir. Yn ffodus, 'roedd y gweledydd a'r trefnydd athrylithgar Alun R. Edwards wedi rhagweld yr argyfwng, ac 'roedd ei feddyginiaeth yn barod ganddo. Fe sefydlwyd y Cyngor Llyfrau Cymraeg. A hynny cyn bod sôn am gymhorthdal oddi wrth y Llywodraeth. Ond 'roedd Alun Edwards wedi sicrhau noddwyr i'r Cyngor newydd. Yr hen gynghorau sir. Y rhain, bendith arnyn nhw – ac eithrio Mynwy a Maesyfed – a gynhaliodd ein Cyngor Llyfrau o'r dechrau'n deg. Ac ym 1974 fe gytunodd y cynghorau sir newydd i barhau'r nawdd – saith o'r wyth cyngor sir erbyn hyn. Mae ein dyled i'n cynghorau lleol yn fawr iawn.

Ond fe wyddom sut y mae hi ar ein hawdurdodau lleol heddiw. Er cymaint eu hewyllys da at y celfyddydau ac er cymaint eu hawydd i'w noddi, mae llaw'r Llywodraeth yn tynhau am eu pwrs o flwyddyn i flwyddyn. Diolch i Gyngor y Celfyddydau am roi lle na allai'r cynghorau sir, ac am noddi cymaint o waith y Cyngor Llyfrau hyd heddiw. Ond mae gan Gyngor y Celfyddydau weithgareddau eraill i'w noddi, a'r rheini i gyd yn gweiddi am fwy o arian. Ni all Cyngor y Celfyddydau chwaith gyfrannu mwy.

Mae'r Cyngor Llyfrau yn effro iawn i hyn oll. Ac fel y gwelwch o ddarllen erthygl Gwerfyl Pierce Jones yn y rhifyn hwn, mae'n ymdrechu'n barhaus i gyfeirio'i arian cyfyngedig lle y gall wneud mwyaf o les. Bwriad ei gynlluniau newydd yw gwneud y fasnach lyfrau Cymraeg yn fwy annibynnol, ac yn fwy hunangynhaliol, hyd yn oed heddiw.

Ac nid cyn pryd. Mae'r Llywodraeth ers tro wedi bod yn bygwth y bydd rhaid i'r celfyddydau geisio nawdd gan gwmnïau busnes preifat. Fe allwn resynu at agwedd mor philistaidd: 'dyw'r celfyddydau erioed wedi bod yn uchel ar restr blaenoriaethau Llywodraeth gwledydd Prydain. Ond fe wyddom fod y Llywodraeth hon yn ddigon cryf ac yn ddigon ystyfnig i fynnu'i ffordd.

Os mai i hynny y daw hi, beth wedyn? Gorau po fwyaf annibynnol fydd y fasnach lyfrau Cymraeg, bid siŵr. Ond rhaid derbyn na ellid cyhoeddi hanner y llyfrau Cymraeg a gyhoeddir heddiw heb gymhorthdal o ryw ffynhonnell neu'i gilydd. Os bydd i'r Llywodraeth dorri'i chymhorthdal hi, at bwy y trown ni?

Nid dadlau yr ydw i dros geisio nawdd gan fusnesau preifat at gyhoeddi llyfrau Cymraeg – a bwrw y byddai rhai cwmnïau busnes yn barod i roi nawdd o'r fath pe gofynnid iddynt – ond 'agor y mater', megis, a thaflu'r cwestiwn i chi feddwl amdano. Os gallasom dderbyn nawdd ariannol y Llywodraeth â chydwybod weddol dawel, a fyddai derbyn nawdd gan gwmnïau diwydiannol a masnachol yn fwy anfoesol? Fe all y gorfodir ni i wynebu'r cwestiwn yn gynt nag y byddem yn dymuno.

'Llais Llyfrau', Gwanwyn 1989.

Llythyr Agored at Awduron

AWDURON YN GWRTHOD ARIAN

Dyna y mae llawer o awduron Cymraeg yn ei wneud wrth beidio â chofrestru gyda PLR: gwrthod arian y mae ganddyn nhw hawl iddo.

A beth, meddech chi, yw PLR? Ystyr y llythrennau yw *Public Lending Right*. Yn Gymraeg, Hawl Benthyca Cyhoeddus; HBC o hyn ymlaen. Os ydych chi wedi sgrifennu llyfr ac yn ddigon ffodus i gael ei gyhoeddi, fe ddylech gael breindal gan eich cyhoeddwr: 10 y cant (neu fwy) o bris gwerthu pob copi ac eithrio copïau hysbysebu ac adolygu a'r copïau y bydd eich cyhoeddwr yn eu hanfon atoch chi yn rhad ac am ddim.

Ar ben y breindal (bychan, yn ddiau) hwn ar y copïau a werthir, fe ellwch dderbyn grant awdur gan y Cyngor Llyfrau Cymraeg os oes i'ch llyfr apêl boblogaidd – h.y. os ydyw'n nofel wreiddiol i oedolion, yn nofel neu'n ddeunydd storïol i blant hŷn, yn fywgraffiad neu'n gofiant poblogaidd. Ond nid cael ei werthu'n unig y mae eich llyfr; mae'n cael ei fenthyca o lyfrgelloedd hefyd. Dyna pam y sefydlwyd HBC i'ch helpu.

Hyd at chwe blynedd yn ôl ni fyddai awduron yn cael yr un ddimai goch am y benthyca ar eu llyfrau o lyfrgelloedd. Efallai mai ychydig gannoedd a fyddai'n prynu llyfr, ond byddai rhai miloedd yn ei fenthyca, heb dalu dim am hynny. Wrth reswm, mae'n hollbwysig fod darllenwyr yn gallu benthyca o'u llyfrgell yn ddidâl; mae llyfrgell rad yn wasanaeth hanfodol mewn cymdeithas wâr. Ac roedd bwriad y Llywodraeth i ystyried gwneud i lyfrgelloedd godi tâl ar fenthycwyr yn beryglus, ac yn fygythiad i'r arfer o ddarllen.

Sut bynnag, roedd llawer o awduron yn teimlo y dylen nhw gael *rhywbeth* am y benthyca ar eu llyfrau o lyfrgelloedd. Roedd awduron mewn rhai gwledydd eraill yn cael. Yn ystod y saithdegau bu'r Cyngor Llyfrau Cymraeg a'r *British Society of Authors* ac eraill yn ymgyrchu'n daer i ddarbwyllo'r Llywodraeth o'r annhegwch. O'r diwedd, fe'i darbwyllwyd. Ym 1979 fe basiwyd Deddf Hawl Benthyca Cyhoeddus. Dechreuwyd ei gweithredu ym 1982, gyda chyllid o £2 filiwn i dalu costau'r cynllun, a'r gweddill i'w rannu rhwng awduron.

Tamaid i aros pryd yw'r sylwadau hyn. Ond gair yn ei bryd

hefyd, gobeithio. Ein bwriad yw gwahodd llyfrgellydd a chanddo brofiad o weithredu HBC i egluro sut y mae'r system yn gweithio. Yn fras iawn, fel hyn. Gan y byddai'n amhosibl i Swyddfa HBC gadw cyfri o bob benthyciad ar bob llyfr ym mhob llyfrgell ledled gwledydd Prydain, fe ddewiswyd 20 llyfrgell yn 'llyfrgelloedd samplo', dwy ohonyn nhw yng Nghymru. Newidir pob llyfrgell samplo bob pedair blynedd er mwyn cael darlun mor deg ag sy'n bosibl o arferion benthyca ym mhob rhan o'r deyrnas. Y ddwy lyfrgell sy'n gwneud y gwaith yng Nghymru eleni yw Caerdydd-Elái ac Aberystwyth (yr olaf yn cynnwys y faniau teithiol yng nghefn gwlad Ceredigion).

Bwriwch fod llyfr Cymraeg yn cael ei fenthyca o'r ddwy lyfrgell samplo yn Nghymru 20 gwaith yn ystod 1989. Bydd Swyddfa HBC wedyn yn lluosi'r sampl yna â ffigur arall (81 yng Nghymru eleni), a chyfrifir felly fod y llyfr wedi'i fenthyca 1,620 o weithiau ledled Prydain. Telir 1.2 ceiniog i awdur am bob benthyciad yn ôl y cyfrif yna.

Arian bach iawn a gaiff llawer awdur Cymraeg trwy HBC, mae'n wir, Ond mae'n well na dim, does bosib. Ac fe all awdur Cymraeg sy'n cyhoeddi'n weddol gyson, a'i lyfrau'n aros mewn print am rai blynyddoedd, wneud yn o lew o'r system. Ond beth am yr awduron Saesneg poblogaidd iawn y mae'u llyfrau'n gwerthu wrth y degau o filoedd? Mae'n siŵr fod y rheini'n derbyn ffortiwn ychwanegol trwy HBC? Nac ydyn. Cyn eleni ni allai unrhyw awdur dderbyn mwy na £5,000 oddi wrth HBC mewn blwyddyn, faint bynnag y benthyca ar ei lyfrau. (Codwyd y swm yn awr i £6,000.) 67 o awduron sy'n derbyn yr uchafswm hwn eleni. Mae 7,500 o awduron – y mwyafrif llethol yn awduron Saesneg, wrth gwrs – yn derbyn llai na £99 y flwyddyn oddi wrth HBC.

Pwysau Undeb Awduron Cymru

Mae Swyddfa HBC yn llawn cydymdeimlad ag awduron Cymraeg ac wedi dangos pob parodrwydd i'w helpu ac i wrando ar awgrymiadau. Mae gennym le mawr i ddiolch am hyn i'r nofelydd a'r ysgrifwr Selyf Roberts. Bu Selyf am flynyddoedd yn Gadeirydd Undeb Awduron Cymru; ef a gynhaliodd yr Undeb trwy gyfnod digon anial nes trosglwyddo'r gwaith i'w swyddogion newydd egnïol yn ddiweddar. Bu Selyf yn gohebu â Swyddfa HBC ar ran awduron Cymraeg, ac o ganlyniad i'r pwyso ganddo ef fe wnaed nifer o welliannau. Ar y dechrau, oni fyddai benthyciadau ar lyfr yn ennill £5 mewn blwyddyn, ni châi'r awdur dâl o gwbl. Mae'r lleiafswm hwn wedi'i ostwng yn awr i £1: nid punt y llyfr chwaith, ond punt yr awdur. Codwyd y tâl am bob benthyciad o ddimai i 1.2 ceiniog. Mae'r gronfa wedi cynyddu o £2 filiwn i dair miliwn a hanner. A bydd yr 20 llyfrgell samplo yn cynyddu i 30, gyda thair ohonyn nhw yng Nghymru, mae'n bur debyg, 'and more adequate representation of Welsh language books', meddai taflen swyddogol HBC fis Ionawr eleni. Oni bai fod gennym ein Hundeb Awduron ein hunain, a hwnnw wedi bod yn effro, ni chawsem mo'r gwelliannau hyn.

Mae llawer o awduron Cymraeg sydd eto heb gofrestru ar gyfer HBC. Dro'n ôl fe gyhoeddwyd apêl yn ein cylchgronau yn cymell mwy i wneud hynny. Wn i ddim faint a ymatebodd i'r apêl. Mae'n wir fod eisiau llenwi ffurflen i gofrestru, ac mae'n gas gan lawer o awduron lenwi ffurflenni. Ond ffurflen ddigon syml yw hon, ac mae hi i'w chael yn Gymraeg. Unwaith y mae awdur wedi llenwi'r ffurflen gyntaf hon ac wedi'i gofrestru, y cyfan sydd eisiau wedyn yw llenwi ffurflen fer iawn i gofrestru unrhyw lyfr newydd y bydd yn ei gyhoeddi. Y peth pwysig yw hyn: ni chaiff awdur yr un ddimai oddi wrth HBC os nad yw wedi cofrestru. A hyd nes bydd wedi cofrestru, bydd yr arian sy'n ddyledus iddo ef neu iddi hi yn cael ei rannu rhwng awduron eraill.

Dylai awduron Cymraeg nad ydynt eto wedi cofrestru anfon at y Registration Supervisor, Public Lending Right, Bayheath House, Prince Regent St., Stockton-on-Tees, Cleveland TS18 1DF.

'Llais Llyfrau', Haf 1989

LLYFRAU O'R EISTEDDFOD

Ogystadlaethau'r Eisteddfod Genedlaethol o flwyddyn i flwyddyn y daeth rhai o'n llyfrau newydd gorau ers blynyddoedd bellach. Ofer dechrau'u henwi; pe baem yn ein cyfyngu'n hunain i'r deng mlynedd diwetha'n unig byddai'r rhestr yn un faith. Fe gychwynnodd ambell lyfr ar ei daith yn un o'r eisteddfodau mawr eraill, megis Eisteddfod Môn, Eisteddfod Powys ac Eisteddfodau'r Teulu James ym Mhontrhydfendigaid,

Aberteifi a Llanbedr Pont Steffan. Rhaid ychwanegu at y rhain gyfansoddiadau buddugol Eisteddfod Genedlaethol yr Urdd, ac yn neilltuol gyfrolau'r Fedal Lenyddiaeth.

Yr ydym ni Gymry Cymraeg wedi'n breintio uwchlaw holl genhedloedd daear yn ein traddodiad eisteddfodol. Mae'n sicr iawn fod y rheidrwydd i gystadlu yn Gymraeg er mwyn ennill sylw lleol, taleithiol neu genedlaethol wedi cydio rhai miloedd wrth yr iaith a fyddai, oni bai am eisteddfodau, wedi hen golli gafael arni. Heblaw hynny, mae'r eisteddfod, boed fawr, boed fach, wedi bod yn ysgol hawdd ei chael i gannoedd o feirdd a llenorion, yn ogystal â pherfformwyr a chyfansoddwyr yn y medrau eraill, ar hyd y degawdau.

Mae perygl, wrth gwrs, i gystadlu fod yn ddiben ynddo'i hun, ac i fardd neu lenor, wedi ennill prif wobr a chymeradwyaeth y dyrfa a sylw'r Cyfryngau, deimlo'i fod wedi 'cyrraedd', a pheidio ag ymarfer ei grefft byth wedyn ac eithrio, efallai, i ennill rhagor o wobrau. Fe glywsom y nofelydd Alun Jones, wrth feirniadu rhyddiaith y Goron yn Eisteddfod eneiniedig yr Urdd yng Nghwm Gwendraeth eleni, yn gresynu bod cynifer o fuddugwyr Eisteddfod yr Urdd, ar ôl ennill y Goron unwaith, yn tewi'n llenyddol byth mwy. Wrth drafod gwaith y goreuon yn y gystadleuaeth fe ymataliodd rhag gorganmol i godi gwres y gynulleidfa, a dangos mor agos y bu Aled Islwyn ac yntau at atal y Goron. Bu cyfeirio go ddilornus wedyn o'r llwyfan ac ar y cyfryngau at ei feirniadaeth 'galed' a 'hallt' a 'negyddol'.

Ond roedd Alun Jones yn llygad ei le. 'Rwy'n siŵr nad yw Cymry ifainc heddiw yn gofyn am gael eu lapio mewn cotwm gwlanog. Os triniwch chi lenorion fel babis, babis o lenorion gewch chi. Fe fu beirniadaethau eisteddfodol 'negyddol' ac adolygiadau hallt yn ysgol lesol i nifer o lenorion y ganrif hon; 'fydd llenorion Cymraeg dechrau'r ganrif nesaf ddim gwell llenorion o gael eu harbed rhag yr un driniaeth.

Teimlo'n Ddolurus

Wrth gystadlu mewn eisteddfod y dechreuodd amryw o'n llenorion amlycaf ysgrifennu o ddifri, a mynd, chwedl R. Williams Parry, yn wahanol i'r Cristion, oddi wrth eu gwobr at eu gwaith. Yn hytrach na difrïo cystadlu, fel y gwneir yn aml, diolch a ddylem i'r Eisteddfod am fod yn dwmpath lansio i ddarpar sgrifenwyr ac am y beirdd a'r llenorion a gawsom drwyddi hi. Fe fyddai gennym lai o lenorion, yn sicr, a llawer llai o lyfrau Cymraeg, oni bai amdani.

Erbyn i'r rhifyn hwn o *Llais Llyfrau* ymddangos bydd Eisteddfodol Genedlaethol Dyffryn Conwy a'r Cyffiniau wedi hen fynd heibio, ond nid wedi mynd yn angof, siawns. Rhaid sgrifennu'r golofn hon rai wythnosau cyn yr Eisteddfod; ofer felly fyddai ceisio dweud dim amdani ymlaen llaw. Ond gellir proffwydo un peth yn weddol ddiogel. Y gyfrol *Cyfansoddiadau a Beirniadaethau* fydd *best-seller* Cymraeg y flwyddyn, fel y bu bob blwyddyn. A chyn y darllenwch chi'r geiriau hyn bydd hir drafod wedi bod ar y gyfrol bryfoclyd-gyfareddol honno. Gellir proffwydo un peth arall. Bydd llawer o gystadleuwyr llenyddol yn teimlo'n ddolurus: wedi treulio wythnosau, misoedd hwyrach, yn gweithio ar gerdd hir neu gyfrol o ryddiaith ar gyfer yr Eisteddfod, yn gweld dim ond dwy neu dair brawddeg yn y *Cyfansoddiadau* am eu hymdrech.

Fe ellid, gydag ychydig o drafferth, liniaru'r dolur blynyddol hwn. Mae golygydd y *Cyfansoddiadau a'r Beirniadaethau* yn gorfod gofyn bob blwyddyn i'r beirniaid, a hynny'n gwbl deg, gadw'u beirniadaethau'n fyr; onid e, fe â'r gyfrol yn anferth ei maint ac yn afresymol ei phris. Ond fe ellid anfon at bob beirniad, fel y gwna Eisteddfod yr Urdd ac Eisteddfod Powys ac ambell un arall, set o ddalennau glân, un ar gyfer pob cystadleuydd, a gofyn i'r beirniad sgrifennu sylwadau ar waith pob un ar wahân. Byddai pob cystadleuydd wedyn yn derbyn sylwadau llawnach ar ei waith ei hun. Tro'r beirniad fyddai hi i gwyno wedyn! Ond gan fod llawer o feirniaid cydwybodol eisoes yn gwneud nodiadau ar bob ymgais yn y gystadleuaeth cyn llunio'i feirniadaeth derfynol – a byr – gresyn i'r nodiadau hynny fynd i'r fasged. Byddai'n dda gan y cystadleuydd, ac yn dda iddo, eu gweld.

Mae'r Eisteddfod Genedlaethol yn bwysig i lawer ohonom am lawer rheswm. Mae hi'n eithriadol bwysig i ni fel ffynhonnell llyfrau newydd. 'Dyw atal y wobr ddim yn ddiwedd y byd – yn y cystadlaethau rhyddiaith, o leiaf. Bron bob blwyddyn yng nghystadlaethau'r Fedal Ryddiaith, Gwobr Goffa Daniel Owen a chystadlaethau eraill mewn rhyddiaith a barddoniaeth, fe glywyd beirniaid yn argymell cyhoeddi gwaith *Andrex* neu *Radox* neu *Osram*, nad oedd yn gwbl deilwng o'r wobr fel yr oedd, ond a fyddai, o'i olygu'n drwyadl, yn gwneud cyfrol dderbyniol iawn. A'r Cyngor Llyfrau Cymraeg wedyn yn awyddus iawn i glywed oddi wrth y cyfryw *Andrex* a *Radox* ac *Osram*, er mwyn cael golwg ar eu gwaith.

Edrychwn ymlaen, wrth reswm, at weld cyhoeddi gweithiau arobryn a chael eu prynu ar y Maes; edrychwn ymlaen lawn cymaint at glywed beirniaid yn cymeradwyo ambell gyfrol anfuddugol i'w chyhoeddi ar ôl ei doctora'n iawn. Mae lle yn y fasnach lyfrau Cymraeg i'r cyfrolau hynny ac angen amdanyn nhw.

Diolch, Radio Cymru

Flwyddyn yn ôl roedden ni'n achwyn am y prinder sylw ar y cyfryngau i lyfrau Cymraeg. Fe dorrwyd yr hirlwm. Darlledwyd *Llyfrau'r Mis* ar ddiwedd pob mis drwy'r gaeaf. Diolch yn fawr i Radio Cymru amdani, a gobeithio y cawn ni hi eto y gaea' nesa'.

Wedi i *Llyfrau'r Mis* dewi daeth *Y Silff Lyfrau* yn ôl. Rhaglen ddifyr, siaradwyr diddorol, a bwrlwm diwylliedig y cadeirydd, Elin Mair, yn fonws. Ond gwneud rhai ohonom braidd yn ddigalon yr oedd y rhaglen hon. Cymhareb y llyfrau a drafodid ym mhob rhaglen oedd un llyfr Cymraeg: dau lyfr Saesneg.

Gallwn ddeall pam. Prinder llyfrau Cymraeg clawr papur ysgafn, gafaelgar, sy'n gwerthu wrth yr ugeiniau o filoedd, a'r digonedd di-ben-draw o lyfrau Saesneg o'r math hwnnw. Angharedig braidd, er hynny, oedd pwysleisio'n tlodi ni ar goedd gwlad fel hyn. A rhoi'r argraff ar yr un pryd fod Cymry Cymraeg teyrngar a diwylliedig yn darllen dwywaith cymaint o lyfrau Saesneg ag o lyfrau Cymraeg. Efallai eu bod nhw, ond byddai'n well gen i beidio â gwybod hynny. Os daw *Y Silff Lyfrau* yn ôl yr ha' nesa', rhaid i mi beidio â gwrando arni. Os galla' i beidio.

'Llais Llyfrau', Hydref 1989

W edi hir a dyfal bwyso, mae'r Swyddfa Gymreig o'r diwedd wedi agor mymryn ar ei phwrs ac wedi cytuno i gyfrannu'n uniongyrchol at gostau canolog y Cyngor Llyfrau. Dyna oedd argymhelliad yr Arolwg mawr ar *Y Fasnach Lyfrau yng Nghymru* a gomisiynwyd gan Gyngor y Celfyddydau ac a gyhoeddwyd ymron ddwy flynedd yn ôl.

Er pan sefydlwyd y Cyngor Llyfrau ym 1961 bu'r Cynghorau Sir yn cyfrannu'n ffyddlon at ei gynnal, ac maen nhw'n parhau i wneud hynny er gwaetha'r gwasgu mawr ar eu cyllid. Yn ddiweddarach daeth Cyngor y Celfyddydau i'r adwy; ef ers rhai blynyddoedd bellach yw'r prif gynheiliad. Ond nid yw ei gyllid yntau'n cynyddu – heblaw ar bapur – ac oherwydd y galw enfawr ar y cyllid cyfyngedig hwnnw ni all yntau gyfrannu rhagor at y Cyngor Llyfrau.

Mae'r Cyngor Llyfrau Cymraeg erbyn hyn yn fusnes mawr, ac yn fusnes anhepgor i'r diwylliant Cymreig. Mae holl ddyfodol cyhoeddi yn Gymraeg yn dibynnu arno. Un ffordd yn unig sydd i sicrhau'i ddyfodol: bod y Swyddfa Gymreig bellach yn ei gydnabod yn gorff cenedlaethol ac yn mynd yn bennaf cyfrifol am ei gyllido ef. Ers blwyddyn a rhagor bu Gwerfyl Pierce Jones, Cyfarwyddwr y Cyngor Llyfrau, yn ymliw yn ddiflino â'r Swyddfa Gymreig mewn cyfarfod, mewn llythyr ac ar y teleffon, a Chyngor y Celfyddydau yn cefnogi'r alwad.

Daeth ymateb o'r diwedd. Bydd y Swyddfa Gymreig yn rhoi cyfraniad am dair blynedd at gostau gweinyddu canolog y Cyngor Llyfrau: £60,000 y flwyddyn nesaf, yn codi i £180,000 ym 1992/93. Cyfran fechan yw hyn o holl gostau gwaith y Cyngor. Ond o leiaf, mae'r egwyddor wedi'i chydnabod, a diolchwn i'r Swyddfa Gymreig am hynny. Ein gobaith yn awr ydyw na fydd Cyngor y Celfyddydau yn gostwng ei gyfraniad ef. Byddai hynny'n gadael y Cyngor Llyfrau'n waeth arno na chynt.

Y Goron am Ryddiaith?

Ar derfyn ei gyfnod yn Llywydd Llys yr Eisteddfod Genedlaethol fe ddywedodd yr Athro Bedwyr Lewis Jones – gyda llaw, fel petai – y byddai ef yn ddigon bodlon gweld y Goron yn cael ei rhoi am ryddiaith. A dyna atgyfodi hen gri o blith selogion rhyddiaith, a rhoi tamaid bach blasus ar blât gwŷr y Cyfryngau sy'n pesgi ar helyntion a rhwygiadau.

Ai teg yw rhoi *dwy* brif anrhydedd yr Eisteddfod i'r beirdd, a hynny mewn dwy seremoni ysblennydd yn wyneb haul a llygad goleuni dan nawdd Duw a'i dangnef, gan daflu i'r llenorion druain wobr eilradd mewn defod eilradd? Does neb yn honni bod rhyddiaith yn gelfyddyd fwy aruchel na barddoniaeth na dim byd o'r fath. Ond heddiw, a'r Gymraeg yn ei hargyfwng eithaf, a'r arfer o ddarllen Cymraeg yn anhepgor at ei chadw hi, mae unrhyw gyfrol ddiddan o ryddiaith yn arf mwy gwerthfawr yn y frwydr nag awdl a phryddest neu ddilyniant o gerddi.

Dadl amherthnasol, meddai'r Orsedd. Â chelfyddyd, nid â defnyddioldeb, y mae a wnelo'r Eisteddfod. Gwobrwyo ceinder yw'n swyddogaeth ni, nid hybu darllen poblogaidd. Gorsedd Beirdd Ynys Prydain yw'r Orsedd, nid gorsedd i bawb. Ni a'i creodd hi. Ni a'i piau hi. Byddai'n amhriodol ei defnyddio hi i anrhydeddu rhyw gelfyddyd arall. A phrun bynnag, mae sgrifenwyr rhyddiaith yn cael mwy o sylw a chlod na'r beirdd – a mwy o arian – trwy eu llyfrau.

Nid dadl newydd mo hon. Dros 30 mlynedd yn ôl fe wahoddwyd tri ohonom ni sgrifenwyr rhyddiaith i gwrdd â Cynan a Gwyndaf ac Ernest Roberts mewn gwesty yn Amwythig i drafod rhoi'r Goron am ryddiaith. Yr un atebion yn union a gawsom gan y tri y pryd hwnnw. Yr oedd fel ceisio dymchwel wal frics â phluen.

Pa un a setlir y ddadl hon rywbryd ai peidio, ac mae hynny'n edrych yn annhebygol ar hyn o bryd, mae hi'n dangos un peth yn eglur iawn: mai safle israddol sydd i ryddiaith yn y Brifwyl.

Gwobr Goffa Daniel Owen

Mae Defod y Fedal Ryddiaith wedi gwella'n ddirfawr yn ystod y blynyddoedd diwethaf. Ond mae'r Fedal i fod yn gyfartal â'r Goron a'r Gadair, a dydi hi ddim. Y wobr ariannol yw'r unig beth sy'n gyfartal. Am y Fedal ei hun, y llafur a ofynnir gan y rhai sy'n cystadlu amdani, y seremoni a'r sylw a'r cyhoeddusrwydd a gaiff y Prif Lenor, ni ellir eu cymharu â'r hyn a gaiff y Prifeirdd.

Ac eto, mae *cynnyrch* y Fedal Ryddiaith wedi bod yn bur doreithiog ers hanner canrif bellach. Nid felly gynnyrch Gwobr Goffa Daniel Owen. Nid yw'n darpar nofelwyr yn cydio yn y cyfle mawr hwn fel y dylen nhw. Mae'n wir mai statws isradd sydd i'r wobr hon hefyd: dim anrhydedd i'r nofelydd buddugol ar lwyfan y Pafiliwn na fawr o gyhoeddusrwydd a chlod, er bod y wobr yn fil o bunnau. Ac i wangalonni cystadleuwyr ymhellach, gofynnir yn awr am nofel 'hir', heb ddweud faint yw 'hir'.

Gadewch imi ddweud, gan obeithio bod darpar nofelydd neu ddau yn digwydd darllen y geiriau hyn, nad oes eisiau chwarter miliwn o eiriau i wneud nofel yn 'hir'. Mae 50,000 o eiriau'n ddigon. A does dim rhaid rhuthro i gwblhau'r nofel erbyn Dydd Calan nesaf. Bydd Gwobr Goffa Daniel Owen 'yma o hyd', gobeithio. Fe fydd ar raglen Eisteddfod 1991 – ac Eisteddfodau 1992 a 1993, os caiff hi lonydd – yn aros am eich nofel *chi*. Ewch ati, bendith arnoch. Mae arnom angen nofelwyr newydd – a phentwr o nofelau.

'Llais Llyfrau', Gaeaf 1989

DYSGU LLENYDDA

Cwestiwn: A ellir *dysgu* pobol i sgrifennu'n greadigol? Y Rhufeiniaid a ddywedodd mai cael ei eni y mae bardd, nid cael ei wneud. Ac mae'n sicr na ellir 'gwneud' bardd mawr, na hyd yn oed fardd da. Fe ellir dysgu pobol i gynganeddu; fe wneir hynny'n llwyddiannus iawn mewn degau o ddosbarthiadau nos ledled Cymru. Trwy 'Babell Awen' Dewi Emrys yn *Y Cymro* gynt fe ddysgodd rhai cannoedd o Gymry sut i lunio telyneg bert a soned gymen. Ond ni all blynyddoedd maith o'i hyfforddi droi unrhyw gynganeddwr medrus yn ail T. Gwynn Jones nac unrhyw delynegwr yn ail Williams Parry. Roedd gwreiddyn y mater gan hen fois Rhufain, wedi'r cyfan: *Poeta nascitur non fit.*

Sut bynnag am hynny, ni all bardd mawr godi ond o fysg ugeiniau o feirdd llai. 'Dyw athrylith ddim yn tyfu mewn anialwch. Pob bardd mawr a ganodd yn Gymraeg erioed, yr oedd traddodiad y tu ôl iddo a barddoni prysur o'i gwmpas a cherdd dafod 'yn yr awyr' ar y pryd.

Tebyg yw hi gyda sgrifenwyr rhyddiaith. Barn Syr Thomas Parry am Daniel Owen oedd '(nad) yw ef yn ddatblygiad o neb nac o ddim, nac yn rhan o unrhyw gymdeithas o awduron. Saif fel mynydd mawr ar wastadedd eang'. Am flynyddoedd bu llawer ohonom yn credu hynny. Ond mae Mr. E. G. Millward wedi dangos nad yw hynny'n hollol wir. Roedd nifer mawr o gyfoeswyr Daniel Owen wrthi'n sgrifennu pethau a elwid yn 'ffugchwedlau' neu'n 'ffughanesion' ar gyfer y papurau a'r cylchgronau Cymraeg. Pethau sâl oedd y rheini o'u cymharu â nofelau'r meistr; yn wir, ysbwriel oedd llawer ohonyn nhw. Ond y peth pwysig, a'r peth newydd i ni, yw bod nofelau Cymraeg o unrhyw fath yn fwy poblogaidd yn y cyfnod hwnnw nag yr oedd llawer ohonom yn meddwl, a bod cynifer o sgriblwyr wrthi'n eu sgrifennu.

Y peth trist ynglŷn â sgrifennu rhyddiaith yw na fu erioed yng Nghymru ddim hyfforddiant tebyg i'r hyn oedd ar gael i'r beirdd ar hyd y canrifoedd. O'r Oesoedd Canol ymlaen yr oedd rhywrai wrthi'n dysgu disgyblion i farddoni – yn y mesurau caeth, wrth gwrs – yn Ysgolion y Beirdd i ddechrau, yna trwy lawlyfrau ac mewn cwmnïau bychain o 'gyfeillion yr Awen', ac mewn dosbarthiadau mwy ffurfiol yn ystod y ganrif hon. Yn ddiweddar iawn y dechreuwyd cynnal dosbarthiadau a gweithdai i ddysgu sgrifennu rhyddiaith. Fe gyhoeddwyd nifer o lawlyfrau ar grefft barddoni – ar gynghanedd yn fwyaf arbennig – yn ystod ein canrif ni fel mewn canrifoedd blaenorol. Ond llyfr ar grefft rhyddiaith: dim un.

Mae amryw byd o lawlyfrau o'r fath i'w cael yn Saesneg – ar ysgrifennu nofel, sgrifennu storïau byrion, sgrifennu drama, sgrifennu ar gyfer y wasg, sgrifennu ar gyfer y cyfryngau, ac ati, yn ogystal ag ar sgrifennu barddoniaeth. Gellwch gael llawlyfr ar grefft ysgrifennu, yn foel fel yna: *The Way to Write*. Un diffyg ar y llyfrau hyn o safbwynt sgrifenwyr Cymraeg yw nad oes gan eu hawduron ddim amgyffred o Gymru a'r bywyd Cymreig fel deunydd llenyddol a chefndir, nac o'r Gymraeg fel cyfrwng. Wrth sôn am nodweddion ysgrifennu da, dadansoddi'r iaith Saesneg yn unig y maen nhw, o raid, a dyfyniadau o lenyddiaeth Saesneg sy ganddyn nhw i egluro'u cynghorion. Mae hanfodion ysgrifennu da yn debyg ym mhob iaith, mae'n wir – eglurder, manylder, ystwythder a naturioldeb – y pethau a bwysleisiodd Emrys ap Iwan gymaint. Ond nid yw enghreifftiau o'r rhinweddau hyn mewn un iaith yn help mawr i'w hymarfer mewn iaith arall.

Ond dyna ddigon o gwyno. Mae ar sgrifenwyr rhyddiaith, yn ogystal â beirdd, angen hyfforddiant a help i sgrifennu'n dda yn Gymraeg. Fe fydd un ateb i'r angen yna ar gael yn fuan iawn.

Tŷ Newydd

Cartref olaf David Lloyd George yng Nghymru oedd Tŷ Newydd, Llanystumdwy: tŷ helaeth mewn man coediog hyfryd â golygfeydd dramatig o'i ffenestri dros y môr tua mynyddoedd Ardudwy.

Beth amser yn ôl daeth nifer bychan o aelodau Adran Saesneg yr Academi Gymreig at ei gilydd i drafod yr angen am ganolfan ysgrifennu yng Nghymru, un debyg i ddwy ganolfan yr Arvon Foundation yn Swydd Efrog ac yn Nyfnaint yn Lloegr. O ddeall bod Tŷ Newydd ar gael fe ffurfiwyd Ymddiriedolaeth Taliesin at godi cronfa i agor canolfan yno. Addawodd Cyngor y Celfyddydau £25,000 y flwyddyn at y gwaith, a chyfrannodd nifer o awduron

Cymru ac eraill yn hael i'r gronfa. Sicrhawyd Tŷ Newydd, ei atgyweirio a'i loywi, ac mae popeth yn barod mewn pryd. Yn Ebrill fe agorir y ganolfan ysgrifennu gyntaf yng Nghymru.

Cynhelir cyrsiau yn Nhŷ Newydd ar gyfer rhai sy'n awyddus i ddysgu sgrifennu'n greadigol; rhai cyrsiau'n para wythnos a rhai byrion, cyrsiau yn Gymraeg ac yn Saesneg, ar farddoni a sgrifennu rhyddiaith, cyrsiau caeëdig ar gyfer disgyblion ysgolion a rhai agored ar gyfer aelodau o'r cyhoedd. Bydd pob cwrs yng ngofal dau diwtor: dau lenor neu ddau fardd adnabyddus.

Mae Ymddiriedolaeth Taliesin, a fydd yn cynnal y Ganolfan, wedi'i chofrestru'n elusen ac wedi sicrhau Tŷ Newydd ar les hir. Penodwyd Bwrdd Rheoli dan gadeiryddiaeth Gillian Clarke, sy hefyd yn Gadeirydd Adran Saesneg yr Academi Gymreig, bardd enwog a thiwtor tra llwyddiannus ar gyrsiau'r Arvon Foundation ers blynyddoedd. Preswylwyr Tŷ Newydd ar hyn o bryd yw Mr. a Mrs. Gwyn Jones, a nhw fydd gweinyddwyr y Ganolfan. Bydd bwyd a llety cysurus i'w cael yn Nhŷ Newydd, a phob cyfleustra teipio a llungopïo wrth law i hwyluso gwaith tiwtoriaid a myfyrwyr.

Yn awr am y bregeth. Bu peth anesmwythyd ymysg llenorion Cymraeg ynghylch Cymreigrwydd Tŷ Newydd a faint o gyrsiau Cymraeg a drefnir yno. Bu trafod maith a braidd yn bryderus ar y mater yng nghyfarfod blynyddol Undeb Awduron Cymru y llynedd. Ond fe all pawb roi eu hofnau heibio. O adnabod aelodau'r Bwrdd Rheoli, medraf sicrhau'r mwyaf pryderus y bydd Canolfan Tŷ Newydd mor Gymreig ag y gall unrhyw sefydliad fod.

Y bwriad yw cynnal 50% o'r cyrsiau yn Gymraeg a 50% yn Saesneg. Os na ellir cadw at y bwriad hwn, nid ar Ymddiriedolaeth Taliesin y bydd y bai, ond ar lenorion a disgybl-lenorion Cymraeg. Gallwn fod yn siŵr y bydd mynd mawr ar y cyrsiau Saesneg. Bydd y syniad o dreulio hyd at wythnos yng nglesni Eifionydd yn denu llu o ddarpar ysgrifenwyr di-Gymraeg o Went a Morgannwg a Chlwyd. At hynny, mae digonedd o feirdd a llenorion Saesneg sy'n diwtoriaid profiadol iawn. Fydd dim prinder o athrawon na disgyblion Saesneg.

Bydd hanner y cyrsiau yn Nhŷ Newydd ar gael i feirdd a llenorion Cymraeg. Mae llenwi'r cyrsiau hynny yn dibynnu'n gyfan gwbl arnom ni. Os bydd digon o Gymry Cymraeg yn awyddus i ddysgu sgrifennu ac yn barod i ddod, ac os bydd digon o lenorion Cymraeg profiadol yn fodlon dod i'w hyfforddi, fe gawn ein cwota'n llawn. Yn wir, petai'r cyrsiau Cymraeg yn orlawn ac yn frwd, a mwy yn ymgeisio am le nag y byddai lle ar eu cyfer, mae'n bosibl y gellid pwyso ar yr ymddiriedolaeth i gynyddu nifer yr wythnosau Cymraeg. Ond gadewch inni fanteisio i'r eithaf ar yr 50% Cymraeg i ddechrau. Trychineb i ddyfodol llenyddiaeth Gymraeg fyddai inni fethu.

'Llais Llyfrau', Gwanwyn 1990

Gan mai hwn yw'r rhifyn olaf y byddaf fi'n ei olygu, mi garwn achub ar y cyfle i ddiolch i'r cyfeillion ar staff y Cyngor Llyfrau Cymraeg am bob help a roisant i mi yn ystod y ddwy flynedd ddiwethaf. Ni chafodd unrhyw olygydd dîm o gynorthwywyr mwy medrus, ewyllysgar a di-gŵyn.

I Bennaeth Adran Ddylunio'r Cyngor Llyfrau, Elgan Davies, am ddiwyg *Llais Llyfrau*; i Dewi Morris Jones, Pennaeth yr Adran Olygyddol, am ymboeni â'r proflenni; i Richard Owen am drefnu a chasglu'r holl adolygiadau; ac yn arbennig i'r Pennaeth Marchnata, Philip Davies, a ofalodd am y newyddion, y rhestrau llyfrau, y darluniau, yr hysbysebion a phopeth arall o bwys – ac amdanaf finnau – gan gadw trefn ar bawb a chadw llygad ar bopeth; i'r rhain i gyd, fy niolch calon.

Bu aelodau eraill o staff y Cyngor Llyfrau yn helpu, ac yn cyfrannu ambell erthygl ar rybudd byr iawn pan fyddwn i'n gofyn. Diolch iddyn nhw, i Wasg Gomer am lendid yr argraffu, ac i bawb a brynodd y cylchgrawn a'i ddarllen a'i werthfawrogi. Rwy'n dymuno pob rhwyddineb i'r golygydd newydd, a chymaint o foddhad yn y gwaith ag a gefais i.

Cymry Cybyddlyd

Ys cymysg o genedl ydym! Da a drwg, bid siŵr, fel pob cenedl arall, brwd ac oer, hael a chybyddlyd.

Mi fedrwn i adrodd am sawl hen bensiynwr a phensiynwraig, gweinidogion ar gyflog llwgu a phobol ddi-waith neu ar incwm bychan iawn, sydd ar hyd y blynyddoedd wedi dal i brynu llyfrau Cymraeg a phapur a chylchgrawn Cymraeg o wythnos i wythnos ac o fis i fis. Y rhain yw cynheiliaid ein diwylliant ni, cymwynaswyr a hyrwyddwyr yr iaith Gymraeg, halen y ddaear.

Ond, ysywaeth, mae yna eraill. Cymry 'da' yw'r rhain, yn amlwg mewn eisteddfod a chinio Gŵyl Ddewi, yn uchel eu cloch o blaid ffyniant yr iaith ac anwyldeb Cymru, yn honni'n barhaus eu bod yn 'bobl y pethe'.

Ond ewch i'w tai. Moethus bob un, dodrefn hynafol yn eu stafelloedd, y ceginau mwyaf yp-tw-dêt, y popeth gorau. Ond 'does dim un llyfr i'w weld yn unman ac eithrio, efallai, ambell gyfrol Saesneg ddrudfawr ar deithio neu arddio neu goginio. Dim llyfr Cymraeg, yn siŵr. Dim papur na chylchgrawn Cymraeg chwaith. *Y Cymro*'n 'rhy denau', *Y Faner* yn 'rhy ddrud', *Golwg* yn 'rhy bopeth-i-bawb'. A'r misolion a'r chwarterolion? Eu papur enwadol? 'Wel . . . fe fuon ni'n 'i brynu fe flynydde 'nôl, ond . . .' Hwyrach, ar dro siawns, y gwelwch chi gopi o'r papur bro ar y bwrdd coffi. Nabod y golygydd, neu'r trysorydd efallai. Llygedyn bach, bach o oleuni mewn nos dywyll iawn.

Mae cyflog mawr yn mynd i lawer o'r cartrefi hyn. Neu'n amlach, ddau gyflog. Dau gar hefyd, dau deledu, dau wyliau dros y môr bob blwyddyn, dau bopeth. Ond dim un llyfr Cymraeg. Dim un cylchgrawn Cymraeg. Mae pethau felly'n rhy ddrud i'r Cymry 'da', enillfawr, halfawr hyn.

Fe roddodd ambell gyngor lleol gynnig ar ddull go hallt o gael drwg-ddyledwyr mewn tai cyngor i dalu'u rhent, sef gosod rhestr o'u henwau a'u cyfeiriadau yn ffenest pencadlys y Cyngor i bawb eu gweld. Dull digon effeithiol hefyd, mi glywais. Nid drwg o beth fyddai gosod rhestr o enwau Cymry 'da', cysurus eu byd, nad ydyn nhw byth yn prynu na llyfr na chylchgrawn Cymraeg – eu gosod mewn lle amlwg yn eu hardal dan y pennawd bras, '*Mae'r rhain yn elynion i'r iaith Gymraeg*'.

Nid rhyfedd bod rhai awdurdodau lleol, gwasanaethau cyhoeddus a chwmnïau masnachol yn dweud bod argraffu dogfennau yn yr iaith Gymraeg yn rhy gostus pan fo Cymry 'da', ariannog yn teimlo'i bod hi'n rhy gostus i'w chefnogi'n ymarferol. Mae yna gynnydd sylweddol i werthiant llyfrau a chylchgronau Cymraeg ym mhocedi'r Cymry Cymraeg hyn. Pe gellid eu mwytho neu'u bygwth, ddwy neu dair mil ohonyn nhw, i wario ychydig o'u deg punnoedd sbâr ar lên eu hiaith eu hunain, fe fyddai gwedd loywach o dipyn ar y fasnach gyhoeddi Gymraeg. A thipyn mwy o ddiwylliant yn eu lolfeydd hwythau.

'Llais Llyfrau', Haf 1990

VI

Sgyrsiau Radio

Pe Cawn I Egwyl

Pe cawn i egwyl, mae'n debyg y gwnawn i unrhyw beth ond ysgrifennu cofiant. Ond petawn i'n osgoi'r gwaith hwnnw, 'fyddai 'nghydwybod i ddim yn dawel. O achos y mae amryw gofiannau'n aros i'w sgrifennu, ac onid â rhywun ati, heb eu sgrifennu y byddan nhw byth.

Mi glywais Mr. Saunders Lewis yn dweud rywdro fod dau faes ymchwil cyfoethog yn llenyddiaeth y ganrif ddiwethaf sy wedi'u hesgeuluso, sef pregethau Cymraeg a chofiannau Cymraeg. A chan fod sgrifennu cofiant wedi mynd o'r ffasiwn, y dylai rhywun fynd ati'n ddiymdroi i wneud ei draethawd M.A. ar y cofiannau sy gennym.

Ond mae arna'i ofn y byddai casglu defnyddiau cofiant a rhoi trefn arnyn nhw yn ormod o dreth ar f'amynedd prin. 'Doeddwn i erioed wedi sylweddoli bod sgrifennu cofiant yn gymaint o dasg nes imi glywed Mr. David Thomas y Sul o'r blaen yn gofyn i wrandawyr yma a thraw anfon llythyrau a gawson nhw gan Silyn ac atgofion amdano, ac yn mynegi'i fwriad i grwydro'r wlad i chwilio am y cyfnodau cudd yn hanes 'y gwrthrych'. I greadur blêr fel fy hunan, byddai dychmygu geiriau a llythyrau fy arwr yn haws na mynd i chwilio ac i holi amdanyn nhw. A'r peth a ddôi drwy'r felin fyddai nofel yn hytrach na chofiant – cyfrol a yrrai haneswyr y dyfodol i strancio'n ulw uwchben ei chelwyddau. Wrth gwrs, petai mantell Boswell wedi disgyn arna'i, a'm bod wedi cael gafael ar Ddoctor Johnson o Gymro y byddai'n bleser gen i'i ddilyn i bobman, i dŷ a phlasty, ffair a phictiwrs, sasiwn a thafarn, a'i eiriau'n disgyn i'm ffowntan pen fel ceiniogau i slot, byddai'r broblem yn ei datrys ei hun. Byddai'r cofiant yn barod gyda thranc yr arwr.

Mae yna gofiannau, mi wn, y dylid eu sgrifennu. Cofiannau byrion i ddau o'm cyfoedion a fu farw'n fyfyrwyr. Dwy addewid lachar a dorrwyd. Aled Hughes, y bardd ifanc o Ddyffryn Nantlle, a Celt Hughes, y pregethwr ifanc o Nefyn. Dau a'n gadawodd pan oedden nhw rhwng ugain a deg ar hugain oed, dau'n perthyn i'r

Mudiad Efengylaidd, dau Gymro brwd. Byr fydd eu cofiant am mai byr oedd eu bywyd. Ond nid byr fydd y coffa amdanyn nhw. Ac 'rwy'n apelio yma am i rywun a oedd yn nes at y bechgyn hyn na mi fynd ati'n fuan i roi'u hanes tyner nhw ar gof a chadw.

Pe cawn i egwyl, a fentrwn i sgrifennu un o'r cofiannau hyn? Mae'n gwestiwn gen i. Ond y mae un cofiant yr wy'n credu y medrwn ei sgrifennu. Cofiant byr; yn fwy, hwyrach, o fywgraffiad. Cofiant fy nain.

Fe fu gen i amryw o neiniau. Rhai o waed, a rhai o fabwysiad, fel Nain y Bryn a Nain Isfryn, a fu'n rhoi moethau imi naill ai'n faban neu'n stiwdant. Ond nain o waed oedd hon a fu farw'n naw a phedwar ugain, yn enghraifft iraidd o'r hen biwritaniaeth Gymreig ar ei gorau. Ychydig iawn o ysgol a gafodd hi, ac amcan hynny a gafodd oedd dysgu Saesneg i'r plant. Yn ysgol Ty'n-y-Clwt, yng nghôl mynyddoedd y Berwyn, yr oedd siarad Cymraeg yn drosedd i'w gosbi gyda'r 'Welsh not'. Ond er gwaetha'r ormes honno, ychydig iawn o Saesneg a fedrai fy nain hyd ddiwedd ei hoes. Fe briododd yn bedair ar bymtheg oed, a magu naw o blant ar ychydig sylltau'r wythnos. Fe gollodd frodyr a chwiorydd yn ifanc, un yn fardd, un yn arlunydd, un yn bregethwr.

Fe gafodd ei throchi'n drwm yn niwygiad 1904, a hithau'n ddeugain oed. Yr oedd yr Ysbryd yn siarad â hi, a'r Ysbryd weithiau'n gorchymyn iddi wneud pethau pur òd. Yr oedd ganddi fympwyon diddorol. Fe sgrifennodd ysgrif unwaith i'r *Gymraes* i brofi mai'r winwydden oedd y pren gwaharddedig yng ngardd Eden, nid y goeden afalau.

Fe aeddfedodd yng nghwrs y blynyddoedd yn bersonoliaeth dawel, gref, a santeiddrwydd yn cynnau yn ei llygaid bychain. Yr oedd hi wedi darllen ei Beibl drwyddo gryn ddengwaith cyn diwedd ei hoes, ac yn ei gofio'n dalpiau, ar wahân, hwyrach, i'r achau yn Llyfr y Cronicl.

'Rwy'n cofio imi'i chythruddo hi pan oeddwn i'n hogyn ysgol trwy ddatgan fy nghred fod dyn wedi dod o fwnci. 'Rwy'n credu iddi weddïo llawer dros f'enaid i am rai dyddiau wedyn. Ond yr oedd hi'n dra agored ei meddwl hefyd. Yr oeddwn i'n taeru mai cam â hanes y creu yn llyfr Genesis oedd ei gymryd yn llythrennol. Fe ddywedodd hi fod yn well imi roi'r gorau i ddarllen llyfrau peryglus nes bod fy ffydd i'n ddigon cryf. Ond yr oeddwn i'n dal yn heretic. Ac yn wir, wedi llawer o ymresymu cyndyn, a minnau braidd yn ormod o lanc i'm sgidiau, yr oedd Nain yn barod i gymrodeddu. Yr oedd hi'n barod, meddai hi, i ddod i'm cyfarfod i cyn belled â hyn – fod pob un o'r chwe diwrnod a gymerodd Duw i greu'r byd yn cynrychioli miliynau o flynyddoedd, a bod y cread yn fwy nag a awgryma awdur Genesis. Meddyliwch am hen wraig ymhell dros ei phedwar ugain oed yn ddigon ystwyth ei meddwl a theg ei barn i ymadael â safbwynt oes!

Yr oedd hi'n elyn anghymodlon i un peth, a hwnnw oedd y bêl droed. Yr oedd pob chwarae'n ysgafnder dianghenraid, ond yr oedd y bêl droed yn bechod. Hwyrach mai dylanwad fy nain a barodd imi fod yn giciwr mor sâl. 'Rwy'n cofio un tro inni drefnu dadl ar yr aelwyd. Yr oedd Nain i wneud papur yn erbyn y bêl droed, a minnau i wneud papur i'w hamddiffyn. Fe fuom am wythnos yn paratoi'n papurau, ac un noson dyma'u darllen nhw: Nain yn gyntaf, minnau wedyn, a 'Nhaid yn ei gornel yn llywydd. Ychydig o'r ddadl a glywodd fy nhaid. Yr oedd yn mynd i gysgu trwy gydol pob papur, a rhaid oedd ei ddeffro i alw ar y siaradwr nesaf. 'Dydw i ddim yn cofio pwy enillodd y ddadl, ond 'rwy'n cofio bod papur fy nain yn ddarn o lenyddiaeth go dda.

Ac yr oedd hi yn llenor. Ac yn fardd. Yr oedd hi'n chwaer i'r bardd ifanc, Gwilym Berwyn, y gellwch chi weld ei lun a rhai o'i englynion yn y *Cymru Coch.*[1] Yr oedd hi wedi byw yn awyrgylch barddoni ar hyd ei hoes, ond aeth hi ddim ati i farddoni o ddifri nes croesi'r pedwar ugain. Wedyn, fe ddaeth llif o gerddi. Fe gyhoeddwyd amryw ohonyn nhw ym mhapurau'i henwad. Naws grefyddol oedd iddyn nhw, yn y mesurau emynyddol gan mwyaf, gyda thipyn o foesoli yma a thraw. Fyddai'r cerddi hynny ddim yn debyg o ennill gwobrau eisteddfodol o bwys, ond yr oedd ganddi ambell bennill go dda, ac fe fu hyd yn oed yn arbrofi â mesurau a rhithmau.

Ac yr oedd hi'n gyfrinydd. 'Rwy'n sicir o hynny. Yr oedd Ann Griffiths yn eilun ganddi. Ac fe fyddai'n defnyddio ambell simbol cyfriniol ei hunan yn awr ac yn y man. 'Rwy'n cofio'i dyddiau olaf hi'n dda, ac 'rwy'n cofio sefyll yn un o dwr bychan o gwmpas ei gwely hi, a hithau'n marw. 'Roedd hi'n marw ers dyddiau. Yn anymwybodol, meddai'r meddyg. Ond 'rwy'n siŵr y byddai 'uwch-ymwybodol' yn ddisgrifiad gwell. 'Doedd hi ddim yn ein byd ni, ond 'roedd hi fel petai'n ceisio torri trwodd atom ni weithiau, i roi rhyw neges inni. Ac fe fyddai'n dweud bob hyn a

[1] Yn un o rifynnau 1902.

hyn, 'Dowch i'r Tŵr, 'mhlant i. Dowch i mewn i't Tŵr Cadarn. Mae digon eto o le'. Y Tŵr Cadarn. Dyna fo – simbol y cyfrinydd.

Wn i ddim a oes ar gofianwyr ofn cyfrinwyr. Mae amryw o gyfrinwyr, amlwg ac anamlwg, nad oes yr un llyfr o'u hanes nhw ar gael. Dim digon o ffeithiau ar gael, meddan nhw. Ydi hynny'n wir am gyfrinwyr fel dosbarth, eu bod nhw'n byw cymaint yn y byd arall fel nad oes ganddyn nhw ddim amser i ado'u hôl yn y byd hwn? Mae'n ymddangos fod hynny'n wir amdanyn nhw, o Omar Khayyâm i lawr.

Omar Khayyâm. Dyna enw sydd wedi swyno 'nghlustiau i ers blynyddoedd. A phe cawn i egwyl, mi garwn i wneud rhywbeth er cof amdano ef. Nid cofiant. Wn i ddim digon amdano. Mae'n gwestiwn gen i a ŵyr unrhyw un ddigon amdano. Ond mae bardd a roddodd fod i ddwy gerdd mor wahanol ac mor ddirdynnol dlws â Phenillion Syr John Morris-Jones a cherdd Fitzgerald yn haeddu'i gyflwyno'n ffres i Gymru. Fe all y byddai hynny'n help inni gofio nad olew'n unig sydd ym Mhersia, ond hen farddoniaeth mosc a basâr, palmwydd a chafnau gwin.

Dyma f'arwyr i felly. Myfyrwyr ifainc a gymerwyd cyn gorffen blaguro. Pregethwyr a aeth yn hydref eu dyddiau, gan ado'u geiriau a'u gweithredoedd ar eu hôl, prifardd Persia – a Nain. Pe cawn i egwyl, hwyrach y sgrifennwn i linell amdanyn nhw. Y cwbwl neu yr un – alla'i ddim dethol. Maen nhw i gyd â rhan yn fy mywyd i.

Darlledwyd Medi 2, 1951 yn y gyfres 'Pe Cawn i Egwyl.'

229

Gwlad y Cymanfaoedd

Anaml y bydd y Cenedlaetholwr a'r Cristion ynof yn cael achos i dynnu'n groes. Mae'r ddau fel rheol yn ddiddig gytûn. Mae'r Cenedlaetholwr ynof yn credu bod gan Gymru hawl i ryddid gwleidyddol llawn. Mae'r Cristion ynof yn dweud amen. Mae'r Cristion ynof yn credu y dylwn i garu pob dyn o bob cenedl ar wyneb y ddaear. Mae'r Cenedlaetholwr ynof yn dweud amen. Ond heddiw, ar y pwnc sydd gennyf heddiw, mae arna'i ofn fod y ddau am gweryla.

Mae'r Cenedlaetholwr a'r Cristion ynof yn cytuno bod Cymru'n Wlad y Cymanfaoedd. Nid i'r un graddau ag y bu. Ond fe allwn ddw4eud bod Cymru Gymraeg, beth bynnag, yn para o hyd, i fesur, yn Wlad y Cymanfaoedd. Popeth yn dda. 'Rydyn ni'n cytuno hyd yma. Ymh'le'r ydyn ni'n dechrau anghytuno? Pan ddown ni at y cwestiwn: pa un ai da ai drwg yw hynny?

Fe alwn ni ar y Cenedlaetholwr yn gyntaf, a gweld beth sydd ganddo fo i'w ddweud. Wel, meddai, fy musnes i, a'm braint, yw gwneud popeth yn fy ngallu i gadw Cymru. I'w chadw'n hi'n genedl, i'w chadw hi'n wahanol, i'w chadw hi'n Gymreig ac yn Gymraeg. Ac mae pob achlysur sy'n galw'i phobol hi ynghyd i gydganu, i gydwrando, i gydasio mewn unrhyw fodd – mae pob achlysur felly yn help i Gymru barhau yn Gymru. Mae pob eisteddfod yn help. Mae pob rali yn help, a phob ffair a phreimin, pob drama a chyngerdd a noson lawen, lle siaredir ac yr adroddir ac y cenir Cymraeg. Y mae pob achlysur lle mae Cymry'n tyrru at ei gilydd yn gweu'r gymdeithas Gymreig yn glosiach ac yn datod gafael pŵerau estron arni – y ffilm, y radio, y papur Saesneg bob-dydd. Yr achlysuron Cymreig, Cymraeg, sy'n galw'r Cymry at ei gilydd ac yn eu gwneud nhw'n fwy o Gymry, yw'n diogelwch parod ni rhag y peryglon hyn.

Ac mae'r Gymanfa, yn yr un modd, yn help. Y Gymanfa Ganu, y Gymanfa Bregethu, y Gymanfa Bwnc. Am fod y rhain eto yn tyrru Cymry Cymraeg at ei gilydd, ac yn gwneud iddyn nhw arfer eu hiaith a'i harfer hi'n gelfydd. Ac yn eu huno nhw â'u tadau. O achos y mae mwy nag un cyfeiriad i uno cenedl. Nid yn unig uno Gogledd a De, ond hefyd uno heddiw a doe.

Ac mae'r cymanfaoedd yn gwneud. Yn y Gymanfa Ganu mae'r plant yn canu'r un tonau a'r un emynau ag a ganodd eu tadau, ac yn eu canu â'r un hwyl. Yn y Gymanfa Bregethu mae pregethwyr Cymru heddiw yn pregethu'r un teip o bregeth â phregethwyr Cymru ddoe, yn yr un hwyl Gymreig, ac mae cynulleidfaoedd heddiw'n gwrando fel y gwrandawodd cynulleidfaoedd ddoe, gyda'r un lwmp yn eu gwddf a'r un deigryn ar eu grudd. Ac yn y Gymanfa Bwnc neu'r Gymanfa Holi hithau, mae'r un holi a'r un ateb a'r un hwyl ag a oedd yn yr un lleoedd hanner canrif yn ôl. Dyma felly impio cenhedlaeth newydd o bregethwyr a holwyr ac arweinyddion a chenhedlaeth newydd o wrandawyr ac atebwyr a chantorion – eu himpio ar yr hen gyff solet. Mae Cymru'r Gymanfa'n parhau yn ei phlant. Mae heddiw'n mynd yn un â doe.

Mae yma lai o wrandawyr nag a fu, mae'n wir. A llai o gantorion. A llai o atebwyr. Mae yma lai o gymanfaoedd. Llawer llai. Ond mae gan bob cymanfa'i chyfraniad i'r frwydyr dros gadw Cymry'n fyw. O achos peth Cymreig yw'r Gymanfa, lle mae miloedd flwyddyn ar ôl blwyddyn yn gwrando ac yn ateb ac yn canu fel y gwrandawodd ac yr atebodd ac y canodd eu tadau. Tynnwch y Gymanfa o fywyd Cymru ac fe agorwch fwlch i ddylanwadau estron lifo i mewn. Oherwydd y mae'r Gymanfa Ganu a'r Gymanfa Bregethu a'r Gymanfa Bwnc yn gymaint sefydliadau cenedlaethol Cymreig ag yw'r Llyfrgell Genedlaethol a'r Amgueddfa Genedlaethol a'r Eisteddfod. Dyna pam y mae'n rhaid eu cadw nhw i fynd. Mae ar Gymru, yn nydd ei noethni, angen ei sefydliadau i gyd o'i chwmpas. Am hynny, peth da yw bod Cymru o hyd, i fesur, yn Wlad y Cymanfaoedd.

Wel, dyna'r Cenedlaetholwr ynof wedi cael dweud ei bwt. Ond mae'r Cristion ynof yn gwingo ers meitin eisiau'i ateb. A dyma roi cyfle iddo yntau.

Wel, meddai'r Cristion, 'rwy'n cydnabod gwerth traddodiad i genedl. Yn enwedig i genedl heb ryddid. O achos, pan nad oes ganddi'i llywodraeth ei hun i'w diogelu, ei thraddodiad yw'r unig beth sy ganddi i'w chadw rhag mynd dan draed. Ond os yw traddodiad yn fur i genedl, fe all fod yn felltith i'w chrefydd hi. Ac mae'n rhaid i mi ddangos bod y Gymanfa wedi bod – wel, nid yn felltith, hwyrach – ond yn rhwystr go fawr i ffyniant crefydd yng Nghymru yn ystod y ganrif hon.

231

Fe fu adeg pan oedd beirniaid yn hoff o ddweud nad oedd gan Gymru ddim crefydd bob-dydd, dim ond crefydd dydd Sul. Erbyn hyn, 'does gan Gymru ddim crefydd dydd Sul chwaith; dim ond crefydd cymanfa. Yr unig grefydd a gaiff llawer Cymro erbyn hyn yw'r Gymanfa Ganu. Ac nid er mwyn y grefydd y mae yno, ond er mwyn y canu. Yr unig bregeth a gaiff llawer Cymro – a thalu amdani – yw'r bregeth Sasiwn neu'r bregeth Undeb neu'r bregeth Gymanfa. Ac am y Gymanfa Bwnc – wel, dim ond crefyddwyr selog sy'n mynychu honno erbyn hyn.

Felly, mae'n dda am y Gymanfa, meddech chi, neu fyddai gennym ni ddim. Ond onid y gwir ydyw bod y Gymanfa wedi lladd ei hamcan ei hun? Onid y gwir ydyw bod y Gymanfa yn gyfrifol i raddau helaeth fod ein capeli a'n heglwysi ni heddiw mor wag? Nage, meddech chi. Difaterwch sy'n gyfrifol. Difaterwch y genhedlaeth ifanc. 'Does gan bobol ifanc heddiw ddim diddordeb mewn crefydd, dim ond mewn pictiwrs a chwarae a dawns. Hanner munud. Petai yna sinema yng nghyrraedd pob pentref hanner can mlynedd yn ôl, petai yna set radio neu set deledu ym mhob tŷ yr adeg honno fel sydd heddiw, petai bws yn rhedeg yn amal i'r dref a phapur-bob-dydd yn dod at y drws, a fuasai capeli hanner can mlynedd yn ôl hanner mor llawn ag oedden nhw?

Gadewch inni fod yn reit onest. Pe bai'r un cyfleusterau a'r un cyfryngau adloniant ar gael pan oeddech chi'r bobol mewn oed yn ifanc, a fuasai'r capeli mor llawn a'r cymanfaoedd mor llewyrchus ag oedden nhw? 'Rwy'n barod i gydnabod bod yna fwy o dduwioldeb a mwy o ddiddordeb mewn crefydd yr adeg honno. Ond 'dydw i ddim yn barod i gydnabod bod lliaws y boblogaeth un iot yn fwy crefyddol yn y bôn nag ydyn nhw heddiw. Yr unig adloniant oedd i'w gael mewn llawer ardal wledig oedd y bregeth a'r cyfarfod canu. Yr unig fan cyfarfod oedd y capel. Yr unig weithgarwch cymdeithasol oedd y gymdeithas ddiwylliadol a'r seiat.

Dyna pam yr oedd pob sedd yn llawn yn y capel. Ac 'roedd yna reswm arall. 'Roedd y teuluoedd yn llawer mwy hanner can mlynedd yn ôl, a'r boblogaeth yn fwy. 'Roedd yna weision a morynion ar y ffermydd, 'roedd y ffatrïoedd gwlân a'r melinau a'r barcerdai a'r chwareli a'r pyllau glo yn eu hanterth; 'roedd cryddion a theilwriaid a gofaint a seiri a phob rhyw grefftwyr yn lluoedd. Rhowch y lluoedd yna yn y capeli, ac 'roedden nhw'n siŵr o fod yn llawn. Dyna pam yr oedd mynd ar y cymanfaoedd.

Poblogaeth wledig gref, a dim adloniant ar ei chyfer hi ond crefydd.

Nid dirywiad crefyddol yn unig sy wedi digwydd. Ond chwalfa gymdeithasol fawr, sy wedi gwneud un gymwynas, o leiaf, â chrefydd Cymru – wedi nithio'r rhai sy'n crefydda am fod yn rhaid iddyn nhw oddi wrth y rhai oedd yn crefydda am nad oedd ganddyn nhw ddim mwy diddorol i'w wneud.

A phan oedd crefydd yn boblogaidd y ffurfiwyd y cymanfaoedd. Pan oedd y lluoedd yn hawdd eu hennill fe ffurfiwyd math ar grefydd ar eu cyfer. Fe ffurfiodd y Gymanfa Ganu fath ar ganu. Ac fe ffurfiodd y Gymanfa Bregethu fath ar bregethu. Pregethu hir, dramatig, hwyliog yr oedd yn rhaid cael cynulleidfa fawr i'w gynnau a'i fegino. Fe fagwyd cynulleidfa a oedd yn credu mai dyna'r unig wir bregethu. A phan na cheid mwyach mo'r pregethu hwnnw i'r un graddau a chyda'r un grym, fe giliodd y gynulleidfa. Y gwir yw bod y Gymanfa wedi difetha Cymru i wrando pregethu graenus Sul-i-Sul.

Y mae'r rhan Gristnogol ohonof, beth bynnag, wedi cael ateb y rhan ohonof sy'n Genedlaetholwr Cymreig. Mae'r gymanfa, er ei bod yn werthfawr fel sefydliad nodweddiadol Gymreig, wedi creu mwy nag un camargraff am natur gwir grefydd. Ac mae crefydd Cymanfa, er iddi fod yn wych yn ei hadeg, wedi gwneud ein gwaith ni heddiw, mewn oes dra gwahanol, yn llawer iawn anos.

Fe ddadleuodd Harri Gwynn fod eisiau poblogeiddio barddoniaeth Gymraeg os ydyw i fyw. I fesur mawr, 'rwy'n cytuno ag o. Ond alla'i ddim derbyn bod eisiau gwneud crefydd yn boblogaidd yn ystyr y gymanfa fawr. Mae eisiau'i gweld hi'n ddealladwy i bawb, ond 'does dim eisiau'i gwneud hi'n dderbyniol i bawb. Mae byd o wahaniaeth rhwng y ddau. Mae'n rhaid gwneud llenyddiaeth Gymraeg yn boblogaidd os ydi hi i fyw. Oherwydd fe all llenyddiaeth Gymraeg farw. Ond ni all crefydd Iesu Grist farw byth.

Darlledwyd Ebrill 17, 1955

Merched

Dynion yw rhyddiaith y Creawdwr, a merched yw ei farddoniaeth. Nid yw dweud hynyna'n glod i ferched ac yn anghlod i ddynion, oherwydd, i mi, y mae rhyddiaith yn llaw meistr cyn hyfryted â barddoniaeth, ac yn fwy hanfodol yn y byd sydd ohoni. Ond y mae i farddoniaeth – y mae'n rhaid i sgrifennwr rhyddiaith fel myfi gydnabod hyn – y mae i farddoniaeth ryw afael anesboniadwy ar hanfod dyn, ac y mae yn ei gosgeiddrwydd a'i chyfrwysedd a'i hafreswm hyfryd yn chwalu dyn yn dipiau pan fo yn yr hwyl i ymhél â hi o gwbwl. Y mae barddoniaeth, yn wir, yn debyg iawn i ferch. A dyna ni'n ôl lle'r oedden ni'n cychwyn.

Dynion yw'r rhywogaeth gref, resymegol, farfog sydd yn masnachu ac yn gwleidydda ac yn chwysu ac yn brifo ac yn rhyfela. Hwy yw'r colofnau sy'n dal gwareiddiad i fyny, y cedyrn a'r aruthrol bontydd sy'n cydio anialwch wrth anialwch a môr wrth fôr. Hwy yw'r breichiau sy'n ennill y bara beunyddiol, y coesau sy'n cicio pêl, y dyrnau sy'n paffio, yr ymenyddiau sy'n pwyso planedau ac yn pennu cosb ac yn dyfeisio difodiant. Hwy, mewn gair, yw alffa ac omega'r greadigaeth weledig, llywodraethwyr a barnwyr y byd. Ond byddai'r byd yn dlawd ryfeddol pe gadewid ef iddynt hwy.

A bwrw am funud fod modd i ddynion eu hatgynhyrchu'u hunain, fel rhai mathau ar bysgod, a bod merched yn peidio â bod o ddiffyg eu harfer, a'r byd o hynny allan yn drigle dynion a dim ond dynion, pa golled a fyddai? Gwir y diflannai llawer o genfigen o'r byd, a llawer o fân siarad, ac o falchder ac ysbleddach a sbeit. Ni fyddai te bach yn festri Siloam ar bnawn Iau a chyfle i Mrs. Jones a Mrs. Williams wneud careiau o gymeriad Mrs. Huws. Fe gaeai'r ffatrïoedd sanau neilon a'r gweithfeydd siampŵ. Fe ddiflannai'r posteri coesnoeth, bronlwythog oddi ar barwydydd gwareiddiad. A byddai barnwyr ac ustusiaid fyw flynyddoedd yn hwy wedi cael ymddihatru oddi wrth achosion o odineb ac ysgariad.

Ond wedi dweud hynyna, fe ddywedwyd cymaint ag y gellir ei ddweud. Nid byd fyddai byd o ddynion. Nid cymdeithas fyddai'r gymdeithas lle y llywodraethid dynion gan ddynion er mwyn dynion. Ac nid teulu, beth bynnag, fyddai tad a'i feibion yn bwyta bwyd hanner amrwd oddi ar blatiau budron ac yn ei olchi i lawr â the coch, claear, neu â chwrw. Ond, meddai rhywun, petai'r byd yn ddi-ferched, fe ddysgai dynion goginio a golchi a sgwrio llawr (neu, a bod yn fwy modern, ddefnyddio'r glanhawr gwynt). Ni chreda' i mo hynny. Dynion yn coginio? Dynion yn glanhau'r tŷ? Bobol annwyl!

Ond, a bwrw eto y medrai dynion ddysgu gwneud yr holl bethau hyn, a'u gwneud yn raenus, beth wedyn? Hwyrach y gellid troi niferoedd mawr o ddynion yn Philipiaid Harben,[1] yn tynnu gwyrth ar ôl gwyrth flasus o'u ffyrnau nwy; ond beth am y rhywbeth amhroffesiynol hwnnw, sydd fel bendith ar bryd o fwyd, a ddygir i'r bwrdd gyda'r bara gan wraig y tŷ? Hwyrach y gallai'r tad roddi bath i'r babi – yn wir, 'rwy'n deall bod tadau'n gwneud pethau felly yn yr oes olau hon – a chael y babi drwy'r driniaeth heb na sgrech na llosgfa, ond pa fath genhedlaeth o fabanod fyddai honno na chafodd yr un ohonynt gladdu'i wyneb yn ffedog mam? Hwyrach y medrai dynion ddysgu sgwrio tŷ cyn laned ag y sgwriwyd dec gan longwr erioed, ond onid gwell yw tŷ ac ynddo un gronyn o lwch a gwraig na thŷ glân fel ysbyty heb ddynes yn agos iddo?

Ffarwel am byth i'r llenni rhwyd gwynion ar y ffenestri, a'r cyffyrddiadau bach benywaidd yma ac acw hyd y tŷ – yr het fach binc ar yr hoel, y sawr lafant fel atgof o'r drôr isaf, y gweu wedi'i adael ar y stôl pan ganodd cloch y drws, y jar hufen-croen ar ymyl y baddon. Neb mwy i atgoffa'r gŵr fod yn bryd iddo wisgo'i grys gwlanen am fod y gaeaf yn y gwynt, nac i ddod o hyd i'w bethau a gollodd lle y rhoddodd hwy, nac i roi'i slipars o flaen y tân i'w ddisgwyl adref. Ffarwel dros byth i'r cnawd gwyn, meddal, a'r gwallt pryfoclyd, a'r ffrae sydyn, ddibwrpas, a'r cymodi sydynach fyth. Dim cusan mwy, dim cofleidio mwy, dim cariad.

Och, dim cariad. Y mae rhyw gryd yn fy ngherdded wrth feddwl am fyd heb ynddo gyplau ifainc yn cerdded dan goed ar hwyrnos o Fai. Chwi ferched, a fu i chwi feddwl erioed pa faint o boen a roesoch chwi yn eich amser, a pha faint o lawenydd? Poen wrth

---

[1] Cogydd poblogaidd y teledu yn y cyfnod hwnnw oedd Philip Harben.

wrthod cais mab am eich cwmni, a llawenydd wrth ganiatáu? Yr oedd ei feddyliau ef yn crogi wrth eich gwregys, a'i gwsg a'i fethu cysgu yn gorffwys ar eich gair. Yr oedd eich gwên yn fywyd iddo, a'ch gwg yn dân. Pa drwbwl a fuoch chwi, a pha wynfyd!

Y mae dynion, cofiwch, a garai weld y byd yn ddi-ferch. Casäwyr merched a gwrthwynebwyr priodas, y byddai'n well ganddynt na dim fyw mewn cread gwryw, anghyffwrdd, oer, a gweld yr hil ddiflas yn darfod, a'r byd yn dod i ben. Dynion sy'n enghreifftio'u dadl ag enwau chwerwon fel Efa, a Daleila, a Jesebel, a Mata Hari, ac Eva Braun. Dynion sy'n priodoli i ferched holl dwyll y canrifoedd, a phob tor-calon, a thor-priodas, a thor-cyfraith. Digon yw dweud, fodd bynnag, fod ym mywyd y dynion hyn ryw anffawd. Siom serch, efallai, neu fam greulon, neu wraig ffôl.

Fe ddichon fy mod i'n fwy ffodus na hwy yn y gwragedd sydd yn fy mywyd i. Fel y gwelais i bethau, nid oes amgenach creadur yn y byd na gwraig dda, ac nid oes gwyrth odidocach na mam. Ac mi wn y cytunai lliaws fy nghyd-ddynion â mi, petai angen cytuno ar wirionedd mor syml. Wrth gwrs, nid wyf yn dweud nad oes merched twyllodrus yn bod, creulon a dialgar hefyd, ac ambell un ry erchyll i'w henwi. Ond am bob Daleila y mae Santes Theresa, ac am bob Jesebel Ann Griffiths. Ni anwyd Mata Hari i'r byd nad oedd Edith Cavell ar ei chyfer, ac ni chafwyd melltithion Nansi'r Nant heb fendithion Mari Lewis. Yn wir, am bob un o'r drwg y mae deg o'r da. Neu felly y gwelais i bethau.

Fe ddeil llanciau i dorri'u calon ar ôl dau lygad glas neu ddau lygad du, ac i suro dros dro. Fe ddeil gwŷr priod ambell waith i ddilorni 'Nacw'. Ac fe ddeil merched yn destun jôc benchwiban mewn noson lawen a ffârs tra bo gan ddynion eu synnwyr digrifwch od. Ond o dan y surni a thu ôl i'r dilorni ac er gwaetha'r jôc benchwiban, y mae parch dwfn at ferched, welwch chi. A ph'un bynnag, merched sy'n cael y gair olaf bob tro.

Darlledwyd yn y gyfres 'Llwyfan y Llenor',
Gorffennaf 11, 1956

Enwau Plant

Pa mor gryf ydi ymwybod y Cymry o'u Cymreictod? Pa mor gryf oedd o, dywedwch, ym mil wyth chwe deg? Ym mil naw cant? A heddiw?

Un ffon fesur fydd gen i ydi'r enwau y mae'r Cymry'n eu rhoi ar eu plant. Mae'r ffasiynau mewn enwau ymysg y Saeson yn newid yn bur amal – bob rhyw ddeng mlynedd, rwy'n siŵr. Ymysg ein myfyrwyr ni o Loegr yng Ngholeg Llambed – y rheini sy'n dysgu Cymraeg, o leia – yr enw mwya poblogaidd ar ferched dros y tair neu bedair blynedd ddiwetha oedd Susan – neu Suzanne neu Susanna – gyda Helen neu Diane neu Diana yn ail go agos. Ac mae'n siŵr mai Diana fydd ar ben y rhestr rŵan am rai blynyddoedd – ar fabanod, beth bynnag.

Mae'n ymddangos mai Siân a Sioned ydi'r enwau mwya cyffredin ar ferched bach o Gymry erbyn hyn, gyda Nia ac Elin yn dod yn bur agos, a Mair yn dal ei dir yn bur dda. Mae 'na ffasiynau mewn enwau Cymraeg hefyd – ar ferched a bechgyn. Ond does dim rhaid mynd ymhell iawn yn ôl i ddarganfod pryd y dechreuwyd rhoi enwau Cymraeg ar blant o gwbl.

Os ydech chi am brofi hyn, meddyliwch am enwau'ch taid a'ch nain – a'ch hen daid a'ch hen nain, os gwyddoch chi. A meddyliwch pryd y dechreuwyd enwi plant yn Gymraeg yn eich teulu chi.

Fe anwyd fy nhaid, tad fy nhad, ym mil wyth pum deg. Ac yn y cyfnod hwnnw, er bod y mwyafrif o'r Cymry'n uniaith Gymraeg, prin y rhoid enw Cymraeg ar unrhyw blentyn, Yn ein tylwyth ni, dyna gyfnod yr enwau Beiblaidd, a'r rheini yn eu ffurf Saesneg. Enw 'nhaid oedd John – ffurf Saesneg ar Ioan neu Ieuan, wrth gwrs. Ac enwau'i frodyr o: David (Dafydd i'w frodyr a'i chwiorydd), Enoch, a – coeliwch neu beidio – Zachariah.

Yng nghyfnod eu plant nhw y dechreuodd enwau Cymraeg. Am y plant hyna, dim newid: Maria Jane, John, David, William, Ruth ac Anne. Ond yna, pan ddaeth fy nhad, fe wnaed cyfaddawd – Edward Ivor: un enw Saesneg (enw Tywysog Cymru ar y pryd) ac un Cymraeg, er bod 'Ivor' wedi'i sillafu â 'v'. Yna, i'r ddwy chwaer ienga, enwau Cymraeg go iawn: Blodwen ac Olwen (Sarah Blodwen a Hannah Olwen, mae'n wir). A dyna pryd, yn niwedd y ganrif ddiwetha, yn y genhedlaeth ddwyieithog gynta, y daeth fy nheulu i'n ddigon ymwybodol o'i Gymreictod i enwi babanod newydd yn Gymraeg.

Roedd y newid yn llwyr yn fy nghenhedlaeth i: dau ar bymtheg o gefndryd a chyfnitherod, gan gynnwys fy mrawd a minnau, o ochr fy nhad yn unig. Pob un ond dau ag enw Cymraeg: Glynne , Dewi, Meirion, Gwilym, Eluned a Menna; Dilys ac Iorwerth; Emyr a Glenys; Rhiannon a Morfudd; Myfanwy; Islwyn a Bryn.

Alla i ddim dweud yr un peth am fy nghefndryd a 'nghyfnitherod o ochor fy mam; uniaith Saesneg ydi'r mwyafrif ohonyn nhw, am resymau daearyddol yn benna. Ond o'r un ar bymtheg o'r rheini fe gafodd y mwyafrif, wrth lwc, dad neu fam Gymraeg, a'r rheini'n ddigon o Gymry i roi enwau Cymraeg ar eu plant: Idris, Emlyn, Maldwyn, Glyn; Gwilym, Trefor, Eryl; Eluned a Mair; Arthur; Ifor Celyn.

Ond sylwch mai enwau cyfnod oedd y rhain bron i gyd, a blas rhamantaidd neu chwedlonol arnyn nhw, ac ambell enw gwneud. Yn y genhedlaeth nesa – cenhedlaeth ein plant ni – y dechreuodd yr enwau Cymraeg plaen, gwerinol (er bod ambell eithriad): Rheinallt, Hefin, Eleri, Hafwen, Anwen, Bethan, Rhian, Aled, Siân. Dyna rai. Rhaid imi gael ychwanegu pedwar arall arbennig: Ieuan, Hywel, Rhianwen, Gwyndaf. A dim ond dyrnaid bach ohonyn nhw yw'r rheina.

A gwarchod fi! Mae plant y plant yn dŵad rŵan: y bumed genhedlaeth o ddyddiau 'nhaid a nain. A chystal cyfadde nad ydw i'n cofio dim mwy na dau neu dri o enwau'r dyrfa newydd hon. Ond rydw i'n sicir o un peth: os ydi'u rhieni nhw'n Gymry brwd, ac maen nhw, mi wranta fod ganddyn nhw enwau Cymraeg bob un: hen enwau Cymraeg solet, dinonsens hefyd. Ysywaeth, nid enwau Cymraeg sy ar fy wyrion i. Nid enwau Saesneg chwaith, diolch am hynny. Ond stori arall ydi honno.

Fe ddaethon ni'n bell iawn – yn ein tylwyth epilgar ni, beth bynnag – o gyfnod David a William a Maria Jane. Ac yn bellach fyth o gyfnod Enoch a Zachariah. Mae llawer llai yn *siarad* Cymraeg heddiw nag oedd ganrif yn ôl, ond mae Cymreictod heddiw gryn dipyn yn fwy byw – yn ôl fy ffon fesur i, beth bynnag.

Rhwng Gŵyl a Gwaith, Cyfrol 1, 1983

Y Wers

O dro i dro ar y rhaglen hon fe glywsoch chi lais mwyn, melodaidd Eirian Davies. Mi hoffwn i sôn am un wers bwysig a ddysgodd yr hen gyfaill Eirian i mi.

Bron ddeng mlynedd ar hugain yn ôl bellach, roeddwn i wedi ymuno â staff y BBC ym Mangor am ychydig fisoedd, yn lle Dyfnallt Morgan, oedd yn mynd i'r ysbyty yn Lerpwl am lawdriniaeth. Ac un prynhawn, dyma'r ffôn yn canu ar fy nesg i. Llais Sam Jones:

'Islwyn? Dewch i 'ngweld i, 'ngwas i. Ar unwaith.'

Ufuddhau, wrth gwrs. Ar unwaith.

'Welsoch chi hwn?' – Y *New Statesman* am yr wythnos, ac ynddo lythyr agored oddi wrth Bertrand Russell at Eisenhower a Crwstioff, yn erfyn arnyn nhw i roi'r gorau i gynhyrchu a phrofi bomiau niwclear. Ond beth ar y ddaear oedd a wnelo hwn â fi?

'Rwy am ichi fynd i Blas Penrhyn i recordio Lord Russell. Deg o'r gloch bore fory. Popeth wedi'i drefnu, bach.'

Wel rŵan, fûm i 'rioed yn gysurus yng nghwmni mawrion y ddaear. A dyma ddechrau protestio. Ond ofer pob protest o flaen Sam Jones. Doedd dim anufuddhau i fod.

'Braint ichi, 'ngwas i. Braint! Cyfle oes i gwrdd â Bertrand Russell!'

Mi es adre ddiwedd y prynhawn yn bur drwm fy ysbryd. Pwy oedd yn aros efo ni ym Mangor y noson honno ond Eirian Davies. Roedd o'n beirniadu'r Adrodd a'r Llenyddiaeth yn Eisteddfod Dyffryn Ogwen. A rywbryd cyn hanner nos, ar ôl beirniadu'r Prif Adroddiad, dyma fo'n cyrraedd, wedi cael 'Steddfod wrth ei fodd. Tra oedd o'n cael tamaid o swper, a finnau'n cymryd paned yn gwmni iddo, mi ddwedais wrtho 'mod i'n gorfod mynd i Finffordd yn gynnar drannoeth i recordio'r dyn mawr.

'Fe ddo i 'da ti, achan.'

Wel rŵan, waeth imi fod yn onest ddim. O orfod mynd ar y fath berwyl, fe fyddai'n well gen i fynd fy hun, a neb ond y peiriannydd yno i 'nghlywed i'n baglu drwyddi. Ond roedd Eirian lawn mor benderfynol â Sam. Doedd yntau chwaith ddim yn derbyn 'Na'.

Drannoeth, roedd hi'n fore braf, y wlad yn dangnefeddus, a'r ffordd i Feirion yn glir. Ond doedd dim blas ar y sgwrs. Nid yn Gymraeg roedd y recordio i fod, ac mae fy Saesneg i'n wastad yn rhydlyd yn y bore. Ac nid ar gyfer Rhaglen Cymru roedd y recordiad, ond ar gyfer Gwasanaeth Gogledd America'r BBC. Roedd y peth yn arswydus.

Am ddeg o'r gloch – yn brydlon am unwaith – roeddwn i'n canu cloch drws Plas Penrhyn. Fe'i hagorwyd gan wraig urddasol:

'*Come in, gentlemen. My Lord will be down presently.*'

'Gentlemen?' Ac mi welwn fod Eirian wedi dod i fyny'r llwybr ar f'ôl i ac yn sefyll wrth f'ochor i. O dïar. A dyma ni i mewn – ein dau – i barlwr mawr chwaethus, ac eistedd i aros.

Toc, dacw'r drws yn agor, a dyn bach siriol, ysgafndroed i mewn, a'r pen godidog hwnnw roeddwn i wedi gweld ei lun lawer gwaith, yn gwenu arnon ni. A chyfle oes, chwedl Sam, i ysgwyd y llaw enwog.

Roedd f'arglwydd am ddechrau ar unwaith. O drugaredd, dim ond dau gwestiwn oedd gen i i'w gofyn. A fyddai f'arglwydd cystal â dweud yn gryno beth oedd cynnwys ei lythyr agored at Arlywydd America a Phennaeth y Sofiet? A pham roedd f'arglwydd wedi sgrifennu'r llythyr arbennig hwn ar yr adeg arbennig hon? Cwestiynau Bi-Bi-Ecaidd fel'na.

Cyn gynted ag roedd y recordio ar ben, fe ymlaciodd f'arglwydd a dechrau sgwrsio'n glên. Roedd Eirian ar ei draed, a'i benelin ar y silff-ben-tân. A dyma fo'n dechrau:

'*How are you, my Lord? Is your health all right?*'

'*Thank you, I'm very well.*'

'*Yes, yes. Have you learnt Welsh yet?*'

Wel, na, doedd f'arglwydd ddim wedi gwneud ei ddyletswydd yn y cyfeiriad hwnnw eto, er cymaint y carai fedru'r heniaith. Ac ymlaen â'r sgwrs. Doedd gen i ddim cyfraniad pellach i'w wneud; roedd fy ngwddw i'n sych a 'ngwar i'n wlyb gan chwys.

Tybed nad oedd yr hen Eirian yn *rhy* hy ar y dyn mawr? Ond roedd y dyn mawr i'w weld yn mwynhau'r profiad yn burion.

Ar y ffordd adre, meddai Eirian:

'Doedd dim isie iti fecso, oedd e? Dyw Bertrand Russell, 'tweld, yn ddim ond dyn fel ti a finne.'

Diolch, Eirian, am ddysgu gwers bwysig imi y bore hwnnw. Dydw i ddim wedi'i hanghofio hi.

'Rhwng Gwyl a Gwaith', Cyfrol 4, 1986

Dysgu Rwsieg

Hwyrach y cofiwch chi i'r diweddar Syr Thomas Parry roi sgwrs ar y rhaglen yma un tro am y myfyriwr hwnnw o'r Iseldiroedd ddaeth i Fangor adeg y rhyfel. Louis Soeterboek. Roedd yna amheuaeth go gry, meddai Syr Thomas, ei fod o'n ysbïwr Natsïaidd. Yn anffodus, fedra i daflu dim goleuni ar y dirgelwch hwnnw.

Am resymau eraill yr ydw i'n cofio Soeterboek. Pan welais i o gynta, roedd o'n gwisgo siaced a thrywsus milwr. Ac meddai rhywun yn 'y nghlust i: 'Edrych. Hwnna ydi'r boi o Holand sy wedi dysgu Cymraeg.' Mynd ato wedyn, a thynnu sgwrs. Oedd, roedd o'n siarad Cymraeg. Ie, o'r Iseldiroedd roedd o'n dŵad. Atebion byrion bob un. Ond wedyn fe ddaeth clamp o frawddeg o'i enau. Mi ofynnais beth roedd o'n mynd i'w astudio ym Mangor. Gan 'mod i'n astudio athroniaeth, mi ofynnais oedd yntau'n mynd i gymryd y pwnc hwnnw. Mi edrychodd arna i'n bur ddirmygus drwy'i sbectol.

'Athroniaeth? meddai. 'Athroniaeth nid yw i mi o ddim defnydd.'

Fe sobrodd hynny fi. Ac fe roddodd yr ateb llenyddol yna derfyn go sydyn ar y sgwrs.

Ond fe fu sawl sgwrs ar ôl honno. Roedd y dyn wedi dysgu pedair ar ddeg o ieithoedd. Fe fyddai'n dysgu iaith newydd mewn tri mis. Prun oedd yr iaith fwyaf anodd i'w dysgu? O, Rwsieg oedd y fwyaf anodd, ond y Gymraeg oedd y nesaf ati. Iaith anodd iawn. Wel, fe ddysgodd Gymraeg yn ddigon da i sgrifennu nofel ynddi. Os gellwch chi gael gafael ar gopi o'r nofel honno – *Benedict Gymro* – fe'i cewch hi'n ddigon diddorol. Wel yn sicr, os oedd Soeterboek wedi meistroli'r Gymraeg mor llwyr, roedd yn rhaid bod ei Rwsieg hefyd yn bur dda.

Mi fûm i'n ddigon gwirion i ddweud wrtho 'mod innau wedi trio dysgu Rwsieg. O'n wir? Diddordeb mawr. Roedd o wedi llunio geiriadur o fyrfoddau Rwsieg ar gyfer byddin yr Iseldiroedd. Ond roedd o'n teimlo bod yr iaith yn dechrau rhydu yn ei ben o. Roedd arno angen cyfle i'w hymarfer hi. Fe fyddai'n falch iawn o 'nghymryd i'n ddisgybl.

A dyna ddechrau gofidiau. Fe aethon ni drwy'r gwersi cynta'n weddol. Ond wedyn mi ddechreuais i arafu. Cofiwch, doedd agwedd fy nghyd-letywyr i ddim yn help mawr iawn. Roeddwn i'n rhannu llety â'r ddau begor enwog hynny, y diweddar J. R. Owen, Ohio, a Robin Williams. Ac roedd f'ymdrechion i i ddysgu Rwsieg o bopeth, efo gŵr o'r Iseldiroedd o bawb, yn destun cryn wawd. Roeddwn i'n ddigon diniwed i fynd dros fy nhipyn Rwsieg yn uchel yn y tŷ. Ac mae'n siŵr fod hynny braidd yn ormod i'r ddau gyfaill.

Amser te fe fyddai J. R. yn cyrraedd y tebot ac yn gofyn, 'Tshai?' Robin yn estyn y siwgwr i mi gan ddywedyd, 'Sachar?' J. R. wedyn yn codi'r botel lefrith: 'Moloko?' Ac yn y blaen felly nes 'mod i'n difaru imi yngan gair o'r estroniaith yn eu clyw nhw erioed.

Sut bynnag, fe sylwodd Soeterboek 'mod i'n cloffi. Ac un diwrnod meddai, yn bur ddreng:

'Pa bryd rydych chi'n mynd i ddysgu Gwersi Pump, Chwech a Saith?'

Mi wnes ryw esgus. Llawer o waith. Cant a mil o alwadau. Ac ati. Ond mi fentrais ddweud:

'Ond mi'u dysga i nhw yn ystod y 'vac'.'

Fe ŵyr pawb a fu mewn coleg mai talfyriad ydi 'vac' o'r gair 'vacation': y term academaidd am wyliau coleg. Fe edrychodd yr Iseldirwr tal arna i drwy'r sbectol honno, a dweud yn ddirmygus:

'Yn ystod y 'vac', ha?'

Fe drodd ar ei sawdl, ac i ffwrdd â fo. Chlywais i'r un gair o Rwsieg ganddo wedyn. Na fawr o Gymraeg chwaith, o ran hynny. Fe wnaeth imi deimlo, a hynny'n bur effeithiol hefyd, nad oeddwn i'n ddim llawer o beth.

Ysgwn i ble mae o heddiw? Wedi iddo adael Bangor chlywais i byth air oddi wrtho nac amdano. Ond roedd o wedi rhoi'i eiriadur Rwsieg imi – ei roi, chware teg iddo, nid ei fenthyg.

Mae hwnnw gen i o hyd, a'r llofnod yn y llawysgrifen fain honno y tu mewn i'r clawr: 'L. Soeterboek'. Piti na fedrwn i'i ddefnyddio hefyd. Ond dyna fo, unwaith mewn oes y mae rhywun yn cael cyfle i ddysgu Rwsieg efo dyn fel Soeterboek. Ddaw cyfle fel'na ddim eto.

'Rhwng Gŵyl a Gwaith', Cyfrol 6, 1988

Nain

Colled fawr i blentyn, mi greda i, ydi bod heb daid a nain. Nid am 'mod i'n daid fy hun yr ydw i'n dweud hynny, ond am i mi gael cymaint o fudd yng nghwmni'r hen bobol ryfeddol hynny flynyddoedd yn ôl.

Fe anwyd fy nain, mam fy nhad, yng nghanol y ganrif ddiwetha: ym 1855, a bod yn fanwl. Fe briododd yn bedair ar bymtheg oed – priodi un o fugeiliaid y Plas, a ddaeth yn gipar wedi hynny – ac fe fagodd naw o blant ar bymtheg swllt yr wythnos. Mae'n siŵr nad oedd 'nhaid ddim yn cael llawer o flas ar waith cipar, oherwydd yn weddol fuan fe gymerodd dyddyn ar stad Plas Nant-hir – a lygrwyd erbyn hyn yn 'Nantyr'. A symud o ffarm i ffarm y buon nhw, yn denantiaid i'r Plas, am rai blynyddoedd nes i 'nhaid o'r diwedd fentro prynu ffarm ei hun, gan fyw mewn dyled drom am flynyddoedd.

Ar y ffarm honno, 'ddaeth yn gartre imi wedyn, y mae un o'm hatgofion cynta i am Nain. Roedd gan Nain fflôt – rhyw fath o drap bron yn grwn, â sedd rownd yr ymyl. Ac yn y fflôt y diwrnod hwnnw roedd yna haid o blant: cefndryd a chyfnitherod imi, mae'n siŵr, rhai ohonyn nhw'n dod o Lundain bob Awst i dreulio'u gwyliau haf ar y ffarm ac i loywi'u Cymraeg. Ac mi wela i Nain rŵan, yn eistedd yn y fflôt yn ein canol ni â'r awenau yn ei llaw, a Bess y ferlen ddu o'n blaenau ni yn trotian yn ddiddig i lawr y ffordd drol trwy ganol Erw'r Delyn.

Nain ddysgodd imi ddarllen. Neu o leia, hi gychwynnodd y broses. Mae'n siŵr nad oeddwn i fawr hŷn na dwyflwydd ar y pryd, os oeddwn i'n hynny. Roedd gen i blât enamel, â llythrennau'r wyddor rownd yr ymyl. Yr wyddor Saesneg oedd hi, ond gan na fedrai Nain siarad Saesneg, yn Gymraeg roedd hi'n dweud y llythrennau. Priflythrennau, cofiwch, y pryd hwnnw. Hwyrach fod yna drafferth i 'nghael i i fwyta, fel sydd efo rhai plant, ac mai dyfais i 'nghael i i fwyta oedd seremoni'r plât. Sut bynnag, rydw i'n cofio eistedd ar lin Nain ar y sgrîn dderw – setl i rai ohonoch chi, sgiw i eraill.

Roedd hi'n fy mwydo i oddi ar y plât â llwy, a thra oeddwn i'n cnoi roedd hi'n pwyntio at bob llythyren yn ei thro ac yn adrodd, A am Anti, B am Babi, C am Ci . . .'. Doedd yr un 'Ch' ar y plât, bid siŵr, nac 'Dd' nac 'Ng' na'r un o'r cytseiniaid cyfun sy yn y Gymraeg. Ac mae'n siŵr fod hynny'n loes i'r hen Gymraes ddiwylliedig.

Ac roedd Nain yn ddiwylliedig iawn – yn ei phethau hi. Taid oedd y diwinydd. Darllenwr mawr nes iddo golli'i olwg. Wedyn mi fyddwn i, ymysg eraill, yn gorfod darllen iddo, ac ymarfer da oedd hwnnw. Taid oedd y dyn syniadau; llyfrau defosiynol oedd pethau Nain. Fe ddarllenodd ei Beibl drwyddo saith gwaith, o bennod gynta Genesis i bennod ola'r Datguddiad, a darllen rhannau ohono, wrth gwrs, gannoedd o weithiau.

'Y Philipied' oedd ei hoff lyfr hi. Fe fyddai'n sgrifennu cerddi ac ysgrifau bach i *Drysorfa'r Plant*. Fe sgrifennodd un ysgrif yn dadlau mai'r winwydden oedd y pren gwaharddedig yng Ngardd Eden. 'Dydi'r Gair ddim yn deud be oedd ffrwyth y pren,' meddai hi. 'Dydi o ddim yn deud mai afal oedd o.'

I Nain, yfed diod feddwol oedd y mwyaf ysgeler o'r pechodau; felly, meddai hi, mae'n rhaid mai grawnwin oedd y ffrwyth gwaharddedig.

Fe fyddai hi'n sgrifennu at y pregethwr mawr Philip Jones, Porthcawl. Ac fe fyddai llythyr oddi wrth Philip Jones yn drysor uwchlaw pob trysor. Roedd Nain wedi'i 'hachub'; roedd hi'n sicir o hynny. Fe aeth y Diwygiad heibio i 'nhaid heb ei gyffwrdd o. 'Lot o ganu a sŵn,' medde fo. Ond am Nain, fe gafodd hi'i llorio. Yn ystod y Diwygiad fe fyddai'n aros yn ei gwely am ddyddiau; yr Ysbryd Glân wedi dweud wrthi am beidio â chodi.

Ac roedd ganddi reolau haearnaidd. Fe fyddai 'mrawd a finnau, a chefnder a chyfnitherod imi hefyd am gyfnod, yn treulio'r Sul yn nhŷ Taid a Nain, er mwyn inni fynd i'r capel cyfagos dair gwaith. Anti Olwen druan oedd yn gorfod gwneud cinio a the inni i gyd. Welais i erioed mo Nain yn gweithio yn y tŷ. Roedd hi'n dipyn o ledi.

Ond hi fyddai'n deddfu beth gaen ni'r plant ei wneud ar y Sul a beth na chaen ni'i wneud ar unrhyw gyfri. Chaen ni ddim rhedeg o gwmpas. Na gwneud sŵn. Na chwerthin 'yn anystyriol', chwedl hithau. Na chwibanu, ar unrhyw gyfri. Fe gaen ni ddarllen – llyfrau crefyddol a 'dyrchafol', wrth gwrs. Ac ymhen amser fe gawson ni ryddid i dynnu lluniau. Pan ddaethon ni'n hŷn roedden ni'n cael mynd am dro ar brynhawn Sul braf. Ond – 'i ble?' 'O, dim ond cyn belled â Choed-y-Glyn, Nain.' Wel, roedd hynny'n iawn, dim mwy na 'thaith diwrnod Saboth.' Y peth na wyddai'r hen wraig oedd ein bod ni'n mynd i wylio rali moto-beics ar lethrau Coed-y-Glyn. Ond fe ddaeth i wybod. Fu pethau ddim yn dda wedyn.

Pan ddechreuais i fynd i'r ysgol sir yn Llangollen mi fyddwn i'n lletya efo 'nhaid a Nain ac Anti Olwen, er mwyn bod yn gyfleus i ddal y bws i'r ysgol. Mi glywais i gyfoeth o atgofion difyr yn ystod y blynyddoedd hynny. Petai'r recordydd tâp wedi'i ddyfeisio . . . Fe fyddai 'nhaid a Nain yn ffraeo ambell dro – os ffraeo y gellwch chi alw'r peth. Pan fyddai Taid yn ei hwyliau fe fyddai'n siaradus iawn. Ond fe fyddai Nain yn cael pyliau distaw. Un noson roedd hi wedi cael un o'r pyliau hynny, a 'nhaid yn methu cael na bw na be ohoni.

'Jane!' medde fo toc. Dim ateb. 'Jane Roberts!' Ei chyfenw hi cyn iddi briodi. Dim ateb wedyn. A dyma Taid yn troi ata i ac yn dweud, 'Distaw ydi'r gloch fawr nes canith hi.' Dyma Nain yn tanio. 'Mae hynny'n well na rhyw hen gnul o hyd o hyd!' medde hi. Ond roedd yr iâ wedi'i dorri, a Taid yn chwerthin yn ddistaw yn ei farf.

Roedd Taid wedi marw cyn i mi fynd i'r coleg. Y noson cyn imi gychwyn am Fangor am y tro cynta, dyma Nain yn rhoi rhywbeth yn fy llaw i, ac yn ei gwasgu hi. Ac medde hi, 'Rwyt ti wedi bod yn fachgen da i mi.' Roedd hynny'n llawer mwy effeithiol na rhybudd imi fod yn fachgen da yn y dyfodol. Mi fyddwn yn mynd i weld Nain bob gwyliau, wrth reswm. 'Wyt ti wedi gwneud pregeth newydd yn ddiweddar?' fyddai'i chwestiwn hi. 'Ydw, Nain.' 'Gad i mi'i chlywed hi.' Un tro, roeddwn i wedi gwneud pregeth reit glyfar, 'dybiwn i – un athronyddol – wedi mynd i'r afael â thestun go anodd. 'Tra na byddom yn edrych ar y pethau a welir, ond ar y pethau ni welir: canys y pethau a welir sydd dros amser, ond y pethau ni welir sydd dragwyddol.' Roedd gen i gryn feddwl o'r bregeth yma. A geiriau gan hoff awdur Nain, yr Apostol Paul; roeddwn i'n siŵr y byddai hi'n plesio.

Ond wedi imi orffen darllen, fe fu Nain yn reit ddistaw am ychydig. Yna meddai hi: 'Fydd dim bendith ar y bregeth yna, 'ngwas i. Does 'na ddim Efengyl ynddi.' Roedd Nain yn iawn. 'Chydiodd y bregeth ddim, a pharhaodd hi ddim yn hir.

Rydw i wedi sôn o'r blaen, fwy nag unwaith, am eiriau ola' Nain. Ond waeth imi'u hadrodd nhw unwaith eto ddim. 'Dowch i'r Tŵr, 'mhlant i. Dowch i mewn i'r Tŵr cadarn. Mae digon eto o le.' Roedd hi, o leia', yn sicir i ble roedd hi'n mynd.

'Rhwng Gŵyl a Gwaith', Cyfrol 7, 1989.

Un Dechrau Blwyddyn

Petawn i'n gofyn ichi, 'Ydech chi'n cofio dechrau blwyddyn 1983? Neu 1972? Neu – os ydech chi'n ddigon hen – 1941? Os ydech chi rywbeth yn debyg i mi, allwch chi ddim – oni bai fod rhywbeth pwysig iawn i chi wedi digwydd ar un o'r dyddiau yna.

Erbyn hyn, mae gen i res go hir o ddyddiau Calan y tu cefn imi. Ond wrth imi geisio'u cofio fesul un, maen nhw'n rhedeg i'w gilydd i gyd fel ffenestri trên sy'n pasio ar wib.

Ond rydw i yn cofio un dechrau blwyddyn. Dechrau'r flwyddyn 1950. A hynny am 'mod i'n bur bell oddi cartre, yn yr Almaen. Myfyriwr yn hen Goleg y Bala oeddwn i ar y pryd, ac wedi cael gwa'dd i gynhadledd ddiwinyddol fechan yn Berlin. Roedd chwech ohonon ni i fynd yno: pedwar o Eglwys Loegr – un offeiriad ifanc, un ciwrad a dau fyfyriwr – myfyriwr o Eglwys Bresbyteraidd yr Alban, a finnau.

Cyfarfod â'n gilydd yn Llundain, a'i chychwyn hi o fan'no. Dal fferi yn Harwich, a saith awr o fordaith i'r Hook of Holland. Yno fe'n rhoddwyd ni ar drên milwrol. Y Swyddfa Dramor yn Llundain oedd yn trefnu'r ymweliad – neu'n hytrach, Adran Materion Crefyddol y Swyddfa honno. Dyna pam roedden ni'n teithio ar drên milwrol, ac mewn cerbyd arbennig iawn ar y trên: cerbyd fu unwaith yn perthyn i deulu brenhinol yr Almaen, yn felfed coch ac yn *antimacassars* i gyd.

Fel roedd hi'n dechrau nosi, dyma'r giard heibio i dynnu'r llenni dros bob ffenest yn y trên. Gofyn pam. O, roedden ni rŵan yn croesi i'r Rhanbarth Rwsiaidd, fel y gelwid o, ac yno doedd neb ohonon ni i gael gweld dim. Wel, mi driais i 'weld' unwaith neu ddwy, heibio i ymyl y llenni, ond doedd 'na ddim byd i'w weld yn y tywyllwch Sofietaidd hwnnw.

Fe gyrhaedd'son ni Berlin fore trannoeth, yn wythnos ola' 1949. Roedden ni i dreulio'r pythefnos nesa' mewn coleg diwinyddol bychan yng nghanol y ddinas, ger ffin y Sector Rwsiaidd. Doedd y Wal enwog ddim eto wedi'i chodi. Fe gawson ni groeso mawr gan bawb, a'r trafod ar grefydd a phroblemau'r dydd yn frwd.

Roedd cyfaill imi yn y gynhadledd, cyfaill o Almaenwr oedd wedi bod efo ni yn y Coleg Diwinyddol yn Aberystwyth am flwyddyn. Fe fynnodd Peter – dyna'i enw – imi dreulio wythnos ola'r gynhadledd efo fo a'i deulu-yng-nghyfraith. Wel, ei ddarpar deulu-yng-nghyfraith, a bod yn fanwl. Roedd o'n canlyn merch y teulu, Una Naumann, a'r ddau'n bwriadu priodi yn y flwyddyn newydd. Tŷ yn sefyll mewn hanner stryd oedd tŷ'r teulu Naumann. Hynny ydi, roedd hanner y stryd wedi'i chwalu yn y bomio mawr. Ac roedd ôl y bomio ar y tŷ yma: craciau mewn pared a nenfwd, ac ôl patsio yma ac acw. Roedd pob un o'r teulu wedi diodde. Roedd tad fy nghyfaill Peter wedi bod yn farnwr cyn y rhyfel, yn farnwr egwyddorol iawn, ac wedi colli'i swydd am wrthod gweinyddu rhyw ddeddf Natsïaidd neu'i gilydd.

Am ei ddarpar dad-yng-nghyfraith, Herr Naumann, roedd ganddo fo ffarm fawr a ffatri yn Nwyrain yr Almaen hyd at ddiwedd y rhyfel. Ond fe ddaeth y Comiwnyddion a dwyn y cwbwl oddi arno, ac fe fu'n rhaid iddo fo a'i deulu ffoi i Orllewin Berlin heb ddim ond y dillad oedd amdanyn nhw. Roedd o rŵan yn ceisio cychwyn busnes bach o'r newydd.

Efo'r teulu yma, felly, y gwelais i ddechrau'r flwyddyn newydd. A phrofiad i'w gofio oedd hwnnw. Teulu duwiol oedd y teulu Naumann. Fe fyddai Herr Naumann yn darllen o'r Beibl ac yn gweddïo o flaen pob pryd bwyd, ac wedyn ar ei ôl. Ond Nos Galan, yn lle rhoi'r Beibl i gadw, fel y byddai'n arfer gwneud, fe'i gadawodd o ar y bwrdd.

Yng nghornel y stafell roedd model bychan o stabal, ac yn hwnnw roedd preseb, a Joseff a Mair, ych ac asyn, a Doethion. Gerllaw'r stabal bach roedd 'na goeden Nadolig fechan, a'i chanhwyllau wedi'u diffodd yn ofalus ar ôl y Nadolig. Roedd canhwyllau'n ddrud ac yn brin. Ond heno dyma'r penteulu'n cynnau'r stympiau canhwyllau eto i groesawu'r flwyddyn newydd. Fel roedd hi'n tynnu am hanner nos, dyma ailagor y Beibl, darllen ychydig adnodau, plygu pennau, a gweddïo.

Ar drawiad hanner nos, pob un ohonon ni'n codi ar ei draed ac yn codi'i wydraid pwnsh i ddymuno Blwyddyn Newydd Dda y naill i'r llall. Eistedd drachefn, a'r penteulu'n rhoi'r set radio hynafol i fynd. Carolau oedd arni, a chyfarchion blwyddyn newydd oddi wrth Ganghellor Gorllewin yr Almaen, esgob neu ddau, a phwysigion eraill. Yna mi welwn y Penteulu'n troi dwrn y radio. Radio Dwyrain yr Almaen rŵan. A llais cras Ulrich,

Arlywydd Comiwnyddol Dwyrain yr Almaen, yn rhoi, nid cyfarchiad Blwyddyn Newydd ond anerchiad politicaidd hir – a diflas, meddai'r teulu. Tra oedd y llais yn rhygnu 'mlaen roeddwn i'n edrych ar wyneb Herr Naumann. Doeddwn i ddim yn siŵr iawn be' welwn i ar yr wyneb golygus hwnnw, prun ai casineb neu dosturi. Roedd ganddo ddigon o reswm dros deimlo casineb, a llywodraeth Ulrich wedi cymryd popeth oddi arno. Ond doedd o ddim yn edrych yn gas chwaith, rywsut.

Un ôl-nodyn bychan. A nodyn tipyn 'sgafnach. Wedi imi ddychwelyd i Gymru, mi ges lythyr oddi wrth Una Naumann ar ran ei theulu, a hwnnw mewn Saesneg hynod raenus. A dyma'i dyfarniad hi arna' i: 'We think that you are the nicest Englishman we have ever met.' Ond rhag ymddangos yn anwybodus, fe chwanegodd: 'You say that you are not English, but we do not make this difference'.

Nac oedden, siŵr.

Ond atgofion annwyl iawn sy gen i am y teulu Naumann. Nhw ddangosodd imi sut i ffarwelio â'r hen flwyddyn yn rasol, a chroesawu'r newydd mewn ffydd, gobaith a chariad.

'Sglein', *Cyfrol 2, 1993*

Y Drwydded

Wrth feddwl am drwyddedau, yr un sy'n dod gynta i feddwl llawer ohonon ni, mae'n siŵr, ydi'r drwydded i yrru car. Rydw i'n cofio mynd trwy Frwsel – prifddinas Ewrop erbyn hyn – yn ôl ym 1959, a syllu mewn dychryn ar y traffig gwyllt o boptu inni. A'r tywysydd ar y bws yn dweud nad oedd dim prawf gyrru yng Ngwlad Belg ar y pryd. Mae 'na un erbyn hyn, mae'n debyg. Ond mae trwyddedau'n rhoi hawliau go ryfedd i rai. Yn ôl ei thrwydded mae gan fy ngwraig i hawl i yrru stîmrolar. Mi hoffwn i wybod pa fiwrocrat gafodd y weledigaeth beryglus honno. Beth petai'r wraig wedi cymryd yn ei phen i arfer ei hawl? 'Cha i ddim gyrru stîmrolar. Ac mae'r wlad rywfaint yn ddiogelach o hynny.

Mae hynna'n f'atgoffa i. Mae 'nhrwydded yrru i'n dod i ben cyn diwedd y flwyddyn 'ma. A does gen i ddim awydd mawr i'w hadnewyddu hi. Mae gen i sioffyr da iawn. Neu, yn fenywaidd, *chauffeuse*. Os ydi 'ngwraig yn gymwys i yrru stîmrolar, fe ddylai fod yn gymwys i yrru 'Golf' bach. Ac mi fedra'i warantu'i bod hi.

Ond mae 'na reswm arall pam nad ydw i ddim yn rhy awyddus i gael trwydded yrru newydd. Ers yn agos i hanner canrif bellach rydw i wedi arllwys rhai tunelli o blwm a deuocsid carbon i awyr Cymru lân. Petawn i'n stopio gwneud hynny fe fyddai 'nghydwybod i dipyn bach yn ysgafnach.

Ond fe fyddai problemau wedyn. Er 1963 does dim trên yn mynd trwy Lanbedr Pont Steffan acw. Does dim llawer o fysys chwaith. Ac mae tacsis yn ddrud. Un peth ydi cael gwared â thrwydded yrru. Peth arall ydi cael gwared â'r car – yn enwedig pan mae gennoch chi wraig sy'n medru gyrru ac yn mwynhau gyrru. Fe fyddai'r car yn aros, gwaetha'r modd. A dyna drwydded arall i'w phrynu, wrth gwrs.

Dim ond unwaith erioed y ces i 'nal am fod heb drwydded ar fy nghar. Wedi mynd i'r ysgol Sul yr oeddwn i yn hen gapel Seion, Wrecsam, ar brynhawn Sul tuag ugain mlynedd yn ôl. Ysgol Sul neu beidio, pan ddes i allan ar ben yr awr 'roedd 'na docyn ar ffenest y car. Mi es ar unwaith i swyddfa'r heddlu, ac mi ges wybod gan yr heddwas yno – Cymro Cymraeg, bendith arno – mai plismones ifanc go frwd oedd wedi rhoi'r darn papur ar fy ffenest i. Roedd y car wedi bod heb drwydded ers pedwar mis. Y pryd hwnnw doedd y swyddfa drethu ddim yn atgoffa perchennog car pryd roedd ei drwydded o'n dod i ben. I rywun â chof tyllog fel fi, roedd hynny'n demtasiwn i dorri'r gyfraith. Wel, wedi imi sgrifennu llythyr dagreuol i Ruthun yn ymddiheuro am fy nghamwedd, a thalu pedair punt o ryw 'gostau', mi ges bardwn.

Ond doedd dim pardwn i'w gael mewn achos arall o dor-cyfraith. Am fod heb drwydded yr oedd hwnnw hefyd, trwydded go wahanol y tro yma. Efallai y cofiwch chi am yr Ymgyrch Deledu fawr a lansiwyd gan Gymdeithas yr Iaith yn nechrau'r saith degau, yr ymgyrch dros sianel deledu Gymraeg. Fe benderfynodd tri ohonon ni wŷr 'parchus' Wrecsam, dau weinidog a finnau – a finnau'n gyn-weinidog – fe benderfyn'son ni gymryd rhan yn yr ymgyrch a gwrthod codi trwydded deledu. Fe alwodd dau ŵr i 'ngweld i, dau Gymro Cymraeg – o'r Gwasanaeth Post, os cofia i'n iawn – a cheisio 'narbwyllo i, yn hynaws a chwrtais dros ben, i blygu i'r drefn, a thalu. Finnau, fel y ddau gyfaill arall, yn gwrthod yn bendant. Ac fe'n haliwyd ni o flaen Llys yr Ynadon. Fe fynnodd un o'r ddau weinidog fynd i garchar; fe fu yno am wythnos. Roedd y gweinidog arall yn fregus iawn ei iechyd, a finnau'n disgwyl llawdriniaeth, ac fe fu'n rhaid i ni ein dau fodloni ar dalu'r ddirwy.

Mi fedrwn i roi'r bai ar Nhad am roi ysfa torri'r gyfraith yno'i. Ond annheg fyddai hynny, achos amharod iawn i dorri'r gyfraith oedd Nhad hefyd. Amharod neu beidio, fe fu'n rhaid iddo fynd o flaen llys unwaith; yr unig dro yn ei fywyd, hyd y gwn i.

Am gyfnod rywbryd tua dechrau'r Rhyfel, roedd yn rhaid cael trwydded i fynd â defaid i'r farchnad. Dydw i ddim yn cofio pam; efallai fod a wnelo'r peth â dipio defaid, neu fod y clafr neu ryw glefyd arall yn bygwth da gwlanog ein gwlad. Sut bynnag, roedd rhaid mynd at y plismon lleol i gael y drwydded. Roedd taith o ryw ddwy filltir o'n ffarm ni i dŷ Mr. Roberts y plismon, fel y bydden ni'n ei alw'n barchus iawn. Roedd marchnad ddefaid Llangollen ar ddydd Mawrth, felly roedd yn rhaid cael y drwydded ddiwrnod neu ddau ynghynt. Pan aeth Nhad i dŷ'r plismon, doedd y plismon ddim yno. Roedd ei wraig yn ymddiheurol iawn, ond wrth gwrs, 'allai hi ddim rhoi'r drwydded.

Mae'n rhaid mai ar y noson cyn y farchnad yr oedd hyn, a doedd dim ond ychydig oriau tan fore Mawrth.

Wel, fe benderfynodd Nhad ei mentro hi. Mynd â rhyw ddau ddwsin o ŵyn tewion i Langollen heb drwydded, gan obeithio y byddai rhywun neu'i gilydd yn peidio â sylwi. Ond plismon arall oedd yn y farchnad, nad adwaenai mo Nhad. A brid go wahanol oedd plismyn Llangollen. Gwŷs gafodd Nhad, ac fe fu'n poeni am ddyddiau.

Mi aeth â fi efo fo i'r llys yn Llangollen, yn gwmni iddo, ac er mwyn i mi gael gweld pa fath beth oedd llys barn. Profiad newydd i mi oedd gweld Nhad o bawb yn gorfod plygu i awdurdod. Fo oedd Awdurdod yn ein tŷ ni, a doedd wiw i neb ohonon ni 'i groesi.

A dyma fo – Nhad o bawb – yn gorfod dweud 'syr' wrth rywun a gwrando ar gerydd Saesneg sarrug o gyfeiriad y fainc a phlygu'i ben a derbyn cosb.

Rydw i'n credu mai chweugain oedd y ddirwy, ac fe allech brynu tipyn o bethau am chweugain yr adeg honno. Roedd y ddirwy'n fwy na thrwydded priodas ar y pryd, beth bynnag. Saith a chwech oedd honno, yr un faint â thrwydded ci. Roedd 'na hen jôc farfog yn ein hardal ni – ac mewn ardaloedd eraill, mae'n siŵr – fod gwraig cyn rhated â chi. Ffeministiaid, i'r gad!

Ond mae nifer o bleserau bywyd na chawn ni mo'u mwynhau nhw heb drwydded. Pan oeddwn i'n blentyn roedd angen trwydded i fynd i'r mynydd i gasglu llus. Pan oedden ni'n eistedd i gael picnic ar y mynydd fe fyddai Modryb yn tynnu darn bach o bapur o boced ei brat, dim ond i wneud yn siŵr ei fod o ganddi, rhag ofn i gipar y Plas neu ryw swyddogyn arall ddod heibio i fusnesa. Roedd diwrnod cyfan o bleser yn dibynnu ar y darn bach papur hwnnw. Roedd rhaid i f'ewyrth gael trwydded yn Swyddfa'r Post i bysgota brithyll yn Afon Teirw. Roedd yn rhaid i Nhad gael trwydded i gario gwn.

Niwsans ydi pob trwydded. Ond niwsans angenrheidiol. Nid i roi gwaith i weision sifil y dyfeisiwyd trwyddedau, ond er mwyn eich diogelwch chi a fi. Petai pawb yn cael gwneud fel y mynno, pryd y mynno, heb ofyn am yr hawl na thalu, fe fyddai bywyd cymdeithasol yn fwy o lanast nag ydi o.

'Sglein', *Cyfrol 3, 1994*

Esgusodion

Fy niffiniad i o 'esgus' ydi 'celwydd caredig'. Os meddyliwch chi amdano, mae o'n ddigon gwir. Celwydd ydi esgus – rhaid cydnabod hynny – ond celwydd sy'n garedig i'r sawl sy'n ei wneud ac i'r sawl sy'n ei dderbyn.

Bwriwch eich bod chi'n galw i weld rhywun sy wedi bod yn wael. Ond dydi'r claf yn gwneud dim ond cwyno ar bawb – ar y doctor, ar y nyrs, ar ei pherthnasau, ar y cymdogion – ar bawb. Ac ar ôl awr a hanner o hyn rydech chi wedi glân ddiflasu. Ac rydech chi'n penderfynu gwneud esgus. Rydech chi'n codi, ac yn dweud, 'Wel, mi a'i rŵan, rhag imi'ch blino chi'.

Petaech chi'n dweud eich meddwl yn onest fe ddwedech chi, 'Rydw i'n mynd rŵan; rydw i wedi glân flino arnoch chi'. Ond fe fyddai hynny'n clwyfo'r claf. Felly rydech chi'n dweud, 'Rydw i'n mynd, rhag i mi'ch blino chi'. Celwydd caredig. A does neb ddim gwaeth.

'Dw i'n cofio'r amser pan fyddwn i'n cael gwahoddiadau i feirniadu'r llên a'r adrodd mewn eisteddfodau lleol, ac i arwain y steddfod ar ben hynny. Ac mae'n rhaid imi fod yn onest; roedd y gwahoddiadau hynny'n fy ngwylltio i'n gandryll. Roedd arna i awydd sgrifennu'n ôl: 'Na, ddo i ddim i feirniadu'r llên a'r adrodd ac arwain yn eich steddfod ddwy-a-dime chi'. Ond roedd arna i ofn bod yn amhoblogaidd, felly mi fyddwn i'n gwneud esgus: yn dweud bod rhaid imi fod yn rhywle arall ar ddiwrnod y steddfod. Ambell dro, roedd hynny'n digwydd bod yn wir. Dro arall, roedd o'n gelwydd. Ond yn gelwydd caredig. Doeddwn i ddim wedi clwyfo neb – ond fi fy hun, hwyrach, am fod yn gas gen i ddweud celwydd.

Ond fe ellwch wneud esgus nid yn unig ar air, ond mewn gweithred hefyd. Mi fydda i'n poeni'n arw pan glywa i blentyn ifanc yn crio ar y stryd neu mewn siop, a'i fam neu ryw fodryb flinedig yn ddiamynedd efo fo. Ofni bod y bychan yn cael ei gam-drin yr ydw i. Mi fûm i ar fin mynd i ymyrryd un tro, ond roedd yna wraig yn sefyll yn ymyl – hen nyrs, a bydwraig at hynny, wedi dwyn cannoedd o fabanod i'r byd, ac wedi magu amryw hefyd.

'Peidiwch â phoeni,' medde hi. 'Dim ond esgus crio mae'r plentyn, er mwyn cael sylw. Wedi cael gormod o sylw'n barod, mae'n siŵr.' Dim ond esgus crio. Wel, efallai wir.

A dyna'r hyn ddwedodd Nhad wrtha i ryw dro. Dydw i byth wedi'i anghofio. Bachgen ysgol oeddwn i ar y pryd, yn y chweched dosbarth, ac yn un ar bymtheg oed. Roeddwn i'n sgrifennu nofel ar gyfer cystadleuaeth yn *Y Cymro*, a Tegla'n beirniadu. Ar y gwaelod y gosododd Tegla fy nofel i, ond ta waeth am hynny rŵan.

Roedd hi'n brynhawn go gynnes, rydw i'n cofio hynny, ac roedd Nhad a 'mrawd yn y cae yn senglu maip. Doedd acw ddim gwas ar y pryd, felly roedd dwylo'n brin. Ac fe ddaeth Nhad i lawr i'r tŷ, a golwg go flinedig arno, i edrych ble'r oeddwn i. Ac wedi 'ngweld i wrth fwrdd y gegin, yn ffidlan – felly roedd o'n tybio – dyma fo'n gofyn,

'Wyt ti ddim yn dŵad i'r cae i roi help inni efo'r maip?'

'Ma raid imi orffen y nofel 'ma,' meddwn i, yn reit bwysig fel y gall llanciau un ar bymtheg oed fod yn bwysig.

A dyma Nhad yn ffromi. Ac medde fo, 'Esgus ydi'r sgwennu 'ma o hyd, rhag gneud tipyn o waith'.

Mi frifodd fi ar y pryd, waeth imi gyfadde. Ond wnes i ddim dal dig. A dydw i ddim dicach heddiw. Gwaith trwm a diflas oedd senglu maip erstalwm, yn enwedig ar brynhawn poeth, a dwylo'n brin; rhygnu efo mymryn o hof yng nghanol aceri o ddeiliach, a dim golwg am ddiwedd ar y gwaith. Roedd yn naturiol i hen ffarmwr deimlo'n flin, yn enwedig wrth weld llarp o hogyn a allai helpu, yn braf ei fyd wrth fwrdd y gegin a phentwr o bapurach o'i flaen. Rydw i'n cydymdeimlo efo Nhad.

'Esgus ydi'r sgwennu 'ma o hyd'. Tybed? Ai esgusodion ydi'r pethau sy'n rhoi pleser inni? Esgusodion rhag gwneud pethau diflas y mae'n rhaid i rywun eu gwneud?

Mae 'na un peth sy wedi bod yn anodd i mi ar hyd fy oes. Mwynhau fy hun. 'Joio', fel maen nhw'n dweud heddiw. Mae 'na ryw euogrwydd bach yn taflu'i gysgod dros yr hwyl, rhyw lais yn sibrwd, 'Mi fydd raid i'r hwyl 'ma ddod i ben, wyddost. Mae gen ti bethau eraill, pwysicach, i'w gwneud.' Ofni mai esgus ydi awr o fwynhad, mai esgusodion ydi oriau melys bywyd. Bwdistiaeth Gristnogol, rwy'n ofni. Ond a' i ddim ar ôl y pwnc dyrys yna.

'Sglein', Cyfrol 4, 1995

Ewyllys Da

Petawn i wedi dysgu peintio'n iawn, yn hytrach na ffidlan efo pensel fel y byddwn i'n ddiddiwedd yn fachgen – petawn i wedi dysgu peintio'n iawn, mi beintiwn i lun o Ewyllys Da. Un o'r pethau hynny ydi Ewyllys Da sy'n haws eu darlunio na'u diffinio.

Mae hi bron yn Nadolig yn y darlun yma. Ac ryden ni'n edrych i mewn i archfarchnad fawr. Fe wyddoch amdani hi a'i thebyg: siop sy'n sefyll ar dri chwarter erw o dir ac yn codi fel deinosawr uwchlaw'r tai a'r swyddfeydd cymdeithasau adeiladu yn y stryd. Mae 'na hanner dwsin o ddrysau yn eich gwahodd chi i mewn, ond cyn y cewch chi fynd trwy un o'r giatiau mewnol rhaid ichi dynnu rhywbeth a elwir yn droli – ei dynnu'n rhydd o res o drolïau wedi'u clymu'n styfnig yn ei gilydd. Troli, wir! Pam na alwn ni'r peth yn 'drol', dwedwch? Hen air sy gennon ni'n barod yn y Gymraeg, sy'n golygu'r un peth yn union: rhywbeth ar olwynion yr ydech chi'n ei drolio ar hyd y llawr.

Y gwahaniaeth rhwng yr hen drol solet ar y ffarm erstalwm a throli'r archfarchnad ydi bod yr hen drol ffarm yn dilyn y ceffyl i'r union gyfeiriad 'roedd y ceffyl am iddi fynd, ond bod gan y troli siop ei feddwl ei hun. 'Nid fy meddyliau i yw eich meddyliau chwi,' meddai'r teclyn, gan anelu'n rhyfygus am droli llwythog rhyw foneddiges ddreng yr olwg. Yn sicr ddigon, 'does dim owns o ewyllys da yn y troli disberod hwn.

'Ryden ni rŵan yn gweld un ale hir reit i'w phen draw. Dacw fenyw weddol ifanc yn dod ar hyd yr ale. Gweddol ifanc? Wel, mae'n anodd dweud yn siŵr. Fe *all* hi fod rhwng hanner cant a thrigain, ond wedi lliwio'i gwallt yn donnau cwstard ac wedi benthyca dillad ei merch. Neu fe all fod yn ddim ond un ar hugain, ond wedi priodi'n ifanc, a gofal a gofid yn dechrau printio'i hwyneb eisoes.

Sut bynnag, mae hon yn gwybod ble mae popeth yn y siop, yn cipio paced oddi ar un silff a photel oddi ar un arall heb unrhyw betruster, ac yn llywio'i throli'n chwim tuag at ychwaneg o bacedi a photeli. Er bod y troli bron yn llawn, i ffwrdd â hi wedyn i gyfeiriad y silffoedd anrhegion plant. Os bydd hi'n prynu'r rheini mor egnïol ag y bu hi'n prynu bwydydd a diodydd, fe fydd arni angen *ail* droli cyn pen dim. 'Dydi hi ddim yn galed arni, mae'n hawdd gweld. Mae'n edrych yn debyg fod ganddi hi, fel ei gŵr, swydd go dda.

Ac mae 'na nifer o ledis tebyg ar hyd a lled y siop, yn gwthio'u trolïau llwythog fel rhai sy'n credu mai po lawna'r troli, mwya'r ewyllys da.

Ond beth mae'r dyn acw'n ei wneud? 'Dydi *o* ddim yn cael llawer o hwyl ar lwytho'i droli. 'Dydi o ddim yn *edrych* yn dlawd. Mae golwg digon taclus, trwsiadus arno. Ond 'dydi o ddim yn ei gynefin mewn lle fel hwn, mae hynny'n amlwg. Mae o'n estyn pecyn melyn yn bryderus oddi ar un silff ac yn syllu arno, ddim yn sicir ai hwnnw ddyle fo'i brynu neu ryw becyn arall. Yna mae'n rhoi'r pecyn melyn yn ôl ac yn estyn un pinc. Yr un fath wrth y silffoedd poteli. A'r silffoedd tuniau. A'r silffoedd bisgedi. Mae ganddo stripyn hir o bapur mewn un llaw a rhywbeth tebyg i neges – 'ordor', felly – wedi'i sgrifennu arno. Ond naill ai 'dydi'r creadur ddim yn deall y llawysgrifen neu 'dydi o ddim yn nabod y pethau y mae'u henwau ar yr ordor.

Pwy sgrifennodd yr ordor? Ei wraig o? A phle mae honno, tybed? Mae'n amlwg mai hi sy'n arfer siopa. Efalle'i bod hi, druan, dan y ffliw, ac wedi gorfod dibynnu am y tro ar y clwtyn llawr 'ma o ŵr sy ganddi. A dweud y gwir wrthoch chi, 'rydw i'n ei weld o'n ddigon tebyg i mi fy hun.

Ond dyma *deulu*'n dŵad: tad a mam, dau blentyn cyrliog byrlymus, a babi mewn coits fach. A golwg hapus ar bob un ohonyn nhw. Y plant yn chwerthin o waelod eu boliau a'u rhieni'n gwenu o glust i glust. Ac . . . O, dyna beth hyfryd. Mae'r fam ifanc wedi sylwi bod y clwtyn llawr o ddyn mewn trafferth, ac mae'i gŵr hi'n mynd at y dyn ac yn cynnig help iddo efo'i ordor. Ac mae'r dyn di-glem mor ddiolchgar. Pictiwr o ysbryd y Nadolig.

Ond edrychwch ar yr hen wraig yna. Ychydig iawn sydd yn ei throli *hi*. Mae hi'n dewis ei nwyddau'n ofalus iawn: y pecyn neu'r cwdyn lleia' o bopeth. Dim ond angenrheidiau. Dim moethau. Ond mae hi'n petruso uwchben bocs bach lliwgar o fisgedi, ac yn y diwedd yn ei roi yn ei throli. Efallai y daw rhywun i edrych amdani ryw ddiwrnod . . . Ond dyna'r unig foethyn. Os ydi'r hen wraig yna'n byw ar ei phen ei hun, heb ddim i fyw arno ond ei phensiwn henoed, mae'n rhyfeddod i mi ei bod hi'n gallu byw o gwbwl mewn byd mor ddrud.

Rŵan mae'r teulu ifanc, wrth basio, yn dymuno Nadolig Llawen i'r hen wraig. A hithau'n gwenu am fod *rhywun* wedi sylwi arni, wedi'i chyfarch hi. Mae'r fam ifanc yn edrych fel petai'n dyheu am gael rhoi rhywbeth yn nhroli'r hen wreigan. Ond petruso mae hi. Wedi'r cwbwl, mae'n hawdd clwyfo balchder. 'Fyddai'r hen wraig ddim yn croesawu cardod, mae hi'n siŵr, hyd yn oed ar drothwy'r Nadolig.

Mae'r siop fawr yn llenwi. Ac O diar, mae'r darlun yn llenwi hefyd. 'Fedrwn ni ddim stwffio llawer mwy o ewyllys da i hwn.

Ond arhoswch funud. Mae'n rhaid gwneud lle i un arall. Yr hen ŵr barfog acw wrth y fynedfa. 'Dydi o ddim wedi tynnu troli o'r rhes. 'Dydi o ddim hyd yn oed wedi codi basged. Rhyw sefyllian y mae o, gan edrych o'i gwmpas ar yr ugeiniau o gwsmeriaid rhwng y silffoedd lliwgar, llawn. Ydi o am brynu rhywbeth, tybed? Ynte' ai chwilio am rywun y mae o? Yn llafurus, mae o'n tynnu pwrs o'i boced. Wedyn, mae o'n gwneud peth rhyfedd braidd mewn lle cyhoeddus. Mae'n agor ei bwrs, ac yn ei ddal â'i ben i lawr. 'Does dim byd yn disgyn ohono. Mae'r hen greadur yn sbïo o'i gwmpas, gan obeithio bod rhywun wedi sylwi bod ei bwrs yn wag. Ond mynd heibio heb gymryd sylw y mae pawb.

Ond mae 'na *un* wedi sylwi. Yr hen wraig welson ni gynnau. Mae hi'n dŵad â'i throli tri-chwarter gwag, yn dŵad at yr hen ŵr. Mae hi'n cipio'i bwrs gwag ac yn ei wthio'n ôl i'w boced o, cystal â dweud, 'Byhafia dy hun rŵan. Mi ddylet wybod yn well na begian fan hyn.' Wedyn mae hi'n rhoi'i llaw trwy'i fraich o, ac mae yntau'n cymryd y troli, ac mae'r ddau'n mynd yn ara' tua'r fynedfa.

Efallai y dylwn i fod wedi gorffen yr hanes bach yna'n drist. Ond wedi'r cwbwl, Nadolig ydi hi, a pheintio darlun o Ewyllys Da yr oedden ni, yntê?

'Sglein': darlledwyd 19 Rhagfyr, 1993. (Heb ei chyhoeddi o'r blaen.)